Um Porto Seguro

NICHOLAS SPARKS

UM PORTO SEGURO

Nos momentos mais difíceis,
o amor é o único refúgio.

Tradução
Ivar Panazzolo Júnior

Editora Novo Conceito

5ª Impressão - 2013

Edição: Edgar Costa Silva
Produção Editorial: Alline Salles, Lívia Fernandes, Tamires Cianci
Preparação de Texto: Erika Alonso
Revisão de Texto: Elisabete B. Pereira e Lilian Aquino
Diagramação: Crayon Editorial Ltda., Vanúcia Santos
Capa: Jorge Parede
Impressão e Acabamento RR Donnelley 260313

Este livro segue as regras da Nova Ortografia da Língua Portuguesa.

Dados Internacionais de Catalogação na Publicação (CIP)
(Câmara Brasileira do Livro, SP, Brasil)

Sparks, Nicholas
Um Porto Seguro / Nicholas Sparks ; tradução Ivar Panazzolo Júnior. -- Ribeirão Preto, SP : Novo Conceito Editora, 2012.

Título original: Safe haven.
ISBN 978-85-8163-004-5

1. Ficção norte-americana I. Título.

12-01550 CDD-813

Índice para catálogo sistemático:
1. Ficção : Literatura norte-americana 813

Editora Novo Conceito

Rua Dr. Hugo Fortes, 1885 – Parque Industrial Lagoinha
14095-260 – Ribeirão Preto – SP
www.editoranovoconceito.com.br

Dedicado à memória
de PAUL *e* ADRIENNE COLE,
minha maravilhosa família.
Já sinto saudades de vocês.

João Pessoa, 14 de julho de 2013

Agradecimentos

Quando termino cada um de meus livros sempre me pego refletindo sobre as pessoas que me ajudaram no decorrer da elaboração da obra. Como sempre, a lista começa com minha esposa, Cathy, que não somente tolerou minhas alterações de humor motivadas pela criatividade, mas que também teve que passar por um ano muito difícil, no qual ela perdeu seus pais. Cathy, eu amo você e gostaria que houvesse algo que eu pudesse ter feito para diminuir a dor da perda que você está sentindo. O meu coração está com você.

Também quero agradecer aos meus filhos — Miles, Ryan, Landon, Lexie e Savannah. Miles está na faculdade, os dois mais novos estão na terceira série, e acompanhar o crescimento deles é sempre uma fonte de alegria para mim.

Minha agente, Theresa Park, sempre merece meus agradecimentos por tudo o que faz para me ajudar a escrever minhas melhores histórias. Tenho sorte por trabalharmos juntos.

A mesma coisa posso dizer sobre Jamie Raab, minha editora. Ela me ensinou muito sobre a arte de escrever, e eu sou muito grato por tê-la presente em minha vida.

Denise DiNovi, minha amiga em Hollywood e produtora de vários dos meus filmes, é uma fonte de alegria e amizade há anos. Obrigado por tudo o que você fez por mim.

David Young, diretor da editora Hachette Book Group, é inteligente e uma ótima pessoa. Obrigado por tolerar o fato de eu sempre atrasar a entrega dos meus manuscritos.

Howie Sanders e Keya Khayatian, meus agentes cinematográficos, trabalham comigo há anos e eu devo muito do meu sucesso ao trabalho duro que eles fazem.

Jennifer Romanello, minha relações-públicas na Grand Central Publishing, trabalha comigo em cada um dos livros que escrevo. Considero-me uma pessoa de muita sorte por tudo o que ela faz.

Edna Farley, minha outra relações-públicas, é profissional e esforçada e faz um excelente trabalho para garantir que minhas viagens ocorram sem problemas. Obrigado.

Scott Schimer, meu advogado na indústria do entretenimento, não é apenas um amigo, ele também é um negociador excepcional quando é necessário analisar as minúcias dos meus contratos. Sinto-me honrado em trabalhar com você.

Abby Koons e Emily Sweet, dois aliados no Park Literary Group, merecem meus agradecimentos por tudo o que fazem com as editoras estrangeiras que publicam meus livros, meu *website* e quaisquer contratos que chegam até mim. Vocês são os melhores.

Marty Bowen e Wyck Godfrey, que fizeram um ótimo trabalho na produção de *Querido John*, merecem meus agradecimentos por seus esforços. Eu gostei muito de ver o cuidado que eles tiveram com o projeto.

Da mesma forma, foi ótimo trabalhar com Adam Shankman e Jennifer Gibgot, produtores de *A Última Música*. Obrigado por tudo o que fizeram.

Courtenay Valenti, Ryan Kavanaugh, Tucker Tooley, Mark Johnson, Lynn Harris e Lorenzo Bonaventura — todos eles mostraram uma enorme paixão pelos filmes inspirados nos meus livros, e quero agradecê-los por tudo.

Agradeço também a Sharon Krassney, Flag e à equipe de preparadores e revisores que tiveram que trabalhar até tarde da noite para que este livro estivesse pronto para ser impresso.

Jeff Van Wie, que foi meu parceiro na criação do roteiro de *A Última Música*, merece meus agradecimentos por sua paixão e seu esforço na produção de roteiros, junto com sua amizade.

1

Enquanto Katie circulava por entre as mesas, uma brisa vinda do Atlântico lhe acariciou os cabelos. Levando três pratos na mão esquerda e outro na direita, ela usava uma calça jeans e uma camiseta com os dizeres: *Ivan's: Experimente nosso peixe, peça o linguado.* Ela levou os pratos para quatro homens que usavam camisas polo; o que estava mais perto dela lhe chamou a atenção e sorriu. Embora ele tentasse dar a impressão de que era apenas um rapaz amistoso, Katie sabia que ele continuava a observá-la enquanto ela se afastava da mesa. Melody havia mencionado que os homens eram de Wilmington e estavam procurando locações para serem usadas em um filme.

Pegou uma jarra de chá gelado e voltou a encher os copos dos rapazes antes de voltar para a copa. Ela deu uma olhada na paisagem. Era fim de abril, a temperatura estava perto da marca ideal e o céu se estendia azul até o horizonte. Além dela, a hidrovia intralitorânea estava calma apesar da brisa e parecia espelhar a cor do céu. Um bando de gaivotas estava empoleirado no corrimão que circundava o restaurante, esperando para disparar por entre as mesas se alguém deixasse um pedaço de comida cair no chão.

Ivan Smith, o proprietário, as odiava. Ele dizia que eram ratos-com-asas e já havia patrulhado a área do corrimão com um desentupidor em punho, tentando espantá-las. Melody havia falado ao ouvido de Katie que estava mais preocupada com o lugar onde o desentupidor estava do que com as gaivotas. Katie não disse nada.

Ela começou a fazer outro bule de chá, limpando o balcão. Um momento depois, sentiu que alguém lhe tocava o ombro. Virou-se e viu que era a filha de Ivan, Eileen, uma garota bonita de 19 anos, com o cabelo amarrado em um rabo de cavalo. Ela estava trabalhando meio período no restaurante como recepcionista.

— Katie, você pode atender a uma outra mesa?

Katie olhou pelo restaurante e observou as mesas. — É claro — disse ela.

Eileen desceu as escadas. Katie conseguia ouvir fragmentos de conversas vindos das mesas próximas. As pessoas falavam sobre amigos, família, o tempo ou sobre pescaria. Em uma mesa, que ficava no canto do salão, ela viu duas pessoas fechando os cardápios. Foi até eles e anotou o pedido, mas não ficou perto da mesa tentando conversar sobre amenidades com os clientes, como Melody fazia. Katie não era muito boa para puxar assunto, mas compensava isso com sua eficiência e cortesia. E os clientes pareciam não se importar.

Ela trabalhava no restaurante desde o começo de março. Ivan a contratara em uma tarde fria, em que o céu estava limpo e tinha um tom azul-turquesa. Quando disse que poderia começar o trabalho na segunda-feira seguinte, Katie teve que se esforçar para não chorar na frente dele. Ela esperou até estar longe do restaurante, a caminho de casa, para se esvair em lágrimas. Naquela época, ela não tinha dinheiro nenhum e não comia há dois dias.

Katie percorreu o salão, enchendo copos com água e chá gelado antes de voltar para a cozinha. Ricky, um dos cozinheiros, piscou para ela como sempre fazia. Há dois dias ele a tinha convidado para sair, mas Katie disse que não queria se envolver com ninguém que trabalhasse no restaurante. Ela teve a impressão de que ele logo tentaria de novo e esperava que seus instintos estivessem errados.

— Duvido que o movimento vá diminuir hoje — comentou Ricky.

Ele era loiro e esguio, talvez um ou dois anos mais novo do que ela e ainda morava na casa dos pais. — Toda vez que eu acho que vamos ter um momento para respirar o restaurante volta a encher.

— O dia está bonito hoje.

— Mas por que essas pessoas estão aqui? Em um dia como este, elas deveriam estar na praia ou pescando. E é exatamente isso que eu vou fazer quando terminar o expediente.

— É uma boa ideia.

— Quer que eu a leve para casa mais tarde? — Ele se oferecia para levá-la para casa pelo menos duas vezes por semana.

— Obrigada, mas não é preciso. Eu não moro tão longe daqui.

— Não é problema nenhum. Eu ficaria feliz em levá-la — insistiu ele.

— Caminhar me faz bem.

Ela lhe entregou a folha de papel com os pedidos anotados e Ricky a pregou no quadro com os outros. Katie pegou um dos pedidos que devia levar de volta ao salão, foi até a parte do restaurante onde estava atendendo e serviu os clientes.

O Ivan's era uma instituição local, um restaurante que funcionava há quase trinta anos. Desde que começara a trabalhar ali, Katie identificara os clientes habituais e, enquanto atravessava o salão, seus olhos iam em direção a pessoas que ainda não tinha visto. Casais flertando, outros se ignorando mutuamente. Famílias. Ninguém parecia estar deslocado naquele lugar, e ninguém pedira informações a seu respeito. Mesmo assim, havia épocas em que suas mãos começavam a tremer, por isso ela ainda deixava uma luz acesa quando dormia.

Seu cabelo, de um tom castanho-avermelhado, era tingido na pia da cozinha da pequena casa que alugara. Como ela não usava maquiagem, sabia que seu rosto acabaria se bronzeando um pouco, talvez um pouco demais, então lembrou a si mesma de comprar protetor solar. No entanto, após pagar o aluguel e as contas da casa, não sobrou muito dinheiro para itens supérfluos. Até mesmo o protetor solar iria estrangular suas finanças. O emprego no Ivan's era bom e ela estava feliz por trabalhar ali, mas a comida que o restaurante servia não era cara — e isso significava que as gorjetas que ela recebia não eram as melhores. Por causa de sua dieta habitual, composta por feijão com arroz, macarrão e mingau de aveia, ela perdera peso nos últimos quatro meses, e até conseguia sentir suas costelas por baixo da camiseta. Algumas semanas atrás, ela tinha círculos escuros ao redor dos olhos, os quais imaginava que nunca conseguiria tirar do rosto.

— Acho que aqueles caras estão olhando para você — disse Melody, com um meneio de cabeça em direção à mesa dos quatro homens do estúdio de cinema. — Especialmente aquele de cabelo castanho. O mais bonito da mesa.

— Ah — disse Katie. E começou a preparar outro bule de café. Qualquer coisa que ela dissesse à Melody certamente cairia nos ouvidos das outras pessoas. Então, Katie normalmente não conversava muito com ela.

— O que foi? Você não o achou bonito?

— Eu não prestei muita atenção.

— Como você pode não prestar atenção quando um cara é bonito? — perguntou Melody, descrente, olhando para ela.

— Não sei.

Assim como Ricky, Melody era dois anos mais nova do que Katie, talvez com 25 anos, mais ou menos. Ruiva, de olhos verdes e sem papas na língua, ela namorava um cara chamado Steve, que fazia entregas para uma loja de materiais de construção e reforma do outro lado da cidade. Como todos os outros funcionários do restaurante, ela havia nascido e crescido em Southport, a qual descrevia como sendo um paraíso para crianças, famílias e idosos, mas o lugar mais triste e modorrento do mundo para pessoas solteiras. Pelo menos uma vez por semana ela dizia à Katie que desejava se mudar para Wilmington, que tinha bares, danceterias e muito mais lojas. Melody parecia saber tudo sobre todo mundo. Katie às vezes pensava que a verdadeira profissão da colega era a fofoca.

— Ouvi dizer que Ricky convidou você para sair, mas você recusou — disse ela, mudando de assunto.

— Não gosto de me envolver com pessoas do trabalho — respondeu Katie, fingindo estar absorta com a organização das bandejas que continham os talheres.

— Podíamos sair os quatro. Ricky e Steve saem para pescar juntos.

Katie imaginou se Ricky estava realmente interessado nela ou se tudo aquilo era ideia de Melody. Talvez fossem as duas coisas. À noite, depois que o restaurante fechava, quase todos os funcionários ficavam ali por mais algum tempo, conversando e tomando uma cerveja. Com exceção de Katie, todos já trabalhavam no Ivan's há anos.

— Não acho que seja uma boa ideia — comentou Katie.

— Por que não?

— Tive uma experiência ruim certa vez — disse ela. — Namorar com um homem que trabalhava no mesmo lugar que eu. E, desde então, assumi como regra não voltar a fazer isso.

Melody revirou os olhos antes de sair em direção a uma de suas mesas. Katie entregou duas contas e recolheu pratos vazios. Ela se manteve ocupada, como sempre fazia, tentando ser eficiente e invisível. Mantendo a cabeça baixa, se certificava de que a copa estava brilhando. Aquilo fazia seu dia passar mais rápido. Não flertou com o homem do estúdio, que, quando saiu, não olhou para trás.

Katie trabalhava durante o horário do almoço e do jantar. Enquanto o dia se transformava em noite, ela gostava de observar o céu passar do azul para o cinza e depois para o laranja e o amarelo na borda ocidental do mundo. Ao pôr do sol, a água reluzia e os veleiros cruzavam as águas, empurrados pela brisa. As folhas finas nos ramos dos pinheiros pareciam brilhar. Assim que o Sol se punha no horizonte, Ivan ligava os aquecedores a gás e as espirais de metal começavam a resplandecer como abóboras de *Halloween*, com suas faces engraçadas. O rosto de Katie já estava ficando um pouco queimado pelo Sol, e as ondas de calor que saíam dos aquecedores faziam sua pele arder.

Abby e Dave Grandão substituíam Melody e Ricky no turno da noite. Abby estava no último ano do ensino médio e ria bastante e Dave Grandão preparava os jantares no Ivan's há quase vinte anos. Casado, com dois filhos e uma tatuagem de escorpião no antebraço direito, ele pesava quase 140 quilos e, na cozinha, seu rosto estava sempre brilhoso. Ele costumava colocar apelidos carinhosos em todos, e a chamava de Katie Kat.

A movimentação do jantar durou até as nove da noite. Quando as coisas começaram a ficar mais calmas, Katie limpava e fechava a copa. Ela ajudava os lavadores de pratos a levar a louça para a lavadora enquanto suas últimas mesas terminavam o jantar. Uma delas estava ocupada por um casal jovem, e ela viu os anéis em seus dedos quando eles se deram as mãos por sobre a mesa. Eles eram belos e pareciam felizes, o que fez Katie sentir um *déjà-vu* tomar conta de si. Há muito tempo ela tinha sido como eles, pelo menos por um momento. Ou pensou que havia sido, porque hoje sabia que aquele momento era apenas uma ilusão. Katie desviou os olhos do casal feliz, desejando poder apagar sua memória para sempre e nunca mais voltar a ter aquela sensação.

2

Na manhã seguinte, Katie foi até a varanda da sua casa com uma xícara de café, sentindo as tábuas do piso rangerem sob seus pés, e se apoiou contra o parapeito. Lírios haviam brotado em meio à grama alta que cobria um canteiro de flores, e ela levantou a xícara, apreciando o aroma enquanto tomava um gole.

Ela gostava deste lugar. Southport era diferente de Boston, da Filadélfia e também de Atlantic City, com seus sons incessantes de trânsito, os odores e as pessoas correndo pelas calçadas. Além disso, era a primeira vez em sua vida que encontrara um lugar para chamar de seu. A casa não era grande, mas era sua e discreta, e isso bastava. Era uma de duas estruturas idênticas localizadas no fim de uma ruela de cascalhos, antigas cabanas usadas por caçadores com paredes de madeira construídas entre um grupo de pinheiros e carvalhos, compondo a orla de uma floresta que se estendia até o litoral. A sala e a cozinha eram pequenas e o quarto não tinha armários embutidos, mas a casa já era mobiliada, incluindo cadeiras de balanço na varanda, e o aluguel até que era barato. O lugar não estava caindo aos pedaços, mas estava coberto pela poeira devido aos vários anos em que permanecera fechado. O proprietário oferecera para comprar os produtos de limpeza e manutenção se Katie se oferecesse para dar um jeito na casa. Desde que se mudara para lá, Katie passava uma boa parte do seu tempo livre ajoelhada no chão ou em pé sobre cadeiras fazendo exatamente isso. Ela esfregou os azulejos e as louças do banheiro até que tudo estivesse brilhando; lavou o teto com um pano úmido e limpou as janelas com vinagre. Katie passou horas ajoelhada na cozinha, tentando remover a ferrugem e a sujeira acumuladas no piso de linóleo. Ela cobriu os buracos na parede com massa corrida e depois lixou tudo até que a superfície estivesse lisa. Chegou até mesmo a pintar as paredes da cozinha em um tom alegre de amarelo e os armários com tinta branca brilhante. Seu quarto agora tinha paredes em tom azul-claro, a sala de estar era bege e, na semana passada, ela havia colocado uma nova capa sobre o sofá que fez com que ele parecesse ser novo em folha.

Depois de completar a maior parte do trabalho, Katie gostava de se sentar na varanda da casa durante as tardes e ler os livros que pegava emprestado na biblioteca. Além do café, a leitura era o único luxo a que ela se permitia, já que não tinha televisão, rádio, telefone celular, micro-ondas, carro, e todos os seus pertences cabiam em uma única mala. Já contava 27 anos, não tinha amigos e havia deixado de ser uma mulher loira de cabelos compridos há algum tempo. Ela tinha se mudado para aquele lugar sem praticamente nada e, alguns meses depois, ainda tinha pouco. Ela guardava metade das gorjetas que ganhava e todas as noites dobrava o dinheiro e o punha em uma lata de café, que deixava escondida sob uma tábua do piso perto da varanda. O dinheiro ficava guardado para emergências e ela preferia passar fome a ter que usá-lo. Simplesmente saber que a lata estava ali fazia com que conseguisse respirar um pouco mais aliviada, pois o passado sempre estava à espreita e poderia retornar a qualquer momento. Um passado que cruzava o mundo procurando por ela, e ela sabia que sua fúria crescia a cada dia que passava.

— Bom dia. Você deve ser Katie — chamou uma voz, interrompendo seus pensamentos.

Katie se virou. Na varanda da casa ao lado viu uma mulher com uma cabeleira castanha despenteada, acenando com a mão. Ela parecia ter mais de 30 anos e usava uma calça jeans, com uma blusa de botões que tinha as mangas arregaçadas até os cotovelos. Um par de óculos de sol repousava sobre os cachos emaranhados na cabeça dela. Nas mãos, ela tinha um pequeno tapete e parecia estar debatendo consigo mesma se devia estendê-lo para tirar o pó antes de finalmente deixá-lo de lado e vir até onde Katie estava. Ela andava com a energia e a tranquilidade de alguém que estava acostumado a se exercitar.

— Irv Benson me disse que seríamos vizinhas.

"O dono das casas", pensou Katie. — Eu não sabia que outra pessoa viria morar aqui.

— Acho que ele também não sabia. Ele quase caiu da cadeira quando eu lhe disse que ficaria com a casa.

Naquele momento, ela já havia chegado à varanda de Katie, e estendeu a mão. — Meus amigos me chamam de Jo.

— É um prazer — disse Katie, cumprimentando-a.

— Dá para acreditar nesse tempo? Está perfeito, não acha?

— A manhã está uma beleza — concordou Katie, apoiando o peso do corpo na outra perna. — Quando você se mudou?

— Ontem à tarde. E, por ironia do destino, passei quase a noite toda espirrando. Acho que Benson juntou toda a poeira que conseguiu encontrar e a guardou na minha casa. Você não acreditaria na sujeira que existe lá dentro.

Katie apontou para a porta da sua própria casa com um movimento da cabeça. — Esta casa estava do mesmo jeito.

— Não parece. Desculpe-me, mas não consegui evitar em dar uma olhada pelas suas janelas quando eu estava na minha cozinha. A sua casa é clara e alegre. Por outro lado, o lugar que eu aluguei é uma masmorra empoeirada e cheia de aranhas.

— O Sr. Benson me deixou pintá-la.

— Tenho certeza de que deixou. Desde que eu faça todo o serviço, eu aposto que o Sr. Benson me deixará pintar a casa também. O imóvel dele fica limpo e bonito e eu acabo fazendo todo o trabalho — disse ela, com um sorriso torto. — Faz tempo que você mora aqui?

Katie cruzou os braços, sentindo o Sol da manhã lhe aquecer o rosto. — Há quase dois meses.

— Não sei se vou aguentar tanto tempo. Se eu continuar espirrando como na noite passada, minha cabeça provavelmente vai explodir.

Jo pegou seus óculos escuros e começou a limpar as lentes com o tecido da camisa. — E o que está achando de Southport? É um mundo totalmente diferente, não é?

— Como assim?

— Você não parece ser daqui. Imagino que seja de algum lugar ao norte.

Depois de alguns segundos, Katie fez que sim com a cabeça.

— Foi o que pensei. Demora um pouco para as pessoas se acostumarem com Southport. Sempre gostei muito daqui. Tenho um lugar especial no meu coração para as cidades pequenas.

— Você nasceu aqui?

— Cresci aqui, depois saí e voltei após um bom tempo. É assim que sempre acontece, não é? Além disso, é difícil achar lugares empoeirados como minha casa em outras cidades.

Katie sorriu e, por um momento, nenhuma das duas disse qualquer palavra. Jo parecia contente em ficar diante dela, esperando pelo próximo movimento. Katie tomou um gole do seu café, olhando em direção às árvores, e se lembrou da boa educação que recebeu.

— Aceita uma xícara de café? Acabei de fazer.

Jo voltou a colocar os óculos de sol sobre a cabeça, prendendo-os entre os cabelos. — Sabe, eu estava esperando que você dissesse isso. Eu adoraria tomar uma xícara de café. Todas as coisas da minha cozinha ainda estão encaixotadas e meu carro está na oficina. Você faz ideia do quanto é difícil passar o dia inteiro sem cafeína?

— É, eu imagino como deve ser.

— Bem, para que você saiba, eu sou uma verdadeira viciada em café. Especialmente em dias como hoje, em que preciso desembalar minha mobília e minhas coisas. Já mencionei que detesto desencaixotar?

— Acho que não.

— Olhe, provavelmente é a pior coisa que existe. Tentar descobrir onde colocar cada coisa, bater os joelhos enquanto anda entre a mobília e as caixas... Mas não se preocupe, eu não sou o tipo de vizinha que pede ajuda para organizar a casa. Por outro lado, uma xícara de café...

— Entre — disse Katie, convidando-a. — Só não repare na mobília. Quase tudo já estava aqui quando eu cheguei.

Depois de atravessar a cozinha, Katie tirou uma xícara do armário e a encheu até a borda. Ela a entregou para Jo. — Lamento, mas não tenho chantilly nem açúcar.

Não é necessário — disse Jo, pegando a xícara. Ela soprou o café antes de tomar um gole. — Bem... a partir de agora, você é oficialmente minha melhor amiga no mundo inteiro. Este café está delicioso!

— Fico feliz que tenha gostado.

— Benson disse que você trabalha no Ivan's.

— Sou uma das garçonetes.

— Dave Grandão ainda trabalha lá?

Quando Katie fez que sim com a cabeça, Jo prosseguiu: — Ele está lá desde quando eu ainda estava no ensino médio. Dave ainda coloca apelidos carinhosos em todo mundo?

— Sim — disse Katie.

— E Melody? Ela ainda comenta quando acha que algum dos clientes é bonito?

— Todos os dias.

— E Ricky? Ele ainda passa cantadas nas novas garçonetes?

Quando Katie assentiu novamente, Jo riu. — Aquele lugar não muda nunca.

— Você trabalhou lá?

— Não, mas Southport é uma cidade pequena e o Ivan's é uma instituição aqui. Além disso, quanto mais tempo você mora neste lugar, mais compreende que aqui não existem segredos. Todos sabem da vida de todos e algumas pessoas... como Melody, por exemplo... transformaram a fofoca em uma forma de arte. Antigamente, isso me deixava louca da vida. É claro, metade das pessoas que mora aqui é igualzinha a ela. Não há muito para fazer em Southport além de fofocar sobre a vida dos outros.

— Mas você voltou.

Jo deu de ombros. — Sim, voltei. O que posso dizer? Talvez eu goste de gente louca.

Ela tomou outro gole do café e apontou para a janela. — Sabe, mesmo antes de eu sair da cidade, nem sabia que estas casas existiam.

— O dono delas disse que eram cabanas de caça. Eram parte de uma fazenda até que ele as transformou em casas de aluguel.

Jo balançou a cabeça. — Não consigo acreditar que você se mudou para cá.

— Mas você também se mudou para cá — argumentou Katie.

— Sim, mas a única razão pela qual considerei este lugar foi porque eu sabia que não seria a única mulher morando no fim de uma rua de cascalhos, no meio do fim do mundo. Este lugar é meio isolado.

"É exatamente por isso que eu quis viver aqui", pensou Katie consigo mesma. — Não é tão ruim. Acho que já me acostumei.

— Espero conseguir me acostumar também — disse Jo, soprando seu café para esfriá-lo. — E então, o que a trouxe a Southport? Tenho certeza de que não foi a possibilidade de uma carreira de sucesso no Ivan's. Você tem família aqui? Pais? Irmãos ou irmãs?

— Não — disse Katie. — Apenas eu mesma.

— Veio por causa de um namorado?

— Não.

— Então você simplesmente... se mudou para cá?

— Sim.

— E por que você quis fazer isso?

Katie não respondeu. Eram as mesmas perguntas que Ivan, Melody e Ricky haviam feito. Ela sabia que não havia outros motivos ou intenções por trás daquelas perguntas, apenas uma curiosidade natural.

Mesmo assim, ela nunca soube direito o que responder, além da verdade.

— Eu queria um lugar onde pudesse recomeçar a vida.

Jo tomou outro gole do café, aparentemente ponderando a resposta dela. Mas, para a surpresa de Katie, não continuou a fazer perguntas. Simplesmente fez que sim com a cabeça.

— Isso faz bastante sentido. Às vezes, começar de novo é exatamente o que uma pessoa precisa. E eu acho que é algo admirável. Muitas pessoas não têm a coragem necessária para fazer algo assim.

— Você acha?

— Eu tenho certeza — disse ela. — E então, que planos você tem para hoje? O que vai fazer enquanto eu estiver bufando e reclamando da vida, desembalando minhas coisas e limpando tudo até que minhas mãos estejam em carne viva?

— Tenho que trabalhar mais tarde. Mas, fora isso, poucas coisas. Preciso ir ao supermercado e comprar algumas coisas.

— Você vai ao Fisher's ou a algum outro lugar na cidade?

— Acho que só ao Fisher's.

— Já conversou com o dono do lugar? Aquele homem de cabelos grisalhos?

Katie fez que sim com a cabeça. — Uma ou duas vezes.

Jo terminou de tomar seu café e colocou a xícara na pia antes de soltar um suspiro. — Certo, certo — disse ela, sem muito entusiasmo. — Chega de procrastinar. Se eu não começar agora, nunca vou terminar de arrumar minha casa. Deseje-me sorte.

— Boa sorte.

Jo deu um breve aceno. — Foi ótimo conhecê-la, Katie.

•◆•

OLHANDO PELA JANELA DA COZINHA, Katie viu Jo sacudir o tapete que havia deixado de lado anteriormente. Ela parecia ser bem amistosa, mas Katie não sabia se estava preparada para ter uma vizinha. Embora fosse bom ter alguém com quem pudesse conversar de vez em quando, ela se acostumara a ficar sozinha.

Mesmo assim, sabia que viver em uma cidade pequena significava que seu isolamento autoimposto não duraria para sempre. Ela tinha que sair para trabalhar, fazer compras e andar pela cidade; alguns dos clientes do restaurante já a reconheciam. Além disso, ela tinha que admitir que havia gostado de conversar com Jo. Por algum motivo, ela sentia que Jo tinha algo além daquilo que deixava transparecer. Algo que a tornava digna de confiança, mesmo que não pudesse explicar o que era. Ela também era uma mulher solteira e aquilo era definitivamente um ponto positivo a seu favor. Katie não queria imaginar como teria reagido se um homem tivesse se mudado para a casa ao lado, e ela se perguntou por que nunca havia considerado aquela possibilidade.

De volta à pia, lavou as xícaras de café e depois as colocou no armário. Como aquele ato lhe era muito familiar — guardar duas xícaras após o café, pela manhã —, por um instante se se sentiu dominada pela vida que deixara para trás. Suas mãos começaram a tremer. Forçando uma contra a outra, respirou fundo algumas vezes, até conseguir se acalmar. Há dois meses, não seria capaz de fazer isso. Mesmo há duas semanas, havia pouco o que ela pudesse fazer para impedir aqueles tremores involuntários. Embora Katie estivesse feliz em conseguir evitar que os ataques de ansiedade a dominassem, também significava que ela estava se sentindo confortável aqui, e isso a assustava. Afinal, sentir-se confortável significava que ela poderia abaixar suas defesas, o que era algo que ela nunca poderia deixar acontecer.

Mesmo assim, Katie estava satisfeita por ter vindo parar em Southport. Era uma pequena cidade histórica com alguns milhares de habitantes, localizada na foz do rio Cape Fear, bem no ponto onde ele se encontrava com a hidrovia intralitorânea. Era um lugar com calçadas, árvores frondosas e flores que brotavam do solo arenoso. Musgos pendiam dos galhos e trepadeiras se enrolavam nos troncos encarquilhados das árvores. Ela havia observado crianças andando de bicicleta e jogando futebol pelas ruas, e ficou maravilhada com o número de igrejas que havia na cidade. Praticamente uma em cada esquina. Grilos e rãs cantavam ao cair da tarde, e mais uma vez ela pensava em como aquela cidade parecia ser o lugar certo para ela, pois, desde o começo, ela a fazia sentir-se segura, prometendo-lhe ser um santuário.

Katie calçou seu único par de tênis, um All Star velho. As gavetas da cômoda estavam quase vazias e praticamente não havia comida na cozinha, mas, ao sair de casa e encarar o Sol que brilhava do lado de fora enquanto caminhava para o supermercado, ela pensou: "Esta é minha casa". Respirando fundo, sentindo o perfume dos jacintos e de grama recém-cortada no ar, ela sabia que não era tão feliz assim há anos.

3

O cabelo dele havia ficado grisalho poucos anos depois do seu vigésimo aniversário, o que provocou alguns comentários e piadinhas de seus amigos. Além disso, a mudança não foi gradual, com alguns fios aqui e ali adquirindo tons prateados. Em vez disso, em janeiro ele tinha a cabeça coberta por cabelos negros, e, em janeiro do ano seguinte, apenas uns poucos fios negros ainda resistiam. Seus dois irmãos mais velhos não tiveram o mesmo destino, embora ambos houvessem ganhado alguns fios brancos nas costeletas nos últimos anos. Nem sua mãe nem seu pai foram capazes de explicar aquilo; até onde eles sabiam, Alex Wheatley era uma anomalia para os dois lados da família.

Estranhamente, aquilo não o incomodava nem um pouco. No exército, ele chegou a suspeitar de que os fios grisalhos o haviam ajudado na carreira. Ele trabalhava na Divisão de Investigação Criminal, ou DIC, que tinha bases na Alemanha e na Geórgia e passara dez anos investigando crimes militares, desde soldados que simplesmente desapareciam dos quartéis até casos de invasão de domicílios, maus-tratos domésticos, estupros e até mesmo assassinatos. Ele fora promovido várias vezes, até se aposentar, aos 32 anos, com uma patente de major.

Depois de completar seus afazeres e concluir sua carreira no exército, ele se mudou para Southport, a cidade natal de sua esposa. Eles eram recém-casados e o primeiro filho estava a caminho. Embora sua primeira ideia fosse a de procurar um emprego na polícia ou em alguma outra organização que promovesse o cumprimento das leis, seu sogro havia feito uma oferta para que ele comprasse o negócio da família.

Era uma loja construída em estilo antigo que vendia artigos rurais, frutas, verduras, geleias e outras conservas. O imóvel havia sido feito com tábuas brancas, com venezianas azuis e alguns bancos do lado de fora; era o tipo de estabelecimento que já tivera seus dias de glória há vários anos, mas que, praticamente, não existia mais. Os quartos para a família ficavam no segundo andar. Uma imensa árvore de magnólias trazia sombra para um dos lados da casa, e um carvalho ficava logo em frente. Apenas metade do estacionamento era feita de asfalto, enquanto a outra metade era coberta por cascalhos — e, mesmo assim, o lugar quase nunca ficava vazio. Seu sogro havia inaugurado a loja antes que Carly nascesse, quando não havia muita coisa além de fazendas e pastos ao seu redor. Mesmo assim, o homem se orgulhava de entender as pessoas e queria manter em estoque qualquer coisa de que eles precisassem — o que resultava em um lugar que chegava a ficar desorganizado com o excesso de produtos. Alex tinha a mesma opinião e mantinha a loja quase do mesmo jeito. Cinco ou seis corredores ofereciam frutas, verduras e produtos de higiene pessoal; refrigeradores ao fundo da loja transbordavam com todo o tipo de bebida, desde refrigerantes e água até cerveja e vinho, e, assim como em qualquer outra loja de conveniência, tinha várias prateleiras de salgadinhos, doces e muitos tipos de alimentos industrializados que as pessoas compram quando estão perto da caixa registradora. Mas era ali que as similaridades terminavam. Também havia inúmeros tipos de equipamentos para pesca nas prateleiras, iscas vivas e um outro balcão com uma churrasqueira e uma chapa quente operados por Roger Thompson, que já havia trabalhado em Wall Street e que se mudara para Southport em busca de uma vida mais tranquila. Ao lado da churrasqueira, onde se podia comprar hambúrgueres, sanduíches, cachorros-quentes e outras delícias, havia algumas mesas e outros lugares para sentar. Havia também DVDs para alugar, vários tipos de munição, capas impermeáveis e guarda-chuvas, além de uma pequena seleção de *best-sellers* e clássicos da literatura. Além disso, a loja vendia velas automotivas, correias para motor e latas de gasolina, e Alex fazia cópias de chaves com uma máquina nos fundos. Ele tinha três bombas de gasolina para os carros e outra no ancoradouro, caso algum barco precisasse encher o tanque — o único lugar onde era possível fazer aquilo fora da marina. Vários potes de picles, sacos de amendoim cozido e cestas de legumes frescos cobriam o balcão.

Surpreendentemente, não era difícil controlar o estoque da loja. Algumas mercadorias saíam regularmente, outras não. Como seu sogro, Alex notava aquilo de que as pessoas precisavam assim que elas entravam em sua loja. Ele sempre percebia e se lembrava de coisas que outras pessoas não conseguiam, uma característica que o havia auxiliado imensamente nos anos em que tinha trabalhado para o DIC. Hoje em dia, ele passava um bom tempo examinando ou testando as mercadorias do seu estoque, tentando acompanhar as mudanças de preferências dos seus clientes.

Alex nunca imaginou que um dia faria algo assim, mas a decisão que tomara não lhe desagradava. Pelo menos ele podia ficar de olho nas crianças. Josh estava na escola, mas Kristen só começaria suas aulas quando o outono chegasse. E, assim, ela passava os dias com ele na loja. Ele montou uma pequena área para brincadeiras atrás da caixa registradora, em que sua filha, inteligente e comunicativa, parecia estar mais feliz. Embora tivesse apenas 5 anos, ela sabia como usar a caixa e calcular o troco, subindo em um banquinho para alcançar os botões. Alex sempre se entretinha com as expressões no rosto dos estranhos quando ela começava a calcular o valor das mercadorias para eles.

Mesmo assim, não era uma infância ideal para a menina, ainda que ela não tivesse condições de perceber. Sendo honesto consigo mesmo, Alex tinha que admitir que cuidar das crianças e da loja demandava toda a energia que ele tinha. Às vezes, sentia que mal conseguia dar conta de tudo — fazer o lanche de Josh e deixá-lo na escola, preencher os formulários de pedidos para os fornecedores, reunir-se com os representantes de vendas e atender aos clientes, tudo enquanto se ocupava em manter Kristen entretida. E aquilo era apenas o começo. Ele se esforçava bastante para fazer coisas de que seus filhos gostavam, como andar de bicicleta, soltar pipas e pescar com Josh, mas Kristen gostava mesmo era de brincar com bonecas, desenhar e fazer artesanato. E nem mesmo quando ele finalmente conseguia colocar as crianças na cama era possível relaxar, porque sempre havia algo mais a fazer. A verdade era que Alex nem sabia mais o significado da palavra "relaxar".

Depois que as crianças estavam na cama, ele passava o resto de suas noites sozinho. Embora parecesse conhecer quase todas as pessoas na cidade, ele não tinha realmente muitos amigos. Os casais que ele e Carly às vezes visitavam para jantar ou quando eram convidados para churrascos haviam se afastado de maneira lenta e inexorável. Uma parte era por sua culpa — trabalhar na loja e criar seus filhos ocupava a maior parte do seu tempo —, mas, às vezes, ele tinha a sensação de que sua presença deixava os outros casais desconfortáveis, como se os lembrasse de que a vida era imprevisível e assustadora e que as coisas precisam de um único instante para dar errado.

Era uma vida cansativa e, às vezes, isolada, mas ele mantinha o foco em Josh e Kristen. Embora com menos frequência do que antigamente, ambos continuavam tendo pesadelos depois que Carly se fora. Quando eles acordavam no meio da noite, chorando de maneira inconsolável, ele os segurava nos braços e sussurrava em seus ouvidos que tudo ficaria bem. Até que os pequenos conseguiam finalmente adormecer. No começo, todos haviam passado por uma psicóloga. As crianças faziam desenhos e falavam sobre o que sentiam. Não pareceu ajudar tanto quanto ele esperava. Os pesadelos continuaram por quase um ano. De vez em quando, ao pintar figuras com Kristen ou ao pescar com Josh, seus filhos ficavam quietos e ele sabia que eles sentiam saudades da mãe. Kristen chegava a mencionar isso numa voz parecida com a de um bebê, trêmula e incerta, enquanto as lágrimas lhe escorriam pelo rosto. Quando isso acontecia, Alex tinha certeza de que conseguia ouvir seu coração se estilhaçar, porque ele sabia que não havia nada que pudesse fazer ou dizer para melhorar as coisas. A psicóloga havia lhe garantido que as crianças eram fortes e que, desde que soubessem que eram amadas, os pesadelos iriam se tornar cada vez menos frequentes. O tempo provou que a psicóloga tinha razão, mas agora Alex tinha que enfrentar um outro tipo de perda — algo que feria seu coração da mesma maneira. Ele sabia que as crianças estavam melhorando porque as lembranças que tinham da mãe estavam lentamente desaparecendo. Eles eram muito novos quando a perderam — tinham 4 e 3 anos, respectivamente — e significava que, algum dia, sua mãe se tornaria mais um conceito do que uma pessoa para eles. Era inevitável, claro, mas não parecia certo para Alex o fato de que nunca se lembrariam do riso de Carly, ou do carinho com o qual ela os segurava nos braços quando eram bebês, ou que nunca soubessem o quanto ela os amara.

Ele nunca foi muito adepto da fotografia. Era sempre Carly que pegava a câmera, e, consequentemente, havia dúzias de fotografias com Alex e as crianças. Apenas algumas incluíam Carly. Embora ele fizesse questão de folhear o álbum com Josh e Kristen enquanto falava da mãe deles, Alex começava a suspeitar de que as histórias estavam se tornando exatamente isso: histórias. As emoções que acompanhavam aquelas imagens eram como castelos de areia em meio à maré, lentamente se dissolvendo na água do mar. A mesma coisa estava acontecendo com o retrato de Carly que estava pendurado em seu quarto. Em seu primeiro aniversário de casamento, ele contratou um profissional para fotografá-la, apesar dos protestos. Ele ficou feliz por ter feito aquilo. Na foto, ela parecia linda e independente, a mulher forte que havia conquistado seu coração. À noite, depois que seus filhos estavam na cama, ele ocasionalmente passava longos momentos olhando para a imagem de sua esposa, com suas emoções em um turbilhão. Mas Josh e Kristen mal percebiam que aquele retrato existia.

Ele pensava nela com frequência e sentia saudade do companheirismo que tinham entre si e da amizade que havia sido o alicerce sobre o qual o casamento fora construído. E quando se atrevia a ser honesto consigo mesmo, ele sabia que queria ter aquilo tudo novamente. Alex se sentia muito sozinho, embora se incomodasse em ter que admitir aquilo. Durante vários meses depois de tê-la perdido, simplesmente não conseguia imaginar que viesse a se relacionar com outra pessoa, nem mesmo via a possibilidade de voltar a amar alguém. Mesmo depois de um ano, aquele era o tipo de pensamento que ele se forçava a afastar da mente. A dor ainda era muito recente, e as lembranças dos dias vividos com Carly eram fortes demais. Passados alguns meses, levou as crianças ao aquário municipal e, quando estavam em frente ao tanque com os tubarões, ele começou a conversar com uma mulher jovem e atraente que estava ao seu lado. Como ele, a mulher também havia trazido seus filhos e, como ele, também não usava aliança no dedo. Os filhos dela tinham a mesma idade de Josh e Kristen, e, enquanto os quatro pequenos estavam distraídos apontando para os peixes, ela riu de alguma coisa que ele disse, o que fez Alex sentir uma fagulha de atração — algo que o fez lembrar daquilo que um dia sentiu. Depois de algum tempo, a conversa chegou ao fim e os dois se afastaram em direções opostas. Mesmo assim, quando estavam saindo do aquário, ele a viu mais uma vez. Ela acenou para ele e, durante um instante, ele considerou correr até ela para pedir o número do seu telefone. Mas não chegou a fazer isso e, um momento depois, ela entrou no carro e saiu do estacionamento. Alex nunca mais voltou a vê-la.

Naquela noite ele esperou que uma onda de remorso e arrependimento viesse tomar conta dos seus pensamentos, mas, estranhamente, isso não aconteceu. E o que fez no aquário também não lhe pareceu errado. Em vez disso, pareceu-lhe algo... normal. Uma coisa que não era excitante, ou alarmante, mas normal e, de algum modo, ele percebeu que estava começando a superar o que havia acontecido. É claro, aquilo não significava que ele estava pronto para mergulhar de cabeça na vida de solteiro. Se acontecesse, tudo bem. E se não acontecesse? Ele imaginava que só pensaria em atravessar aquela ponte quando chegasse até ela. Estava disposto a esperar até encontrar a pessoa certa, alguém que não somente trouxesse a alegria de volta à sua vida, mas que amasse seus filhos tanto quanto ele os amava. Entretanto, ele sabia que, nesta cidade, as chances de encontrar uma pessoa assim eram ínfimas. Southport era pequena demais. Quase todas as pessoas que ele conhecia estavam casadas, aposentadas ou frequentando alguma das escolas locais. Não havia muitas mulheres solteiras na cidade, especialmente mulheres que aceitassem os filhos que ele já tinha. E, com certeza, esse era o detalhe que dificultava tudo. Ele poderia se sentir sozinho, poderia estar carente e querendo companhia, mas não estava disposto a sacrificar o bem-estar de seus filhos para conseguir isso. Eles já haviam passado por muitas dificuldades e sempre seriam a prioridade na vida de Alex.

Mesmo assim... havia uma possibilidade, ele imaginava. Outra mulher despertava seu interesse, embora ele não soubesse quase nada a seu respeito, exceto que era solteira. Ela vinha à sua loja uma ou duas vezes por semana, desde o começo de março. Na primeira vez que a viu, ela estava muito magra e pálida, quase raquítica e digna de pena. Normalmente, ele não olharia duas vezes para ela. As pessoas que passavam pela cidade frequentemente iam à loja para comprar refrigerantes, gasolina ou salgadinhos; ele raramente voltava a ver aquelas pessoas. Mas aquela mulher não queria nada disso. Em vez disso, ela mantinha a cabeça baixa enquanto andava pelos corredores de verduras e legumes, como se tentasse passar despercebida, como um fantasma em forma humana. Infelizmente, para ela, aquilo não funcionava. Ela era atraente demais para não ser notada. Ainda não devia ter feito 30 anos, ele imaginou, e seu cabelo castanho tinha um corte irregular na altura dos ombros. Ela não usava maquiagem, tinha as maçãs do rosto proeminentes e seus olhos grandes e arredondados lhe davam uma aparência elegante, embora um pouco frágil.

Quando ela veio até a caixa registradora, ele percebeu que, de perto, ela era ainda mais bonita do que ele havia notado enquanto andava entre os corredores. Tinha olhos de um castanho-esverdeado salpicado com tons dourados, e seu sorriso breve e distraído desapareceu tão rapidamente quanto surgiu. Sobre o balcão, ela não colocou nada além do estritamente necessário: café, arroz, aveia em flocos, macarrão, pasta de amendoim e alguns artigos de higiene pessoal. Ele pressentiu que, se iniciasse uma conversa, iria deixá-la desconfortável, e preferiu somar o preço dos produtos em silêncio. Enquanto se ocupava com os preços, ele ouviu-a falar pela primeira vez.

— Você tem feijões? Que não sejam daqueles enlatados?

— Lamento. Não costumo ter esse tipo em estoque — respondeu ele.

Enquanto guardava as compras dela em uma sacola, percebeu que ela olhava pela janela, distraidamente, mordendo seu lábio inferior. Por algum motivo, teve a estranha impressão de que ela estava a ponto de chorar.

Ele limpou a garganta. — Se é algo que você vai precisar regularmente, eu posso falar com meus fornecedores e trazer alguns pacotes aqui para a loja. Preciso apenas saber de que tipo você gosta.

— Não quero incomodar — disse ela.

Quando ela respondeu, sua voz não era mais alta do que um murmúrio.

Ela pagou a conta com notas de baixo valor e, depois de pegar a sacola plástica, saiu da loja. Para sua surpresa, ela continuou andando depois de sair do estacionamento, e foi naquele momento que ele percebeu que ela não havia chegado ali de carro. Aquilo só fez aumentar sua curiosidade.

Na semana seguinte havia feijões na loja. Alex havia encomendado três tipos: feijão carioca, feijão-cavalo e favas, embora apenas um pacote de cada. Quando ela voltou, ele fez questão de mencionar que os feijões estavam na prateleira inferior no canto, ao lado do arroz. Trazendo os três pacotes até a caixa registradora, ela perguntou se ele teria uma cebola. Alex apontou para um pequeno saco de cebolas que estava em uma cesta ao lado da porta, mas ela balançou a cabeça.

— Só preciso de uma — murmurou ela, quase como se pedisse desculpas, com um sorriso hesitante. Suas mãos tremiam enquanto ela contava as notas e, novamente, foi embora a pé.

Desde então, sempre havia feijões em estoque, sempre havia a possibilidade de comprar uma cebola que não estivesse dentro de um pacote com outras e, nas semanas que se seguiram àquelas duas primeiras visitas, ela acabou se tornando uma cliente regular. Embora ainda não falasse muito, ela parecia menos frágil e menos nervosa conforme o tempo passava. As olheiras dela estavam gradualmente desaparecendo e ela chegara a ganhar um pouco de cor durante os meses recentes, em que houve vários dias de tempo bom. Até um pouco de peso ganhara — não muito, mas o bastante para suavizar suas feições delicadas. Sua voz também estava mais forte e, embora esse fato não demonstrasse qualquer sinal de que estivesse interessada nele, aquela garota já conseguia olhá-lo nos olhos por mais alguns momentos antes de finalmente virar o rosto. Eles não haviam avançado muito além de frases como "Encontrou tudo o que estava procurando?" e "Sim, obrigada", mas, em vez de fugir da loja como um cervo perseguido por caçadores, ela às vezes circulava mais tempo por entre os corredores e havia até mesmo começado a conversar com Kristen quando as duas estavam sozinhas. Foi a primeira vez que ele a viu baixar a guarda. Sua atitude tranquila e expressão aberta demonstravam que ela tinha afeto por crianças, o que o fez pensar que ele vira a mulher que outrora ela fora e que poderia voltar a ser, dependendo das circunstâncias. Da mesma forma, Kristen parecia ter visto algo diferente naquela mulher. Depois que ela saiu, sua filha disse que havia feito uma nova amiga e que ela se chamava senhorita Katie.

Mesmo assim, isso não significava que ela se sentia confortável na presença de Alex. Na semana passada, depois de ter conversado despreocupadamente com Kristen, ele a vira lendo as contracapas dos livros em estoque na loja. Ela não comprou nenhum e, quando lhe perguntou casualmente se estava procurando por algum autor em particular, Alex notou um lampejo do velho nervosismo. Percebeu que não devia ter mencionado que a observara.

— Deixe para lá — disse ele, acrescentando rapidamente: — Não é importante.

Quando ela saiu pela porta, entretanto, parou por um momento, com a sacola de compras junto ao corpo. Virou-se levemente na direção dele e murmurou: — Eu gosto de Dickens.

Ao dizer aquilo, ela abriu a porta e se foi, caminhando pela rua.

Ele vinha pensando nela cada vez mais frequentemente desde então, mas eram pensamentos vagos, cercados por mistério e tingidos pelo desejo de conhecê-la melhor. Não que ele soubesse como fazer aquilo. Além do ano em que cortejou Carly, ele nunca fora muito bom no jogo do romance. Durante a faculdade, entre o tempo que dedicava à prática da natação e as aulas, tinha poucas oportunidades para sair com garotas. Enquanto esteve no exército, ele se dedicou totalmente à sua carreira, trabalhando bastante e sendo transferido de uma base para outra com cada promoção que recebia. Embora tivesse saído com algumas mulheres, em sua maioria eram romances efêmeros, que começavam e terminavam no quarto. Às vezes, fazendo um retrospecto de sua vida, ele mal reconhecia o homem que costumava ser — e ele sabia que Carly fora a responsável por aquelas mudanças. Sim, às vezes era difícil reconhecer-se, e, sim, ele se sentia sozinho. Alex sentia saudades de sua esposa e, embora nunca tivesse contado a ninguém, ainda havia momentos em que podia jurar que sentia a presença dela por perto, cuidando dele e fazendo de tudo para que ele ficasse bem.

Devido ao tempo excelente que fazia, a loja estava mais movimentada do que o habitual naquele domingo. Quando Alex destrancou a porta, às 7 da manhã, já havia três barcos amarrados no ancoradouro esperando para que a bomba de gasolina fosse ligada. Como já era típico, enquanto pagavam pela gasolina, os donos dos barcos aproveitavam para comprar petiscos, bebidas e sacos de gelo para levar nos barcos. Roger — que estava trabalhando na churrasqueira, como sempre — não teve um minuto de folga desde que colocou seu avental, e as mesas estavam cheias de gente comendo salsichas empanadas, cheesebúrgueres e pedindo alguma dica sobre o mercado de ações.

Geralmente, Alex ficava no comando da caixa registradora até o meio-dia, quando passaria as rédeas a Joyce. Assim como Roger, Joyce era uma funcionária que facilitava muito o trabalho de cuidar da loja. Joyce, que havia trabalhado no tribunal até o dia de sua aposentadoria, veio "de presente" com a loja, por assim dizer. O sogro de Alex a contratara havia dez anos e agora, mesmo contando 70 anos de idade, ela não dava qualquer sinal de que quisesse levar uma vida mais tranquila. Seu marido morrera alguns anos antes, seus filhos haviam se mudado para outras cidades e ela tratava os clientes como se fossem sua verdadeira família. Joyce era tão característica da loja como os produtos nas prateleiras.

Além disso, ela entendia que Alex precisava passar o tempo com seus filhos, longe da loja, e não se incomodava de ter que trabalhar aos domingos. Assim que chegava, ia direto para trás do balcão onde estava a caixa registradora e dizia a Alex que ele podia ir para casa, parecia ser realmente a chefe do lugar em vez de uma das funcionárias. Joyce também era a babá, a única pessoa em quem ele confiava para ficar com as crianças se ele tivesse que sair da cidade. Aquilo não era comum — acontecera apenas duas vezes nos últimos dois ou três anos, quando ele se encontrara com um velho amigo dos tempos do exército em Raleigh — mas Alex reconhecia que Joyce fora uma das melhores coisas que já acontececa em sua vida. Quando ele precisava dela, Joyce sempre estava pronta para ajudar.

Enquanto esperava pela chegada de Joyce, Alex andou pela loja, verificando as prateleiras. O sistema informatizado era ótimo para gerenciar o inventário, mas ele sabia que fileiras de números nem sempre contavam toda a história. Às vezes, achava que tinha uma noção melhor do que precisava ser reposto se realmente olhasse as prateleiras para verificar o que havia sido vendido no dia anterior. O sucesso de uma loja exigia que as mercadorias fossem repostas o mais rapidamente possível, e aquilo significava que, vez por outra, tinha que oferecer produtos que nenhuma outra loja oferecia. Ele tinha compotas e geleias caseiras, temperos em pó feitos com base em "receitas secretas" e que davam mais sabor às carnes e aos cortes de porco e uma boa variedade de frutas e vegetais enlatados produzidos nas redondezas. Até mesmo pessoas que faziam compras regularmente em supermercados como o Food Lion ou o Piggly Wiggly vinham frequentemente dar uma olhada na loja de Alex para comprar os produtos especiais que ele fazia questão de manter em estoque.

Ainda mais importante do que o volume de vendas de um produto, ele gostava de saber sobre quando certos produtos eram vendidos, algo que não aparecia necessariamente nas suas planilhas. Alex havia percebido, por exemplo, que o pão para cachorro quente vendia muito bem aos fins de semana, mas raramente saía das prateleiras durante a semana; com pães tradicionais, era o oposto. Percebendo isso, aproveitou para manter mais unidades de cada um deles em estoque quando a demanda aumentava, e as vendas cresceram. Não era muito, mas o dinheiro extra o ajudava a manter sua pequena loja lucrando enquanto as grandes cadeias de lojas e supermercados tiravam a maioria das pequenas empresas locais do mercado.

Enquanto examinava as prateleiras, ele começou a imaginar o que iria fazer com as crianças naquela tarde, e decidiu levá-las para um passeio de bicicleta. Carly sempre gostou de colocar as crianças em um carrinho de bebê especialmente feito para ser conectado à sua bicicleta e de pedalar em direção à cidade. Mas um passeio daqueles não era o bastante para ocupar a tarde toda. Talvez eles pudessem ir de bicicleta até o parque... talvez fosse algo que eles quisessem fazer. Com uma rápida olhada em direção à porta da frente para ter certeza de que ninguém estava prestes a entrar na loja, ele correu até o cômodo que servia como depósito na parte de trás da loja e colocou a cabeça para fora de uma janela. Josh estava pescando no ancoradouro, a coisa que ele mais gostava de fazer na vida. Alex não gostava de deixá-lo sozinho ali fora — ele não tinha dúvidas de que algumas pessoas o considerariam um péssimo pai por permitir que aquilo acontecesse —, mas Josh sempre ficava no campo de visão das câmeras de segurança e Alex podia vê-lo no monitor que ficava ao lado da caixa registradora. Era uma das regras da família e Josh sempre a respeitara. Kristen, como de costume, estava sentada em sua mesinha atrás do balcão da registradora. Ela havia separado as roupinhas da boneca em diferentes pilhas e parecia alegre em trocar as roupas da boneca de um modelo para o outro. A cada vez que finalizava, ela olhava para Alex com uma expressão alegre e inocente, e perguntava ao papai se ele achava que a boneca continuava bonita. Como se fosse possível para Alex dizer que não achava.

Menininhas. Elas conseguiam amaciar os corações mais embrutecidos.

Alex estava organizando alguns dos frascos de condimentos quando ouviu soar a campainha que tocava quando um cliente abria a porta da loja. Levantando a cabeça por cima da gôndola, ele viu Katie entrar na loja.

— Oi, senhorita Katie — disse Kristen, aparecendo por trás da caixa registradora. — Você gosta das roupas que eu coloquei na minha boneca?

Do lugar onde estava, ele mal conseguia ver a cabeça de Kristen por cima do balcão, mas ela trazia nas mãos... Vanessa? Rebeca? Qualquer que fosse o nome da boneca de cabelos castanhos. E a segurava para o alto para que Katie pudesse vê-la.

— Ela está linda, Kristen — respondeu Katie. — Esse vestido é novo?

— Não, eu o ganhei faz algum tempo. Mas ela não o usou nos últimos dias.

— Qual é o nome dela?

— Vanessa — disse ela.

"Vanessa", pensou Alex. Quando ele elogiasse Vanessa mais tarde, pareceria um pai bem mais atencioso.

— Foi você que deu esse nome a ela?

— Não, ela já veio com esse nome. Pode me ajudar a calçar as botas nela? Eu não consigo puxá-las até os joelhos.

Alex observava quando Kristen entregou a boneca para Katie e quando a cliente começou a calçar a boneca com as botas de plástico flexível. Por experiência própria, Alex sabia que era mais difícil do que parecia. Uma garotinha não teria condições de puxar as botas para que se encaixassem. Ele teve dificuldades para fazer aquilo, mas, de algum modo, Katie fez com que tudo parecesse bem fácil. Ela devolveu a boneca e perguntou: — O que acha?

— Está linda. Você acha que seria bom colocar um casaco nela?

— Não está tão frio lá fora.

— Eu sei, mas Vanessa é meio friorenta às vezes. Eu acho que ela vai precisar de um.

A cabeça de Kristen sumiu por trás do balcão e logo voltou a aparecer. — Qual ficaria melhor nela? Um azul ou um roxo?

Katie colocou um dedo na boca, analisando os casacos com uma expressão séria. — Acho que o roxo vai ficar mais bonito.

Kristen assentiu. — É o que eu estava pensando também. Obrigada.

Katie sorriu antes de desviar o olhar, e Alex concentrou sua atenção nas mercadorias antes que ela percebesse que ele a observava. Com o canto dos olhos, ele viu Katie pegar uma pequena cesta de compras antes de ir para um outro corredor.

Alex voltou para o balcão da caixa registradora. Quando ela o viu, ele acenou amigavelmente. — Bom dia.

— Oi — ela tentou colocar uma mecha de cabelo por trás da orelha, mas era curta demais para ficar no lugar. — Só preciso pegar algumas coisas.

— Me avise se não conseguir encontrar algo de que precisa. Às vezes os produtos são remanejados.

Ela fez que sim com a cabeça antes de continuar a andar pelo corredor. Quando Alex assumiu seu posto atrás da caixa registradora, ele deu uma rápida olhada na tela do monitor. Josh estava pescando no mesmo lugar enquanto um barco se aproximava lentamente do ancoradouro.

— O que você acha, papai? — perguntou Kristen enquanto puxava a barra das calças dele com uma mão e segurava a boneca com a outra.

— Oh, ela está linda — disse Alex, agachando-se ao lado dela. — E gostei bastante do casaco também. Vanessa é meio friorenta, não é?

— É, sim. Mas ela me disse que quer brincar no balanço, então provavelmente vai ter que se trocar.

— É uma ótima ideia. Talvez possamos ir ao parque depois do almoço. Se você quiser brincar no balanço também — propôs Alex.

— Não quero brincar no balanço. É a Vanessa que quer. E é só no faz de conta, papai.

— Ah, tudo bem — disse ele, levantando-se. "Lá se vai o passeio no parque", pensou ele.

Perdida em seu próprio mundo, Kristen começou a despir a boneca novamente. Alex deu uma olhada no monitor para ver onde Josh estava, bem no momento em que um adolescente entrou na loja, trajando apenas uma bermuda. Ele lhe entregou um maço de notas.

— Para a bomba de gasolina no ancoradouro — disse ele, antes de correr para fora. Alex registrou a compra da gasolina e acionou a bomba enquanto Katie vinha até a caixa registradora. Quando ela olhou por cima do balcão para ver onde Kristen estava, Alex percebeu a mudança da cor dos olhos dela.

— Encontrou tudo o que precisava?

— Sim, obrigada.

Ele começou a guardar as compras que ela fez em uma sacola plástica. — Meu livro favorito de Dickens é *Grandes esperanças* — disse ele, tentando parecer amistoso enquanto colocava os produtos na sacola. — Qual é o seu?

Em vez de responder imediatamente, ela pareceu se assustar por ele ter lembrado que ela havia dito que gostava de Dickens.

— *Um conto de duas cidades* — respondeu ela, com a voz suave.

— Gostei desse também. Mas é uma história triste.

— Sim. É por isso que eu gosto dela.

Como ele sabia que ela voltaria para casa a pé, ele colocou mais uma sacola ao redor da primeira.

— Eu imagino que, como você já conhece a minha filha, é hora de eu me apresentar. Meu nome é Alex. Alex Wheatley.

— O nome dela é senhorita Katie — disse Kristen por trás dele. — Mas eu já lhe falei isso, não lembra?

Alex olhou para Kristen por cima do seu ombro. Quando se voltou para Katie, ela estava sorrindo enquanto lhe entregava o dinheiro.

— Apenas Katie — disse ela.

— Prazer em conhecê-la, Katie.

Ele tocou nas teclas e a gaveta da registradora se abriu com o som de uma sineta. — Imagino que você more aqui perto.

Ela nunca conseguiu responder. Em vez disso, quando Alex olhou para cima, percebeu que os olhos dela haviam se arregalado pelo medo. Virando-se para trás, ele percebeu o que ela havia visto no monitor que estava atrás dele: Josh havia caído na água, ainda vestindo suas roupas, e se debatia, agitando os braços em pânico. Alex sentiu sua garganta se fechando repentinamente e começou a se mover por instinto. Ele saiu correndo de trás do balcão, passando em disparada pela loja e pelo depósito. Ao abrir a porta, esbaforido, esbarrou em um caixote de toalhas de papel, derrubando-o no chão, mas não diminuiu o passo.

Alex abriu a porta dos fundos com toda a força, sentindo a adrenalina lhe correr pelo corpo enquanto saltava por sobre alguns arbustos, encurtando o caminho até o ancoradouro. Chegou sobre a estrutura de madeira correndo a toda velocidade. Quando tomou impulso e saltou, Alex conseguiu ver Josh na água, agitando os braços.

Com o coração batendo forte contra as costelas, Alex voou pelo ar e atingiu a água bem perto de onde Josh estava. A profundidade não era grande — menos de dois metros, ele imaginava — e, ao sentir os pés encostarem no fundo lamacento, afundou até os tornozelos. Ele lutou para voltar à superfície e sentiu a pressão nos seus braços quando os estendeu para pegar Josh.

— Pronto, peguei você! — gritou ele. — Peguei você!

Mas Josh estava se debatendo e tossindo, sem conseguir recobrar o fôlego. Alex teve que se esforçar para contê-lo enquanto o trazia de volta para a parte mais rasa da água. Depois, com um esforço imenso, levou Josh para a margem coberta pela grama, com as alternativas lhe correndo pela mente: massagem cardíaca, respiração boca a boca, ou tentar forçar Josh a expelir a água que havia engolido. Alex tentou fazer com que o filho deitasse de costas, mas o menino resistia. Ele se debatia e tossia, e embora ambos ainda estivessem dominados pelo pânico, aquela reação significava que Josh ficaria bem.

Alex não sabia quanto tempo levara — talvez apenas alguns segundos, mas parecia ter demorado bem mais —, até que Josh finalmente, ao tossir, cuspisse um jato d'água e pela primeira vez conseguiu recobrar o fôlego. Ele respirou fundo e voltou a tossir; inalou mais uma vez e tossiu novamente, embora, desta vez parecesse mais como se ele estivesse limpando a garganta. Ele puxou o ar mais algumas vezes, ainda afetado pelo pânico, e foi somente então que o garoto pareceu perceber o que havia acontecido.

Ele se aproximou de seu pai e Alex o abraçou com força. Josh começou a chorar, com os ombros tremendo. Alex sentiu seu estômago embrulhar ao pensar no que poderia ter acontecido. E se ele não tivesse percebido que Katie estava olhando para o monitor? E se mais um minuto tivesse se passado? As respostas para aquelas perguntas faziam com que ele tremesse tanto quanto Josh.

Depois de alguns minutos, o choro de Josh começou a diminuir e ele disse suas primeiras palavras desde que Alex o tirou da água.

— Me desculpe, papai — disse ele, entre soluços.

— Me desculpe também — sussurrou Alex. Ele continuou abraçando seu filho, temendo que, se ele o soltasse, de algum modo o tempo começasse a retroceder e que, se aquilo acontecesse de novo, o resultado pudesse ser diferente.

Quando finalmente conseguiu afrouxar os braços ao redor de Josh, Alex viu que havia um grupo de pessoas olhando para eles atrás da loja. Roger estava lá, assim como os clientes que estavam comendo perto da churrasqueira. Outros dois clientes esticavam os pescoços, provavelmente recém-chegados. E, é claro, Kristen estava lá também. Ele repentinamente voltou a se sentir um pai terrível, porque ele viu que sua garotinha estava chorando, com medo, e precisando dele, mesmo que estivesse aninhada nos braços de Katie.

•◆•

Alex só conseguiu entender o que havia acontecido depois que ele e Josh se trocaram e vestiram roupas secas. Roger havia preparado hambúrgueres e batatas fritas para as crianças e todos estavam sentados em uma mesa na área ao redor da churrasqueira, embora nenhum deles estivesse com o menor apetite.

— A linha do meu anzol se enroscou no barco quando ele estava saindo do ancoradouro e eu não queria perder minha varinha de pesca. Eu achei que a linha fosse arrebentar, mas ela me puxou para o rio e eu engoli muita água. Não consegui respirar e parecia que tinha alguma coisa me puxando para baixo — disse Josh, hesitando por um momento. — Acho que deixei a vara cair no rio.

Kristen estava sentada ao lado dele, com os olhos ainda vermelhos e inchados. Ela havia pedido que Katie ficasse um pouco com ela, e Katie continuava ao seu lado, ainda segurando sua mão.

— Está tudo bem. Eu vou até lá daqui a pouco e, se não conseguir encontrá-la, pegamos outra para você. Mas se isso acontecer de novo, deixe a vara ir embora, certo?

Josh respirou fundo e assentiu. — Me desculpe.

— Foi um acidente — disse Alex, para tranquilizá-lo.

— Mas você não vai mais me deixar pescar.

"E me arriscar novamente a perdê-lo?", pensou Alex. "De jeito nenhum". Em vez disso, ele preferiu dizer: — Vamos conversar sobre isso mais tarde.

— E se eu prometer que vou soltar a vara da próxima vez?

— Como eu disse, vamos conversar sobre isso mais tarde. Agora, por que não come alguma coisa?

— Não estou com fome.

— Eu sei. Mas estamos na hora do almoço e você precisa comer.

Josh pegou uma das batatas fritas e mordeu um pequeno pedaço, mastigando-a mecanicamente. Kristen fez o mesmo. Na mesa, ela quase sempre imitava os movimentos de Josh. Aquilo era o bastante para irritar Josh, mas ele não parecia ter qualquer energia sobrando para protestar.

Alex se virou para Katie. Ele engoliu em seco, sentindo-se repentinamente nervoso. — Posso conversar com você por um minuto?

Ela se levantou da mesa e ele a levou para longe das crianças. Quando estavam longe o bastante para que os meninos não pudessem ouvi-lo, ele limpou a garganta. — Quero agradecê-la pelo que fez.

— Eu não fiz nada — protestou ela.

— Fez, sim. Se você não estivesse olhando para o monitor, eu nunca iria saber o que estava acontecendo. Talvez eu não o tivesse alcançado a tempo — disse Alex. Ele parou por um momento. — E obrigado por cuidar de Kristen. Ela é a coisa mais doce e carinhosa no mundo, mas é bastante sensível. Fico feliz por você não ter deixado que ela ficasse sozinha. Mesmo quando tivemos que subir e trocar de roupa.

— Eu fiz o que qualquer pessoa faria — insistiu Katie. No silêncio que se seguiu, ela repentinamente percebeu o quanto estava próxima de Alex e deu um pequeno passo para trás. — Olhe, acho que é hora de eu ir.

— Espere — disse Alex. Ele foi até os refrigeradores no fundo da loja. — Você gosta de vinho?

Ela balançou a cabeça. — Às vezes, mas...

Antes que ela pudesse concluir a frase, ele se virou e abriu a porta, retirando uma garrafa de chardonnay.

— Por favor, eu gostaria que você aceitasse. Este é um ótimo vinho. Eu sei que você não imaginaria encontrar uma boa garrafa de vinho aqui, mas, quando estava no exército, eu fiz um amigo que me ensinou a apreciar. Apesar de ser amador, o considero um especialista, e é ele quem escolhe os vinhos que eu vendo. Tenho certeza de que você vai gostar.

— Você não precisa fazer isso.

— É o mínimo que eu posso fazer — disse ele, abrindo um sorriso. — É uma forma de dizer obrigado.

Pela primeira vez desde que se conheceram, ela olhou nos olhos dele e não desviou o olhar. — Tudo bem — disse ela, finalmente.

Depois de pegar suas compras, ela saiu da loja. Alex voltou para a mesa. Depois de um pouco mais de persuasão, Josh e Kristen terminaram de almoçar, enquanto Alex foi até o ancoradouro para buscar a vara de pescar. Quando ele voltou, Joyce já estava amarrando seu avental e Alex pôde levar as crianças para um passeio de bicicleta. Depois, todos entraram no carro e foram para Wilmington, onde viram um filme e comeram pizza, as atividades antigas e infalíveis quando é necessário passar o tempo com crianças. O Sol já havia se posto e eles estavam cansados quando voltaram para casa. Assim, depois de um banho e de vestirem seus pijamas, Alex se deitou entre os dois na cama durante uma hora, lendo-lhes histórias, até finalmente apagar as luzes.

Na sala de estar, ele ligou a televisão e correu pelos canais por algum tempo, mas não estava muito disposto a assistir o que quer que fosse. Em vez disso, voltou a pensar em Josh. Embora soubesse que seu filho estava em segurança no quarto, ele sentiu um arrepio, o mesmo medo que sentira antes. A mesma sensação de haver fracassado. Ele estava fazendo o melhor que podia e ninguém era capaz de amar seus filhos mais do que ele. Mesmo assim, não conseguia evitar sentir que, de algum modo, aquilo não era o bastante.

Mais tarde, um bom tempo depois que Josh e Kristen estavam dormindo, Alex foi até a cozinha e pegou uma cerveja na geladeira. Ele a bebeu lentamente no sofá. As lembranças do dia estavam vivas na sua mente, mas, desta vez, ele pensava em sua filha e na maneira como ela se agarrava a Katie, seu pequeno rosto enterrado no pescoço dela.

A última vez que ele vira aquilo fora quando Carly ainda estava viva.

4

Abril deu espaço a maio e os dias continuaram a passar. O movimento no restaurante cresceu de forma perceptível e a reserva de dinheiro na lata de café de Katie também cresceu de forma proporcional e reconfortante. Katie não sentia mais os estertores do pânico ao pensar na possibilidade de que não teria dinheiro caso precisasse sair da casa.

Mesmo depois de pagar o aluguel, as contas e as despesas com comida, percebeu que, pela primeira vez em anos, tinha algum dinheiro sobrando. Não muito, mas o bastante para que conseguisse se sentir livre e leve. Na manhã de sexta-feira, ela parou em frente à loja Anne Jean's, um brechó especializado em roupas de segunda mão. Katie levou a manhã inteira para examinar as roupas que estavam à venda e comprou dois pares de sapatos, duas calças, um short, três camisetas elegantes e algumas blusas, a maioria das quais eram de grife e que pareciam ser quase novas. Katie ficava surpresa ao pensar que algumas mulheres tinham tantas peças boas de roupas que poderiam doar algumas que provavelmente custariam uma pequena fortuna em uma loja de departamentos.

Jo estava pendurando um mensageiro dos ventos em sua varanda quando Katie chegou em casa. Desde aquele primeiro encontro, elas não haviam conversado muito. O trabalho de Jo, qualquer que fosse, parecia mantê-la ocupada, e Katie cumpria tantos turnos quanto pudesse no restaurante. À noite, ela notava que as luzes da casa de Jo ficavam acesas, mas já era tarde demais para que fosse até lá. Por sua vez, Jo também não havia passado o fim de semana anterior em casa.

— Há quanto tempo não conversamos, hein? — disse Jo, com um aceno. Ela deu um toque no mensageiro dos ventos, fazendo-o tinir antes de atravessar o jardim.

Katie chegou até sua varanda e colocou as sacolas no chão. — Por onde esteve?

Jo deu de ombros. — Você sabe como são as coisas. Trabalhando até tarde da noite, acordando cedo pela manhã, indo aqui e ali. Há momentos em que me sinto como se estivesse sendo puxada em todas as direções — disse ela, apontando para as cadeiras de balanço. — Você se importa? Eu preciso parar um pouco. Passei a manhã inteira limpando a casa e acabei de pendurar aquela coisa. Gosto do som que ele faz.

— Fique à vontade — disse Katie.

Jo se sentou e movimentou os ombros em círculos, tentando relaxar. — Você está ficando bronzeada. Tem ido à praia?

— Não. Fiz alguns turnos extras nas últimas semanas e trabalhei na área externa — disse Katie, afastando uma das cadeiras e abrindo espaço para que pudesse esticar as pernas.

— Sol e água... o que mais há ali? Trabalhar no Ivan's deve ser muito parecido com uma temporada de férias.

Katie riu. — Não é bem assim. E você, o que tem feito?

— Nada de sol nem diversão para mim ultimamente — disse Jo, olhando para as sacolas de compras. — Eu queria ter vindo mais cedo para tomar outra xícara de café, mas você já havia saído.

— Fui fazer compras.

— Estou vendo. Achou algo interessante?

— Acho que sim — confessou Katie.

— Bem, não fique sentada aí. Mostre-me o que você comprou.

— Tem certeza de que quer ver?

Jo riu. — Eu moro em uma cabana no fim de uma rua de cascalhos que fica no meio do fim do mundo, passei a manhã inteira lavando e enxugando meus armários. Que outras opções eu tenho para me divertir?

Katie tirou uma calça jeans da sacola e a entregou a Jo, que a segurou em frente ao rosto, observando os dois lados com cuidado. — Uau! — disse ela. — Você provavelmente encontrou esta calça na Anna Jean's. Eu adoro aquele lugar.

— Como você sabe que eu a comprei na Anna Jean's?

— Porque nenhuma outra loja da cidade vende roupas tão boas. Isto veio do armário de alguém. Provavelmente de alguma mulher rica. Muitas das coisas naquela loja são praticamente novas.

Pousando o jeans sobre o colo, Jo deslizou os dedos sobre o bordado nos bolsos de trás. — Os detalhes são maravilhosos, gostei muito dos desenhos — disse ela, olhando em direção às sacolas. — E o que mais você comprou?

Katie passou-lhe as peças uma por uma, divertindo-se com a empolgação de Jo com cada uma. Quando a sacola estava vazia, Jo suspirou. — Bem, agora estou oficialmente morrendo de inveja. E deixe-me adivinhar: não sobrou nada parecido com isso na loja, não é?

Katie deu de ombros, sentindo-se repentinamente acanhada. — Desculpe. Eu passei um bom tempo lá escolhendo.

— Bem, não tem problema. Você fez excelentes escolhas. Estas roupas são verdadeiros tesouros.

Katie olhou para a casa de Jo. — E como estão as coisas por lá? Já começou a pintar os cômodos?

— Ainda não.

— O trabalho está lhe tomando muito tempo?

Jo fez uma careta. — A verdade é que, depois de desencaixotar minhas coisas e limpar a casa do chão até o telhado, eu acho que minha energia acabou. Mas eu fico feliz por ser sua amiga, pois isso significa que eu ainda posso vir até sua casa, que é alegre e colorida.

— Pode vir a qualquer hora.

— Obrigada, isso significa muito para mim. Mas o Sr. Benson, aquele homem maldoso, vai me trazer algumas latas de tinta amanhã. Acho que isso explica por que estou aqui. Estou quase em pânico ao pensar que vou passar o final de semana com tinta respingando na minha roupa.

— Não é tão ruim assim. O tempo até que passa rápido.

— Está vendo estas mãos? — perguntou Jo, exibindo as palmas. — Elas foram feitas para acariciar homens bonitos, para serem adornadas com unhas bonitas e anéis de diamante. Não foram feitas para segurar rolos de pintura, ficarem manchadas com tinta ou para fazer outros tipos de trabalho braçal.

Katie deu uma risadinha. — Quer que eu te ajude?

— De jeito nenhum. Sou especialista em deixar as coisas para depois, mas a última coisa que eu quero é que você pense que eu sou incompetente. Porque sou muito boa no que faço.

Um bando de andorinhas saiu das árvores, movendo-se em um ritmo quase musical. O balanço das cadeiras fazia com que as tábuas da varanda rangessem levemente.

— O que exatamente você faz?

— Trabalho com aconselhamento psicológico, por assim dizer.

— Em uma escola?

Jo balançou a cabeça negativamente. — Não. Em situações de luto e perda.

Katie parou por um momento para pensar. — Acho que não entendi direito.

Jo deu de ombros. — Eu vou até a casa das pessoas e tento ajudá-las. Geralmente isso acontece quando alguém muito querido morre — disse ela. Após uma pausa, sua voz ficou mais suave quando ela prosseguiu. — As pessoas reagem de maneiras muito diferentes, e meu trabalho é descobrir como ajudá-las a aceitar o que aconteceu. Aliás, detesto essa palavra, pois nunca conheci ninguém que realmente estivesse disposto a aceitar os fatos. Mas, basicamente, é isso que eu faço. Afinal, independente do quão seja difícil, a aceitação ajuda as pessoas a seguir em frente com suas vidas. Mas, às vezes...

Ela deixou a frase no ar. Em meio ao silêncio, arrancou um pedaço da pintura da cadeira de balanço que estava descascando. — Às vezes, quando estou cuidando de alguém, outros problemas acabam surgindo. E é com isso que venho trabalhando ultimamente. Em geral, as pessoas precisam de outros tipos de ajuda também.

— Parece ser um belo trabalho.

— E é. Mesmo que tenha suas dificuldades — concluiu ela, virando-se para Katie. — E você, o que me diz?

— Você sabe que eu trabalho no Ivan's.

— Mas você não me disse mais nada sobre você.

— Não há muito mais a dizer — protestou Katie, desejando que a conversa não enveredasse por aquele rumo.

— É claro que há. Todos têm uma história — comentou Jo, antes de fazer uma pequena pausa. — Por exemplo, qual foi o verdadeiro motivo que a trouxe para Southport?

— Eu já lhe disse. Queria um lugar onde pudesse recomeçar a vida — insistiu Katie.

Jo pareceu estar olhando através dela enquanto absorvia aquela resposta. — Tudo bem — disse ela após algum tempo, sem rancor na voz. — Você tem razão. Não é da minha conta.

— Não foi isso o que eu disse.

— Foi, sim. Você disse de uma maneira gentil. E eu respeito sua resposta, porque você tem razão: realmente não é da minha conta. Mas, só para você saber, quando você diz que quer recomeçar a vida, a conselheira que existe dentro de mim se pergunta por que você sente a necessidade de recomeçar. E, mais importante do que isso, o que foi que você deixou para trás.

Katie sentiu seus ombros ficarem tensos. Percebendo o desconforto nela, Jo prosseguiu.

— E se fizermos desta forma? — perguntou ela, de maneira gentil. — Esqueça que eu fiz essa pergunta. Mas saiba que, se algum dia você quiser conversar a respeito, estarei aqui para lhe ajudar. Sou uma boa ouvinte, especialmente quando meus amigos precisam. E, acredite ou não, conversar, às vezes, ajuda bastante.

— E se eu simplesmente não puder conversar a respeito? — disse Katie, em um sussurro involuntário.

— Que tal se você ignorar o fato de eu trabalhar com aconselhamento de pessoas? Somos apenas amigas, e amigas podem conversar sobre qualquer coisa. Como o lugar onde você nasceu, ou algo que lhe deixava feliz quando você era criança.

— E que importância isso tem?

— Não é realmente algo importante. E é exatamente por isso que estou conversando com você. Você não precisa dizer nada que não queira realmente dizer.

Katie absorveu as palavras de Jo antes de olhar para ela com os olhos semicerrados. — Você é muito boa no que faz, não é?

— Eu me esforço — concordou Jo.

Katie entrelaçou os dedos sobre o colo. — Tudo bem. Eu nasci em Altoona — disse ela.

Jo se recostou na cadeira de balanço. — Nunca estive lá. É um lugar bonito?

— É uma daquelas velhas cidades construídas ao redor de uma estação de trem. Você já deve ter visto algum lugar assim. Uma cidade pequena, cheia de pessoas boas e trabalhadoras que estão apenas tentando melhorar suas vidas. Era um lugar bonito, especialmente durante o outono, quando as folhas começavam a mudar de cor. Eu pensava que nenhum lugar no mundo poderia ser mais bonito que aquele.

Katie baixou os olhos, perdida em meio às lembranças. — Eu tinha uma amiga chamada Emily e nós costumávamos colocar moedas sobre os trilhos do trem. Depois que o trem passava, nós andávamos em volta dos trilhos para tentar encontrá-las e sempre ficávamos abismadas quando víamos que o peso do trem havia apagado todas as marcas de cunhagem das moedas. Às vezes as moedas ainda estavam quentes ao toque. Eu me lembro de quase ter queimado meus dedos certa vez. Quando penso na minha infância, quase sempre são lembranças de pequenos momentos agradáveis como esse.

Ela deu de ombros, mas Jo continuou em silêncio, deixando que Katie prosseguisse.

— De qualquer forma, foi lá que estudei. Sempre na mesma escola. Foi ali que terminei o ensino médio, mas acho que, naquela época... não sei... acho que estava farta de tudo aquilo, sabe como é? A vida em uma cidade pequena, onde todos os fins de semana eram iguais. As mesmas pessoas indo sempre às mesmas festas, os mesmos rapazes bebendo cerveja na carroceria de suas caminhonetes. Eu queria mais, mas não consegui ir para a faculdade. Para encurtar uma longa história, acabei indo para Atlantic City. Trabalhei lá por algum tempo, me mudei algumas vezes e agora, alguns anos depois, estou aqui.

— Em outra cidade pequena onde tudo é sempre igual.

Katie balançou a cabeça. — Esta cidade é diferente. Ela faz com que eu me sinta...

Quando Katie hesitou, Jo terminou a frase por ela.

— Segura?

Quando os olhos assustados de Katie se encontraram com os dela, Jo parecia estar estupefata. — Não é tão difícil de entender. Como você mesma disse, você quer recomeçar. E que lugar melhor para fazer isso do que este? Onde nada acontece? — Ela parou por um momento. — Bem, não é sempre assim. Eu ouvi que houve uma certa comoção na semana passada. Quando você foi até a loja de conveniência.

— Você ficou sabendo?

— Vivemos em uma cidade pequena. É impossível não ouvir os comentários. O que aconteceu por lá?

— Foi assustador. Em um minuto eu estava conversando com Alex e, quando vi o que estava acontecendo no monitor, acho que ele percebeu a expressão no meu rosto. No instante seguinte ele saiu correndo. Ele passou por mim e correu pela loja como um raio. Kristen olhou para o monitor e entrou em pânico. Eu a peguei nos braços e fui atrás do pai dela. Quando cheguei aos fundos da loja, Alex já havia tirado Josh da água. Foi um alívio ver que ele estava bem.

— Também acho — disse Jo, assentindo. — O que você acha de Kristen? Ela não é a criança mais linda e doce do mundo?

— Ela me chama de senhorita Katie.

— Eu adoro aquela garotinha — disse Jo, erguendo os joelhos e trazendo-os para junto do peito. — Mas não fico surpresa por vocês duas terem se dado bem. Ou pelo fato de ela ter corrido para seus braços quando sentiu medo.

— Por que diz isso?

— Porque ela é uma criança muito sensível e inteligente. Ela sabe que você tem um bom coração.

Katie fez uma expressão cética. — Talvez ela estivesse com medo por causa do que estava acontecendo com o irmão. Quando o pai dela saiu correndo, eu era a única pessoa que estava na loja.

— Não se deprecie assim. Como eu disse, ela é sensível e consegue perceber essas coisas — retrucou Jo. — E o que houve com Alex? Depois do que aconteceu?

— Ele ainda estava um pouco abalado, mas, apesar do susto, parecia estar bem.

— Chegou a conversar com ele outras vezes desde então?

Katie deu de ombros mais uma vez, como se aquilo não fosse muito importante. — Não muito. Ele é sempre gentil quando vou até a loja e sempre tem os produtos que eu preciso em estoque, mas nada além disso.

— Ele é muito bom no que faz — disse Jo, segura de si.

— Você fala como se o conhecesse muito bem.

Jo balançou-se em sua cadeira. — Acho que eu o conheço bem, sim.

Katie esperou que ela falasse mais, mas Jo permaneceu em silêncio.

— Quer falar a respeito? — perguntou Katie, inocentemente. — Afinal de contas, conversar pode ajudar bastante, às vezes. Especialmente se tiver uma amiga para lhe ouvir.

Os olhos de Jo brilharam. — Sabe, eu sempre suspeitei que você fosse muito mais inteligente do que deixa transparecer. Está usando minhas próprias palavras para conversar comigo. Você devia ter vergonha de se esconder assim.

Katie sorriu, mas não disse nada — da mesma forma que Jo havia feito com ela. E, de maneira surpreendente, aquela estratégia funcionou.

— Não tenho certeza do quanto eu posso dizer — acrescentou Jo. — Mas posso lhe dizer que ele é um bom homem. É o tipo de pessoa com quem você pode contar para fazer a coisa certa. É possível enxergar isso no amor que ele tem por seus filhos.

Katie juntou os lábios por um momento. — Vocês dois já se encontraram alguma vez?

Jo pareceu escolher suas palavras com cuidado. — Sim, mas talvez não da maneira que você esteja imaginando. E para que as coisas fiquem bem claras: aconteceu há um bom tempo e todos prosseguiram com suas vidas.

Katie não conseguiu entender a resposta dela, mas não quis insistir no assunto. — Qual é a história dele, então? Imagino que ele seja divorciado.

— Seria melhor que você perguntasse a ele.

— Eu? E por que iria querer perguntar isso a ele?

— Porque você perguntou a mim — disse Jo, erguendo uma sobrancelha. — O que significa claramente que você está interessada nele.

— Não estou interessada nele.

— Então por que você quer saber coisas a respeito dele?

Katie fez uma careta. — Para uma amiga, até que você é bastante manipuladora.

Jo deu de ombros. — Eu simplesmente digo às pessoas aquilo que elas já sabem, mas têm medo de admitir para si mesmas.

Katie pensou naquilo. — Para que as coisas fiquem bem claras, estou oficialmente retirando minha oferta de ajudá-la a pintar sua casa.

— Você já disse que faria isso.

— Eu sei, mas quero retirá-la assim mesmo.

Jo soltou uma risada. — Tudo bem, tudo bem. Ei, o que você vai fazer esta noite?

— Preciso ir trabalhar daqui a pouco. Na verdade, acho que já é hora de começar a me arrumar.

— E amanhã à noite? Você vai trabalhar também?

— Não. Este final de semana estarei de folga.

— Então o que acha de eu trazer uma garrafa de vinho? Estou precisando beber um bom vinho e não quero ter que sentir o cheiro da tinta fresca por mais tempo do que o necessário. Podemos combinar?

— Parece que vai ser bem divertido.

— Ótimo — disse Jo, levantando-se da cadeira de balanço. — Estamos acertadas, então.

5

A MANHÃ DE SÁBADO chegou trazendo céu azul, mas logo as nuvens começaram a se formar. Cinzentas e pesadas, elas se formavam e se agrupavam ao mesmo tempo que o vento soprava cada vez mais forte. A temperatura começou a cair e, quando Katie saiu de casa, ela teve que vestir uma blusa de moletom. A loja ficava a cerca de três quilômetros de sua casa, um percurso de aproximadamente meia hora de caminhada vigorosa, e ela sabia que teria que se apressar se não quisesse que a chuva a apanhasse.

Katie chegou à estrada principal assim que ouviu o ribombar dos trovões. Ela acelerou o passo, sentindo o ar ficar mais denso à sua volta. Um caminhão passou correndo no asfalto, deixando uma nuvem de poeira atrás de si, e Katie foi até o canteiro central que dividia as duas pistas. O ar cheirava ao sal que vinha do oceano. Acima dela, um gavião de cauda vermelha flutuava intermitente nas correntes de ar ascendentes, testando a força do vento.

O ritmo constante dos seus passos distraiu sua mente, e ela se viu refletindo sobre a conversa com Jo. Não as histórias que ela havia contado, mas algumas das coisas que Jo havia dito a respeito de Alex. Acabou por decidir que Jo não sabia do que estava falando. Enquanto Katie estava simplesmente tentando conversar, Jo havia distorcido suas palavras e transformado-as em algo que não era realmente verdadeiro. Alex certamente parecia ser uma boa pessoa e, como Jo disse, Kristen era muito doce e meiga, mas ela não estava *interessada* nele. Ela mal o conhecia. Desde que Josh havia caído no rio, eles mal haviam trocado algumas palavras, e a última coisa que ela queria era entrar em um relacionamento, qualquer que fosse.

Assim, por que ela tinha a sensação de que Jo estava tentando fazer com que eles ficassem juntos?

Ela não sabia ao certo, mas, para ser honesta, aquilo não lhe importava. Estava feliz pelo fato de que Jo viria até sua casa naquela noite. Duas amigas, compartilhando uma garrafa de vinho... não era algo tão especial assim, ela sabia. Outras pessoas, outras mulheres, faziam aquele tipo de coisa o tempo todo. Katie franziu a testa. Tudo bem, talvez não o tempo todo, mas a maioria delas provavelmente sabia que podia fazer aquilo se quisessem, e ela supunha que aquela era diferença entre ela própria e as outras pessoas. Quanto tempo fazia desde que havia feito algo que parecesse normal?

Desde sua infância, admitiu Katie para si mesma. Desde aqueles dias em que ela colocara moedas sobre os trilhos. Mas ela não havia contado toda a verdade a Jo. Não dissera a ela que ia até o lugar onde o trem passava para fugir do som das discussões de seus pais, das vozes arrastadas que se insultavam mutuamente. Não contou a Jo que havia sido pega no fogo cruzado mais de uma vez e que, quando tinha 12 anos, fora atingida por um enfeite de vidro que seu pai lançara contra sua mãe. O objeto lhe causou um corte na cabeça que sangrou por várias horas, mas nem a mãe nem o pai demonstraram qualquer interesse em levá-la para o hospital. Não disse a Jo que seu pai era cruel quando estava bêbado, ou que ele nunca convidara qualquer pessoa, nem mesmo Emily, para visitar sua casa. Ou que não conseguiu ir para a faculdade porque seus pais achavam que era um desperdício de tempo e dinheiro. Ou que eles a expulsaram de casa no dia em que ela terminou o ensino médio.

Ela pensou que talvez pudesse contar aquilo a Jo. Ou talvez não contasse. Não era tão importante. E daí que ela não tivera a melhor das infâncias? Sim, seus pais eram alcoólatras e frequentemente estavam desempregados, mas, ignorando o incidente com o enfeite de vidro, eles nunca chegaram a machucá-la. Não, ela nunca ganhou um carro ou teve festas de aniversário, mas nunca foi para a cama sem jantar. E, quando o outono chegava, independente da situação financeira da família, ela sempre ganhava roupas novas para ir à escola[1]. Talvez seu pai não fosse o melhor homem do mundo, mas ele não vinha até seu quarto na calada da noite para fazer coisas horríveis com ela — coisas que ela sabia que haviam acontecido com algumas amigas. Aos 18 anos, ela não se considerava uma pessoa traumatizada. Talvez um pouco decepcionada por não ter cursado uma faculdade e nervosa por ter que encontrar seu caminho sozinha no mundo, mas não traumatizada além de qualquer possibilidade de recuperação. E ela havia conseguido. As coisas não foram tão ruins em Atlantic City. Ela conheceu alguns bons rapazes e ainda se lembrava de mais de uma noite que passara rindo e conversando com os amigos do trabalho até o dia amanhecer.

Não, insistiu ela consigo mesma. Sua infância não havia definido sua vida, nem tinha algo a ver com a razão pela qual ela se mudara para Southport e, embora Jo fosse a coisa mais próxima de uma amiga que ela tinha na cidade, essa amiga não sabia absolutamente nada sobre sua vida. Ninguém sabia.

•◆•

— **Oi, senhorita Katie** — disse Kristen, ainda sentada em sua mesinha de desenho.

Não havia nenhuma boneca aquele dia. Em vez disso, ela estava curvada sobre um livro de colorir, com bastões de giz de cera nas mãos,

[1] Nos Estados Unidos, o ano letivo geralmente começa no início do outono, no mês de setembro. Várias escolas espalhadas pelo país não adotam uniformes para seus alunos. (N.T.)

trabalhando em uma imagem de unicórnios sob um arco-íris.

— Oi, Kristen. Como você está?

— Estou bem.

Kristen tirou os olhos do livro de colorir e olhou para Katie. — Por que você sempre vem a pé para cá?

Katie analisou a pergunta por um momento e depois deu a volta no balcão, agachando-se para ficar da mesma altura que Kristen. — Porque não tenho um carro.

— Por que não?

"Porque não tenho habilitação", pensou Katie. "E mesmo que eu tivesse, não tenho dinheiro para comprar ou manter um carro". — Bem, vou lhe dizer o que farei. Vou pensar em comprar um, certo?

— Certo — disse ela. E estendeu o livro de colorir para Katie. — Você gostou do meu desenho?

— Está bonito. Você está fazendo um ótimo trabalho.

— Obrigada. Vou lhe dar esta folha quando eu terminar.

— Não precisa fazer isso.

— Eu sei — disse ela, com uma autoconfiança encantadora. — Mas eu quero que você fique com ela. Você pode colocá-la na porta da sua geladeira.

Katie sorriu e se levantou. — Era exatamente nisso que eu estava pensando.

— Precisa de ajuda com as compras?

— Acho que consigo cuidar disso sozinha hoje. Assim você pode terminar de colorir.

— Tudo bem — concordou Kristen.

Ao pegar uma cesta de compras, Katie viu que Alex se aproximava. Ele acenou para ela e, embora não fizesse sentido, ela teve a sensação de que aquela era a primeira vez que realmente prestava atenção nele. Embora seu cabelo fosse grisalho, havia apenas algumas poucas linhas de expressão ao redor dos olhos dele que, de algum modo, realçavam a aura de vitalidade que ele tinha ao seu redor. Os ombros dele eram mais largos do que a cintura, e ela teve a impressão de que Alex era um homem que não exagerava na comida nem na bebida.

— Oi, Katie. Como está?

— Estou bem. E você?

— Tudo tranquilo — disse ele, abrindo um sorriso. — É ótimo ver você. Eu queria lhe mostrar uma coisa.

Alex apontou para o monitor e ela viu que Josh estava sentado no ancoradouro atrás da loja, segurando sua vara de pescar.

— Você deixou que ele voltasse a pescar? — perguntou ela.

— Percebeu o colete que ele está usando?

Ela se aproximou do monitor, apertando os olhos. — Um colete salva-vidas?

— Eu demorei um pouco para achar um que não fosse desajeitado ou quente demais para ele, mas esse é perfeito. E, para falar a verdade, eu não tive escolha. Você não faz ideia do quanto ele estava triste sem poder pescar. Nem tenho como enumerar quantas vezes ele me implorou para que eu o deixasse voltar para a doca. Não conseguia mais suportar aquilo, então pensei que esta seria uma boa solução.

— Ele não se importa em usar o colete?

— Uma das novas regras da casa. Ou usa o colete ou fica sem pescar. Mas eu não acho que ele se importe.

— E ele chega a pescar alguma coisa?

— Não tanto quanto gostaria, mas, às vezes, ele pega alguns peixes, sim.

— E vocês os comem?

— Às vezes. Mas Josh geralmente os joga de volta na água. Ele não se importa de pescar o mesmo peixe várias vezes.

— Fico feliz por você ter encontrado uma solução.

— Um pai mais previdente teria pensado nisso antes que um acidente acontecesse.

Pela primeira vez, ela olhou para ele. — Tenho a impressão de que você é um ótimo pai.

Seus olhos se encontraram e ambos se observaram por um momento, antes que ela se forçasse a desviar o rosto. Alex, sentindo o desconforto dela, começou a mexer nas coisas que estavam atrás do balcão.

— Tenho uma coisa para você — disse ele, tirando uma sacola de trás da caixa registradora e colocando-a sobre o balcão. — Há uma pequena fazenda que me fornece alguns produtos e eles têm uma estufa. Conseguem cultivar algumas coisas em épocas que outras empresas não conseguem. Ontem eles trouxeram alguns legumes frescos. Tomates, pepinos e alguns tipos diferentes de abobrinhas. Talvez você queira experimentá-los. Minha esposa jurava que eram os melhores que ela já havia comido.

— Sua esposa?

Ele balançou a cabeça. — Ah, me desculpe. Ainda faço isso às vezes. Estava me referindo à minha esposa, já falecida. Ela morreu há alguns anos.

— Eu lamento — murmurou ela, enquanto sua mente repassava a conversa que teve com Jo.

Qual é a história dele?

Seria melhor que você perguntasse a ele. Aquela fora a resposta de Jo.

Era óbvio que Jo sabia que a esposa dele havia morrido, mas não dissera nada a respeito. Estranho.

Alex não percebeu que ela estava pensando na conversa que tivera no dia anterior. — Obrigado — disse ele, com a voz um pouco estrangulada. — Ela era uma ótima pessoa. Tenho certeza de que você teria gostado dela — completou Alex. Uma expressão saudosa lhe cruzou o rosto.

— De qualquer forma, ela sempre elogiou aquele lugar. Eles trabalham com alimentos orgânicos e a família ainda colhe os legumes manualmente. Em geral, os produtos deles desaparecem logo depois que chegam, mas eu separei alguns para você, se quiser experimentá-los — comentou ele, sorrindo. — Além disso, você é vegetariana, não é? Os vegetarianos adoram estes legumes. Eu garanto.

Katie olhou para ele, apertando os olhos. — Por que você acha que eu sou vegetariana?

— Não é?

— Não.

— Acho que me enganei, então — disse ele, colocando as mãos nos bolsos.

— Tudo bem. Já me acusaram de fazer coisas piores.

— Duvido muito.

“Não duvide”, pensou ela. — Bem, acho que vou levar os legumes. Obrigada.

6

Enquanto Katie fazia compras, Alex tentava se ocupar, observando-a com o canto do olho. Ele organizou os objetos que estavam sobre o balcão, deu uma olhada no monitor para ver como Josh estava, examinou o desenho de Kristen e voltou a organizar as coisas que estavam sobre o balcão, tentando fazer parecer que estava ocupado.

Ela havia mudado nas últimas semanas, com um leve bronzeado típico do início do verão, e sua pele tinha um brilho rejuvenescido. Também parecia menos insegura quando estava perto dele, e o que aconteceu hoje foi um dos melhores exemplos. Não, aquela conversa cintilante não havia despertado qualquer chama entre os dois, mas era um começo, não era?

Mas o começo do quê?

Desde o início, Alex sentira que Katie tinha problemas, e sua resposta instintiva fora querer ajudar. E, é claro, ela era bonita, apesar do corte de cabelo que não combinava com seu rosto e das roupas que não valorizavam seu corpo. Mas fora a maneira como ela confortou Kristen no dia em que Josh caiu na água que tocou verdadeiramente seu coração. E mais do que isso, a reação de Kristen às atitudes de Katie. Ela buscou a proteção de Katie como uma criança busca o colo da mãe.

Aquilo fez com que sentisse um nó na garganta, lembrando-o de que ele sentia falta de ter uma esposa com a mesma intensidade que seus filhos sentiam falta de ter uma mãe. Alex sabia que eles estavam sofrendo, e ele tentava compensar da melhor maneira que podia. Mesmo assim, só percebeu que a tristeza era apenas uma parte daquilo que eles sentiam quando viu Katie e Kristen juntas. A solidão dos seus filhos era um reflexo da sua.

Ele ficou preocupado por não ter percebido aquilo antes.

Katie ainda representava um certo mistério para ele. Havia um elemento que faltava, algo que vinha lhe incomodando. Ele a observava, perguntando-se quem ela realmente era e o que a trouxera até Southport.

Ela estava em frente a um dos refrigeradores, algo que nunca havia feito antes, estudando os produtos que estavam atrás da porta de vidro. Katie tinha uma expressão séria no rosto, como se estivesse debatendo o que comprar. Alex percebeu que os dedos da mão direita dela estavam se movimentando ao redor do anular da mão esquerda, dedilhando um anel que não estava ali. O gesto lhe trouxe algo familiar e que havia sido esquecido há bastante tempo.

Era um hábito, um tique que ele percebeu durante os anos em que passou trabalhando no DIC e que às vezes observava em mulheres cujos rostos estavam desfigurados ou tinham hematomas aparentes. Elas costumavam se sentar de frente para ele, compulsivamente tocando sua aliança de casamento, como se fosse algemas que as prendiam aos maridos. Geralmente, elas negavam que os maridos as haviam agredido e, nas raras ocasiões em que admitiam a verdade, insistiam também que não fora culpa deles. Diziam que haviam provocado a raiva dos maridos. Diziam que haviam queimado o jantar, que não haviam lavado as roupas ou que eles haviam bebido. E sempre, sempre, as mesmas mulheres juravam que era a primeira vez que aquilo lhes acontecia e que não queriam prestar queixa porque a carreira dos maridos seria arruinada. Todos sabiam que o exército agia com rigor contra maridos agressivos.

As coisas eram diferentes com algumas delas, pelo menos no começo. Algumas insistiam em prestar queixa. Ele começava a montar seu relatório e as ouvia questionarem por que a burocracia e a papelada eram mais importantes do que prender um homem que batia em sua esposa. Ou mais importante do que fazer cumprir a lei. Ele redigia o relatório assim mesmo e lia para elas suas próprias palavras antes de pedir que assinassem o documento. Às vezes, era naquele momento que elas perdiam a coragem e ele notava a mulher aterrorizada que estava por baixo da superfície enraivecida. Muitas acabavam não assinando o relatório, e mesmo aquelas que o faziam mudavam de opinião rapidamente quando seus maridos eram intimados para serem questionados. Aqueles casos seguiam adiante, independente do que a esposa dissesse. E depois, quando elas não compareciam para testemunhar, poucas punições eram efetivamente cumpridas. Alex acabou compreendendo que apenas aquelas que insistiam em manter as queixas em caráter oficial conseguiam realmente se livrar dos abusos, porque a vida que elas levavam era como uma prisão, mesmo que a maioria daquelas mulheres não admitisse.

Ainda assim, havia outra maneira de escapar do horror das suas vidas, embora, durante toda a sua carreira, Alex só conhecesse um único caso de uma mulher que chegasse a fazer aquilo. Ele havia entrevistado a mulher uma vez e ela executou a mesma rotina da maioria das outras, negando as agressões e culpando a si mesma pelo que acontecera. Entretanto, cerca de dois meses depois, ele soube que ela havia fugido. Não havia voltado para sua família nem ido para a casa de algum amigo, mas se escondera em alguma outra parte do mundo, um lugar onde nem mesmo seu marido conseguiria encontrá-la. O marido, perdido em meio à fúria que o tinha dominado depois da fuga da esposa, havia explodido após uma noite de bebedeira e agredira um dos guardas da base onde servia, deixando-o coberto de sangue. Ele foi enviado a Leavenworth[2], e Alex se lembrava de ter sorrido com satisfa-

[2] Base do exército americano localizada no estado do Kansas que conta com uma prisão de segurança máxima e um centro disciplinar. (N.T.)

ção quando ouviu o desfecho do caso. E, quando se lembrou da esposa daquele homem, ele sorriu novamente, pensando: "Bem feito".

Agora, ao observar Katie dedilhando uma aliança que não estava mais em seu dedo, ele sentiu que seus antigos instintos de investigação voltavam a funcionar. Houve um marido, pensou ele; o marido dela era o elemento que faltava. Talvez ela ainda fosse casada, ou talvez não fosse. Mesmo assim, Alex tinha um pressentimento inegável de que Katie ainda sentia medo dele.

•◆•

O CÉU EXPLODIU ENQUANTO ela estava pegando um pacote de biscoitos. Relâmpagos cortaram o céu e alguns segundos depois um trovão ressoou pelos ares, antes de finalmente se reduzir a um ruído baixo e constante. Josh veio correndo para dentro da loja antes que a chuva começasse a cair, trazendo sua caixa de iscas e anzóis e a varinha de pesca. Seu rosto estava vermelho e ele estava arfando como um corredor que havia atravessado a linha de chegada.

— Oi, papai.

Alex olhou para Josh. — Conseguiu pescar alguma coisa?

— Só aquele bagre. O mesmo que eu sempre pesco.

Vá descansar. Daqui a pouco iremos almoçar.

Josh voltou para o depósito e Alex o ouviu subindo os degraus para a casa.

Do lado de fora, a chuva começou a cair com força e as rajadas de vento faziam a água bater contra as janelas. Os galhos das árvores se dobravam por causa do vento, curvando-se a uma força superior. O céu escuro reluzia com os relâmpagos e um trovão rugiu no ar, forte o bastante para fazer as janelas tremerem. Do outro lado da loja, Alex viu Katie gemer, com o rosto contorcido em uma expressão de surpresa e terror. Ele imaginou se era daquele jeito que seu marido a via antigamente.

A porta da loja se abriu e um homem entrou correndo, respingando água nas tábuas do piso. Ele agitou as mangas para se livrar da umidade e cumprimentou Alex antes de ir em direção à área da chapa e da churrasqueira.

Katie se virou para a prateleira que tinha os biscoitos. Alex não tinha uma variedade muito grande em estoque, apenas os pacotes tradicionais de Ritz e Saltines, os únicos que os clientes compravam regularmente. Ela pegou um pacote de Ritz.

Depois de pegar os produtos que geralmente costumava comprar, os levou à caixa registradora. Quando Alex terminou de calcular o valor das compras e de colocá-las nas sacolas plásticas, apontou para a sacola que havia colocado no balcão quando Katie havia chegado.

— Não esqueça seus legumes.

Ela olhou para o total na caixa registradora. — Tem certeza que está me cobrando o preço certo?

— É claro que tenho.

— O total não é maior do que o que costumo pagar pelas minhas compras.

— Dei um desconto de cortesia, pela apresentação do produto.

Ela fez uma expressão séria, sem saber se acreditava no que ele dizia, até finalmente colocar a mão dentro da sacola. Ela pegou um tomate e o trouxe até o nariz.

— O cheiro é ótimo.

— Eu comi alguns desses ontem à noite. São ótimos com uma pitada de sal e os pepinos não precisam de nenhum condimento.

Ela concordou com a cabeça, mas seu olhar estava fixo na porta. O vento estava jogando a água da chuva contra ela em rajadas furiosas. A porta se abriu com um rangido e a água lutava para entrar na loja. O mundo além do vidro não passava de um borrão.

As pessoas estavam relaxando ao redor da churrasqueira. Alex podia ouvi-las resmungando consigo mesmas, falando algo sobre esperar a tempestade passar.

Katie tomou fôlego e pegou suas sacolas.

— Senhorita Katie! — gritou Kristen, quase como se estivesse em pânico. Ela se levantou, agitando a folha de papel que havia colorido, já destacada do livro. — Você quase esqueceu seu desenho.

Katie estendeu a mão para pegar o desenho, abrindo um sorriso enquanto estudava a imagem. Alex sentiu-se como — pelo menos por um instante — se todo o resto do mundo não tivesse mais qualquer importância.

— Está lindo. Mal posso esperar para colocá-lo na porta da minha geladeira.

— Vou colorir outro para você levar, da próxima vez que vier aqui.

— Eu adoraria — disse Katie.

Kristen sorriu antes de voltar a se sentar em sua mesa. Katie enrolou o desenho, certificando-se de que não o amassaria, e o colocou cuidadosamente na sacola de compras. Raios e trovões voltaram a rugir, quase simultaneamente desta vez. A chuva martelava o chão e o estacionamento parecia um mar de poças. O céu estava mais escuro do que o céu da madrugada.

— Você sabe o quanto essa tempestade vai durar? — perguntou ela.

— Ouvi no noticiário que ela iria durar o dia todo — respondeu Alex.

Ela voltou a olhar pelo vidro da porta. Enquanto decidia o que fazer, dedilhou novamente o anel que não estava mais em seu dedo. Em meio ao silêncio, Kristen puxou a camisa de seu pai.

— Você podia levar a senhorita Katie para casa — disse ela. — Ela não tem carro e está chovendo muito.

Alex olhou para Katie, sabendo que ela ouvira o que Kristen havia dito. — Quer uma carona até sua casa?

Katie balançou a cabeça. — Não precisa se incomodar, está tudo bem.

— Mas e o seu desenho? Ele vai ficar todo molhado — disse Kristen.

Quando Katie não respondeu ao argumento da menina, Alex saiu de trás da caixa registradora. — Vamos lá — disse ele, fazendo um movimento com a cabeça em direção à porta. — Não há motivos para ficar encharcada. Meu carro está nos fundos.

— Não quero incomodar...

— Não é incômodo algum — disse Alex, apalpando o bolso para apanhar as chaves do carro antes de pegar as sacolas de compras de Katie.

— Deixe que eu as levo — disse ele, levantando-as. — Kristen, meu bem, pode subir e dizer a Josh que estarei de volta em dez minutos?

— Claro, papai.

— Roger? Dê uma olhada nas crianças e na loja por um momento, por favor.

— Sem problemas — disse ele, com um aceno.

Alex apontou para os fundos da loja. — Vamos?

•◆•

Eles saíram em disparada em direção ao jipe, empunhando guarda-chuvas que se curvavam com a força da ventania e do aguaceiro que teimava em cair. Os relâmpagos continuavam a riscar o céu, iluminando as nuvens. Quando se acomodaram nos assentos, Katie passou a mão no vidro para desembaçá-lo.

— Não achei que o tempo fosse ficar desse jeito quando saí de casa.

— Ninguém imagina, até que a tempestade começa. Muitas vezes falam que “o céu vai cair” na previsão do tempo, mas quando uma chuva realmente forte cai, as pessoas estão desprevenidas. Se não for tão ruim quanto a televisão previu, nós reclamamos. Se for pior do que esperávamos, nós reclamamos. Se for tão ruim quanto esperávamos, aproveitamos para reclamar, também, porque as previsões geralmente são erradas e não havia como saber que elas estariam certas desta vez. É apenas mais uma razão para que as pessoas reclamem.

— Como aquelas pessoas na área da churrasqueira?

Ele assentiu, abrindo um sorriso. — Mas elas são boas pessoas. Em sua maioria, são trabalhadoras, honestas e gentis. Qualquer um dos que estavam ali poderia cuidar da loja para mim se eu pedisse a eles e tenho certeza de que não faltaria nem um centavo no fechamento do caixa. É assim que as coisas são nessa cidade. No fundo, as pessoas sabem que, em uma cidade pequena como esta, todos precisamos uns dos outros. É ótimo saber disso. E olhe que eu demorei um pouco para me acostumar com a ideia.

— Você não é daqui?

— Não. Minha esposa era. Eu nasci em Spokane. Quando me mudei para cá, me lembro de pensar que nunca conseguiria morar em um lugar como este. Afinal, é uma cidade pequena no sul dos Estados Unidos, um lugar que não se importa com o que o resto do mundo pensa. Demora um pouco para se acostumar. Mesmo assim, depois de um tempo, você começa a sentir um certo carinho pelo lugar. Esta cidade me ajuda a manter minha atenção naquilo que é importante.

Katie perguntou com uma voz suave: — E o que é importante?

Ele deu de ombros. — Depende de cada um, não é mesmo? Mas, neste momento da minha vida, o que importa são meus filhos. Esta cidade é o lar deles, e depois do que eles passaram, eles precisam de estabilidade. Kristen precisa de um lugar para colorir seus desenhos e vestir suas bonecas. Josh precisa de um lugar para pescar, e os dois precisam saber que estou por perto sempre que for necessário. Esta cidade e a loja tornam tudo isso possível. E, neste momento, é exatamente o que eu quero. É o que eu preciso.

Ele ficou em silêncio, sentindo-se culpado por ter falado tanto. — Ah, deixe-me perguntar... Para onde exatamente devo ir?

— Continue indo reto e entre em uma estrada de cascalhos. Fica logo depois da curva.

— A estrada de cascalhos que ladeia a fazenda?

Katie fez que sim com a cabeça. — Essa mesma.

— Nem sabia que aquela estrada levava a algum lugar — disse ele, franzindo a testa. — É uma boa caminhada. Imagino que sejam quase três quilômetros.

— Não é tão ruim assim — retrucou ela.

— Talvez, quando o tempo está bom. Mas em um dia como hoje, você teria que voltar para casa nadando. Não há a menor condição de caminhar nesta chuva. E o desenho de Kristen ficaria arruinado.

Ele notou um rápido sorriso quando mencionou o nome de Kristen, mas Katie não disse nada.

— Alguém comentou que você trabalha no Ivan's — disse Alex.

Katie assentiu. — Sim, desde março.

— E o que está achando?

— Não é ruim. É apenas um emprego, mas o dono do restaurante me trata bem.

Ivan?

— Você o conhece?

— Todos conhecem Ivan. Você sabia que todos os anos, quando chega o outono, ele se veste como um general do exército confederado para celebrar a famosa Batalha de Southport? Quando o general Sherman queimou a cidade? É ótimo ver a encenação dele... Exceto pelo fato de que nunca houve uma Batalha de Southport durante a Guerra Civil. Southport nem tinha esse nome naquela época, o lugar era chamado de Smithville. E Sherman nunca esteve a menos de 150 quilômetros daqui.

— É mesmo? — perguntou Katie.

— Não me entenda mal. Eu gosto do Ivan, ele é uma ótima pessoa, além de o restaurante ser um dos lugares mais tradicionais da cidade. Kristen e Josh adoram os bolinhos de chuva com canela que eles servem e Ivan sempre nos recebe muito bem quando vamos lá. Mas já me apanhei imaginando qual é a motivação dele. Sua família veio da Rússia, na década de 1950. Ele foi a primeira pessoa da família que nasceu em solo americano. Provavelmente nenhum dos parentes dele chegou a ouvir falar da Guerra Civil. Mas Ivan vai passar, como sempre faz, um final de semana inteiro apontando sua espada e gritando ordens para os soldados, bem no meio da rua, em frente ao tribunal.

— Por que nunca ouvi falar nisso?

— Porque não é algo sobre o qual as pessoas da cidade gostam de falar. É meio... excêntrico, sabe? Até mesmo as pessoas daqui, aquelas que realmente gostam dele, tentam ignorá-lo. Eles verão que Ivan está brandindo sua espada no meio da cidade e vão dar meia-volta, dizendo coisas como "Você percebeu como os crisântemos ao lado do tribunal estão bonitos?".

Pela primeira vez desde que entrou no carro, Katie sorriu. — Não sei se acredito em você.

— Não tem problema. Se você estiver por aqui em outubro, vai ver com seus próprios olhos. Mas eu insisto, não me entenda mal. Ele é um bom homem e o restaurante é ótimo. Depois de passarmos o dia na praia, nós quase sempre vamos até lá para comer alguma coisa. Da próxima vez que estivermos lá, vamos perguntar por você.

Ela hesitou. — Tudo bem.

— Ela gosta de você — disse Alex. — Kristen.

— Eu também gosto dela. Ela é muito alegre e tem uma personalidade linda.

— Vou dizer isso a ela. Obrigado.

— Quantos anos ela tem?

— Cinco. Quando o outono chegar e ela começar a ir para a escola, eu não sei o que vou fazer. A loja vai ficar muito silenciosa.

— Você vai sentir falta dela — observou Katie.

Alex assentiu. — Vou sim, e muito. Eu sei que ela vai gostar de ir à escola, mas gosto de tê-la por perto.

Enquanto ele falava, a chuva continuava a castigar as janelas do carro. O céu se iluminava em meio aos relâmpagos e clarões, como se estivesse iluminado por várias lâmpadas estroboscópicas, acompanhado por um ribombar constante.

Katie olhou pela janela do lado do passageiro, perdida em seus pensamentos. Ele esperou, sabendo que, de algum modo, ela quebraria o silêncio.

— Por quanto tempo você foi casado? — perguntou ela, finalmente.

— Cinco anos. E namoramos um ano antes disso. Eu a conheci quando estava na base de Fort Briggs.

— Você serviu no exército?

— Sim, durante 10 anos. Foi uma boa experiência e não me arrependo de ter servido. Ao mesmo tempo em que não me arrependo de ter me desligado das forças armadas.

Katie apontou para a beira da estrada. — A entrada para minha rua fica logo adiante — disse ela.

Alex entrou na ruela e diminuiu a velocidade. O leito de cascalhos da rua ficou encharcado durante a tempestade e a água respingava até a altura do para-brisa. Enquanto ele se concentrava em guiar o carro em meio às imensas poças que haviam se formado, Alex percebeu, repentinamente, que aquela era a primeira vez que ele estava sozinho em um carro com uma mulher ao seu lado desde que sua esposa havia morrido.

— Em qual delas você mora? — perguntou ele, apertando os olhos para enxergar o contorno das duas cabanas.

— A da direita — disse ela.

Ele estacionou o mais próximo da entrada da casa que conseguiu.

— Vou levar suas compras até a porta.

— Você não precisa fazer isso.

— Ah, você não sabe como meus pais me criaram — disse ele, saindo do carro antes que ela pudesse reclamar. Alex pegou as sacolas e correu para a varanda. Quando ele as deixou no chão e começou a agitar os braços para se secar, Katie estava correndo em sua direção, segurando com firmeza o guarda-chuva que ele havia lhe emprestado.

— Obrigada — disse ela em voz alta, tentando suplantar o barulho da tempestade.

Quando ela lhe devolveu o guarda-chuva, ele balançou a cabeça negativamente. — Fique com ele por algum tempo. Ou para sempre. Não tem importância. Você caminha bastante, então vai precisar dele.

— Eu posso pagar por ele... — começou ela.

— Não se preocupe.

— Mas é um produto da loja.

— Como eu disse, não se preocupe com isso. Mas, se você não acha correto, traga o dinheiro da próxima vez que for à loja.

— Alex, eu estou falando sério e...

Ele não a deixou terminar de falar. — Você é uma boa cliente e eu gosto de ajudar meus clientes.

Ela demorou um momento para responder. — Obrigada — disse ela finalmente. Seus olhos, que agora haviam assumido um tom verde-escuro, estavam fixos nos dele. — E obrigada por me trazer até em casa também.

Ele abriu um sorriso. — Sempre que precisar.

•◆•

O QUE FAZER COM AS CRIANÇAS. Aquela era a pergunta recorrente e impossível de responder, que ele precisava enfrentar a cada fim de semana; como de costume, não tinha a menor ideia do que fazer com os filhos naquele fim de semana.

Com a tempestade caindo furiosamente, sem qualquer sinal de que fosse perder a força, qualquer atividade ao ar livre estava fora de questão. Ele poderia levá-los ao cinema, mas não havia nenhum filme em cartaz que pudesse interessar a ambos. Alex poderia simplesmente deixá-los se divertirem sozinhos por algum tempo. Sabia que muitos pais faziam aquilo. No entanto, seus filhos ainda eram pequenos, jovens demais para serem deixados totalmente sozinhos. Além disso, eles já ficavam sozinhos por um bom tempo, improvisando maneiras de se entreter, porque Alex precisava passar várias horas por dias cuidando da loja. Ele ponderava as opções que tinha enquanto fazia sanduíches de queijo quente, mas logo percebeu que sua mente insistia em pensar em Katie. Embora ela estivesse obviamente se esforçando para passar despercebida, ele sabia que aquilo era algo quase impossível em uma cidade como Southport. Ela era bonita demais para se misturar com as pessoas dali, e quando as pessoas percebessem que ela não tinha carro e que sempre ia a pé para qualquer lugar que precisasse, seria inevitável que começassem a falar sobre isso. E perguntas sobre seu passado não tardariam a surgir.

Ele não queria que isso acontecesse. Não por razões egoístas, mas porque ela tinha o direito de levar a vida do jeito que quisesse, especialmente por ter sido esse o motivo que a trouxera a Southport. Uma vida normal, de prazeres simples. O tipo de vida que a maior parte das pessoas nem percebia que existia: poder ir a qualquer lugar que ela quisesse, a qualquer hora e morar em uma casa onde ela se sentisse segura. Mas ela também precisava de um meio de transporte.

— Ei, crianças — disse ele, colocando os sanduíches em dois pratos. — Tive uma ideia. Vamos fazer algo para a senhorita Katie.

— Vamos! — concordou Kristen.

Josh, sempre tranquilo, concordou com um movimento de cabeça.

7

O vento e a chuva rasgavam os céus escuros da Carolina do Norte, jogando verdadeiros rios contra as janelas da cozinha. Um pouco mais cedo, durante a tarde, enquanto Katie lavava suas roupas na pia e depois de ter prendido o desenho de Kristen em sua geladeira com fita adesiva, uma goteira havia começado a pingar do teto de sua sala de estar. Ela havia colocado uma panela sob a goteira e já a havia esvaziado duas vezes. Quando a manhã chegasse, ela pensava em ligar para Benson, mas duvidava que ele viria reparar o vazamento imediatamente, se é que ele algum dia viria arrumar o problema, claro.

Na cozinha, ela cortou um pedaço de queijo cheddar em pequenos cubos, mordiscando alguns deles enquanto trabalhava. Em um prato de plástico amarelo havia alguns biscoitos e fatias de tomates e pepinos, embora ela não tivesse conseguido arrumá-los do jeito que havia imaginado. Nada que ela fizesse ficava do jeito que imaginava. Na casa em que ela morava antes de vir a Southport, ela tinha uma bela tábua de frios e uma faca de prata para queijos com um cardeal entalhado, além de um conjunto completo de taças de vinho. Tinha também uma mesa de jantar feita de cerejeira e cortinas de renda nas janelas; porém, aqui, nesta casa, sua mesa era bamba e as cadeiras eram diferentes umas das outras. Além disso, ela e Jo teriam que beber o vinho em xícaras de café. Por mais horrível que sua outra vida fosse, ela gostava de organizar as peças que compunham seu lar. Entretanto, como tudo o que havia deixado para trás, ela agora via aqueles objetos como um grupo de inimigos que haviam passado para o lado dos seus antagonistas.

Pela janela, viu uma das luzes da casa de Jo se apagar. Katie foi até a porta da frente. Ao abrir, ela observou Jo andando por entre as poças a caminho da varanda, com um guarda-chuva em uma mão e uma garrafa de vinho na outra. Com mais duas passadas, ela havia chegado ao alpendre e sua capa de chuva amarela estava toda encharcada.

— Acho que agora eu entendo como Noé se sentia. Dá para acreditar numa tempestade assim? Minha cozinha está cheia de poças d'água.

Katie apontou para a casa, por cima do ombro. — Minha goteira está na sala.

— Lar, doce lar, não é mesmo? Aqui está — disse ela, entregando a garrafa de vinho. — Conforme o prometido. Pode acreditar em mim, estou precisando muito.

— Teve um dia difícil?

— Você nem imagina o quanto.

— Entre.

— Deixe eu pendurar minha capa aqui fora, ou você vai ter duas poças na sua sala de estar — disse ela, se desvencilhando do impermeável amarelo. — Mesmo morando na casa ao lado, fiquei toda ensopada.

Jo largou a capa e o guarda-chuva sobre a cadeira de balanço e entrou na casa logo depois de Katie. As duas foram juntas até a cozinha.

Katie deixou a garrafa de vinho sobre o balcão. Enquanto Jo observava o que havia na mesa, Katie abriu a gaveta ao lado da geladeira e tirou um canivete suíço enferrujado, levantando a lâmina do saca-rolhas.

— Esse aperitivo parece estar delicioso. Estou faminta, não comi nada o dia inteiro.

— Sirva-se, fique à vontade. Conseguiu terminar a pintura?

— Bem, eu consegui terminar a sala. Mas não fiz muito mais do que isso e o dia não foi dos melhores.

— O que houve?

— Eu te conto depois. Primeiro, preciso do vinho. E você? O que fez de bom?

— Nada de mais. Fui até a loja de conveniência, limpei a casa, lavei roupa.

Jo se acomodou à mesa e pegou um dos biscoitos. — Em outras palavras, material para o seu livro de memórias.

Katie riu enquanto começava a torcer o saca-rolhas. — Ah, é claro. Experiências incríveis.

— Quer ajuda com a rolha? — perguntou Jo.

— Acho que consegui.

— Ótimo — disse Jo, com um sorriso torto. — Porque eu sou a visita e espero ser bem tratada.

Katie encaixou a garrafa entre as pernas e a rolha saiu com um som agudo.

— Mas, falando sério agora, obrigada por me receber — suspirou Jo. — Você não faz ideia do quanto eu estava esperando por este momento.

— É mesmo?

— Não faça isso.

— Não faça o quê? — perguntou Katie.

— Não finja que está surpresa por eu ter vindo até aqui. Ou por eu querer reforçar nossa amizade com uma garrafa de vinho. Amigos são para essas coisas — disse ela, levantando uma sobrancelha. — Ah, e já que tocamos no assunto, antes que você comece a se perguntar se somos realmente amigas e o quanto realmente conhecemos uma sobre a outra, confie em mim quando eu digo que considero você uma amiga. De maneira sincera e absoluta.

Ela deixou que aquelas palavras causassem seu efeito antes de prosseguir. — Bem, que tal um pouco de vinho agora?

•◆•

A tempestade finalmente perdeu força no começo da noite, e Katie abriu a janela da cozinha. A temperatura havia despencado e o ar estava frio e límpido. Enquanto um pouco de neblina estava se formando e cobrindo o chão, as nuvens carregadas passavam em frente à lua, trazendo porções iguais de luz e sombra. As folhas assumiam uma coloração prateada, depois negra e, por fim, prateada novamente ao reluzirem na brisa noturna.

Katie se distraiu e se deixou devanear em meio ao vinho, à brisa e ao riso fácil de Jo. Ela percebeu que estava saboreando cada mordida que dava nos biscoitos amanteigados e no queijo de gosto forte e pungente, lembrando-se de uma época em que havia passado fome. Houve um tempo em que ela fora magra como um ramo de roseira.

Suas lembranças estavam aflorando. Ela se lembrou de seus pais. Não dos tempos difíceis, mas das épocas boas, quando sua mãe fazia ovos com *bacon* e o aroma preenchia a casa, e ela via seu pai andar de mansinho pela cozinha e se aproximar da esposa. Ele afastava os cabelos dela e lhe beijava o pescoço, fazendo com que ela risse. Katie se lembrou que, certa vez, seu pai as levara a Gettysburg. Ele havia pegado em sua mão enquanto eles caminhavam pelo lugar e ela ainda conseguia se lembrar da rara sensação de força e gentileza no toque dele. Seu pai era alto e tinha ombros largos, com cabelos castanho-escuros. E tinha também uma tatuagem da marinha no braço. Ele havia servido em um navio de guerra durante quatro anos, viajando para lugares como o Japão, Coreia e Cingapura, embora não falasse muito sobre seu tempo nas forças armadas.

Já sua mãe era pequena, loira e havia participado de um concurso de beleza certa vez, terminando em terceiro lugar. Ela adorava flores e sempre plantava bulbos em vasos de cerâmica que eram colocados na frente de casa durante a primavera. Tulipas, narcisos, begônias e violetas, todas aquelas flores explodiam em cores tão vivas que quase faziam os olhos de Katie doer. Quando eles se mudavam, os vasos eram colocados no banco de trás do carro e presos com os cintos de segurança. Frequentemente, quando limpava a casa, sua mãe cantarolava consigo mesma, entoando melodias de sua infância. Algumas eram canções polonesas e Katie se escondia em algum outro cômodo para escutá-las, tentando entender as palavras.

O vinho que Jo e Katie estavam bebendo tinha toques de carvalho e damasco e o sabor era delicioso. Katie terminou de tomar seu copo e Jo lhe serviu outro. Quando uma mariposa começou a dançar ao redor da lâmpada, batendo as asas de maneira vigorosa e confusa, as duas começaram a rir. Katie cortou mais cubos de queijo e colocou mais biscoitos no prato. Elas conversaram sobre filmes e livros, e Jo soltou um gritinho de prazer quando Katie disse que seu filme favorito era *A felicidade não se compra*[3], dizendo que aquele também era seu filme favorito. Quando era pequena, Katie se lembrava de pedir à sua mãe para comprar uma sineta, de modo que pudesse ajudar os anjos a conseguirem suas asas. Katie terminou de tomar seu segundo copo de vinho, sentindo-se leve como uma pena em uma brisa de verão.

Jo fez poucas perguntas. Em vez disso, as duas mantiveram a conversa em assuntos superficiais, e Katie voltou a se sentir feliz com a companhia de Jo. Quando o luar prateado iluminou o mundo para além da janela, as duas foram até a varanda. Katie percebeu que estava cambaleando levemente e se segurou no corrimão. Elas degustavam o vinho enquanto as nuvens continuavam a se abrir e, de repente, o céu estava pontilhado de estrelas. Katie apontou para a constelação da Ursa Maior e para a estrela polar, as únicas cujo nome sabia, mas Jo começou a identificar dezenas de outras. Katie olhou fixamente para o

[3] Filme de 1946, dirigido por Frank Capra e estrelado por James Stewart e Donna Reed. O filme foi indicado a cinco Oscars e conquistou o Globo de Ouro na categoria de melhor diretor. (N.T.)

céu, maravilhada, encantada com o conhecimento que a amiga tinha sobre as constelações, até que percebeu quais eram os nomes que Jo estava recitando.

— Aquela ali é chamada de Hortelino e, do outro lado, logo acima daquele pinheiro, dá para ver a constelação do Patolino.

Quando Katie finalmente se deu conta de que Jo conhecia tanto sobre constelações quanto ela mesma, Jo começou a rir como uma criança travessa.

De volta à cozinha, Katie se serviu do que restava do vinho e tomou um gole. O líquido desceu quente pela garganta dela, o que a fez sentir-se um pouco zonza. A mariposa continuava a voar ao redor da lâmpada, embora, quando ela tentava focar o olhar, parecesse haver duas delas ali. Katie se sentia feliz e segura e pensou novamente no quanto aquela noite estava agradável.

Ela tinha uma amiga, uma amiga de verdade, alguém que ria e fazia piadas com as estrelas, e não tinha certeza se queria rir ou chorar por causa daquilo. Fazia muito tempo que não vivia nada tão tranquilo e natural.

— Você está bem? — perguntou Jo.

— Estou ótima — respondeu Katie. — Estava só pensando... Fiquei muito feliz por você ter vindo.

Jo a olhou com mais atenção. — Acho que você exagerou um pouco no vinho.

— E eu acho que você tem razão — concordou Katie.

— Então está bem. O que você quer fazer? Já que obviamente está um pouco bêbada e pronta para se divertir.

— Não sei do que você está falando.

— Você quer fazer algo especial? Ir até a cidade, encontrar algum lugar legal para se divertir?

Katie balançou a cabeça. — Não.

— Você não quer conhecer novas pessoas?

— Estou melhor sozinha.

Jo deslizou a ponta do dedo pela borda do copo antes de dizer algo.
— Bem, pode confiar no que eu digo: ninguém realmente está melhor quando está sozinho.

— Eu estou.

Jo pensou na resposta de Katie antes de se inclinar em direção a ela.
— Quer dizer então que, se presumirmos que você tenha comida, uma casa, roupas e tudo o mais que precisa para simplesmente sobreviver, você preferiria ficar isolada em uma ilha deserta no meio do nada, totalmente sozinha, para sempre, pelo resto da vida? Seja honesta.

Katie piscou, tentando focar os olhos em Jo. — Por que você acha que eu não responderia honestamente?

— Porque todo mundo mente. É necessário para viver em sociedade. Não me entenda mal, eu creio realmente que é necessário. A última coisa que uma pessoa pode querer é viver em uma sociedade onde a honestidade irrestrita seja a regra. Consegue imaginar uma conversa desse tipo? "Você é gorda e baixa", diria uma pessoa, e a outra poderia responder: "Eu sei. E você cheira mal". As coisas não iriam funcionar. As pessoas mentem por omissão, e isso acontece o tempo todo. As pessoas sempre contam a maior parte da história... E eu aprendi que a parte que elas deixam de contar é sempre a mais importante. As pessoas escondem a verdade porque têm medo.

Com as palavras de Jo, Katie sentiu um dedo tocar seu coração. De repente, até mesmo respirar ficou difícil.

— Está falando sobre mim? — perguntou ela, com a voz estrangulada.

— Não sei. Estou?

Katie sentiu-se empalidecer, mas, antes que pudesse responder, Jo abriu um sorriso.

— Na verdade, estava falando sobre o dia que tive hoje. Eu disse que foi um dia complicado, não foi? Bem, o que acabei de lhe dizer é parte do problema. É frustrante quando as pessoas se recusam a contar a verdade. Afinal, como é que eu posso ajudá-las se elas insistem em esconder certas coisas? Se eu não consigo entender realmente o que se passa?

Katie sentiu algo se contorcendo e se estrangulando dentro do seu peito. — Talvez elas queiram falar a respeito, mas sabem que não há nada que você possa fazer para ajudá-las — sussurrou ela.

— Sempre há algo que eu possa fazer.

Sob a luz do luar que entrava pela janela da cozinha, a pele de Jo pareceu reluzir num tom branco, e Katie teve a sensação de que ela não era o tipo de pessoa que costumava se expor ao sol. O vinho fazia a cozinha girar e as paredes se moviam. Katie sentia as lágrimas começando a se formar em seus olhos e tudo o que ela pôde fazer foi piscar para contê-las. Sua boca estava seca.

— Nem sempre — sussurrou Katie. Ela virou o rosto em direção à janela. Do lado de fora, a lua pairava por sobre as árvores. Katie engoliu em seco, sentindo-se como se estivesse observando a si mesma, do outro lado da cozinha. Ela conseguia se ver sentada à mesa com Jo, e, quando começou a falar, a voz que ela ouviu não parecia realmente ser a sua.

— Eu tinha uma amiga. O casamento dela era horrível, e ela não conseguia falar com ninguém. Ele costumava bater nela, ela lhe disse que se aquilo voltasse a acontecer, ela o deixaria. Ele jurou que nunca mais faria aquilo e ela acreditou nele. Mas as coisas pioraram muito depois daquilo. Por exemplo, quando o jantar dele estava frio ou quando ela dizia ter conversado com um dos vizinhos que estava passeando com seu cachorro. Ela só tinha conversado com o rapaz, mas, naquela noite, seu marido a empurrou em cima de um espelho.

Katie olhou para o chão. O linóleo estava se desprendendo do chão nos cantos da cozinha, mas ela não sabia como consertar aquilo. Ela havia tentado colá-lo, mas não teve sucesso. Os cantos haviam voltado a se enrolar.

— Ele sempre se desculpava e às vezes chegava até mesmo a chorar por causa dos hematomas que havia causado nos braços, nas pernas ou nas costas dela. Ele dizia que odiava ter feito aquilo, mas, no momento seguinte, dizia-lhe que ela havia merecido tudo o que acontecera. Que, se ela fosse mais cuidadosa, nada daquilo teria acontecido. Que, se ela prestasse atenção no que fazia, ou se não fosse tão imbecil, ele não teria perdido a paciência. Ela tentou mudar. Ela se esforçou para tentar ser uma esposa melhor e fazer as coisas do jeito que ele queria. Mas nada era o bastante, nunca.

Katie sentia a pressão das lágrimas por trás dos olhos e, embora tentasse novamente contê-las, ela as sentia rolando pela face. Jo estava imóvel do outro lado da mesa, observando-a.

E como ela o amava! No começo, ele era muito carinhoso com ela. Fazia com que ela se sentisse segura. Na noite em que eles se conheceram ela estava trabalhando. Quando terminou seu turno, dois homens a seguiram. Quando ela virou a esquina, um deles a agarrou e lhe cobriu a boca com a mão. Por mais que ela tentasse se desvencilhar, os homens eram muito mais fortes e ela não sabia o que iria lhe acontecer, mas seu futuro marido estava vindo logo atrás e acertou um dos agressores na nuca e ele caiu no chão. E depois ele agarrou o outro e o jogou contra a parede. Tudo estava acabado. Ele a ajudou a se levantar e a levou para casa. No dia seguinte, ele a levou para tomar café. Ele era gentil e a tratava como uma princesa, até que saíram em lua de mel.

Katie sabia que não deveria contar nada daquilo para Jo, mas não conseguia evitar. — Minha amiga tentou escapar duas vezes. Uma vez ela acabou voltando para casa, porque não tinha nenhum outro lugar para onde pudesse ir. E na segunda vez que ela fugiu, realmente pensou que estivesse livre. Mas seu marido a procurou por toda parte e a arrastou de volta para casa. Lá, ele a espancou e encostou um revólver na cabeça dela, dizendo que, se ela fugisse mais uma vez, a mataria. Ele mataria qualquer homem de que ela gostasse. E ela acreditou nele, porque, àquela altura, já sabia que se tratava de um louco. Mas ela estava presa. Ele nunca dava qualquer dinheiro a ela, nunca permitia que saísse de casa. Ele passava de carro em frente à casa onde moravam durante seu horário de trabalho apenas para se certificar de que ela estava lá. Ele monitorava os registros das ligações telefônicas e ligava para ela a todo momento. E não permitia que tirasse uma carteira de motorista. Certa vez, quando acordou no meio da noite, minha amiga percebeu que ele estava em pé ao lado da cama, olhando fixamente para ela. Ele estava bebendo e com o revólver na mão de novo. Ela estava amedrontada demais para dizer qualquer coisa além de lhe pedir que viesse para a cama. Mas foi naquele momento que ela percebeu que, se ficasse ali, seu marido certamente a mataria.

Katie enxugou os olhos, seus dedos estavam úmidos com as lágrimas. Ela mal conseguia respirar, mas as palavras continuavam a transbordar. — Minha amiga começou a roubar dinheiro da carteira dele. Nunca mais do que um dólar ou dois, porque, de outra forma, ele acabaria percebendo. Normalmente ele deixava sua carteira em uma gaveta trancada à chave durante a noite, mas em algumas ocasiões ele se esquecia de fazer aquilo. Demorou muito para ela conseguir juntar todo o dinheiro de que precisava para escapar. Porque era aquilo que precisava fazer. Fugir. Ela tinha que ir para algum lugar onde ele nunca a encontrasse, porque sabia que seu marido nunca desistiria de procurar por ela. E ela não podia contar nada a ninguém, porque não tinha mais família e a polícia não faria nada. Se ele suspeitasse de qualquer coisa, certamente a mataria. Assim, ela roubou e guardou o pouco dinheiro que podia e encontrou moedas entre as almofadas do sofá e na máquina de lavar roupas. Ela escondeu o dinheiro em um saco plástico que ficava embaixo de um vaso de flores, mas sempre que ele saía de casa, a esposa tinha certeza de que ele acabaria encontrando o dinheiro. Ela demorou muito tempo para juntar a quantia de que precisava, porque queria ir para algum lugar bem distante, um lugar onde ele nunca conseguiria encontrá-la. Para que pudesse recomeçar sua vida.

Katie não havia percebido o momento em que aquilo havia acontecido, mas Jo estava segurando sua mão. E ela não tinha mais a sensação de se observar do outro lado da cozinha. Ela sentia o sal das lágrimas em seus lábios e imaginava que sua alma estava escorrendo para fora do corpo. Katie queria dormir, desesperadamente.

No silêncio, Jo continuou a olhar nos olhos dela. — Sua amiga tem muita coragem — disse ela, em voz baixa.

— Não. Minha amiga passa o tempo todo com medo.

— Ter coragem é exatamente isso. Se não fosse assim, ela não precisaria de coragem para suplantar o medo que sente. Eu admiro o que ela fez — disse Jo, dando um leve aperto em sua mão. — E acho que eu iria gostar muito dessa sua amiga. Fico feliz por você ter me contado sobre ela.

Katie desviou o olhar, sentindo-se completamente exausta e drenada. — Acho que não devia ter contado tudo isso.

Jo deu de ombros. — Não me preocuparia tanto. Uma coisa que você vai aprender a meu respeito é que sou muito boa quando preciso guardar segredos. Especialmente segredos de pessoas que não conheço, sabe?

Katie fez que sim com a cabeça. — Sei.

•◆•

Jo ficou com Katie por mais uma hora, mas guiou a conversa para tópicos menos dolorosos. Katie falou sobre seu trabalho no Ivan's e sobre alguns clientes que ela estava começando a conhecer. Jo perguntou sobre a melhor maneira de tirar a camada de tinta que ficava debaixo das unhas depois de pintar as paredes. Sem mais vinho para beber, a tontura que Katie sentia começou a desaparecer, deixando apenas o cansaço. Jo também começou a bocejar e elas finalmente se levantaram da mesa. Jo ajudou Katie a limpar e organizar a cozinha, embora não houvesse muito a fazer além de lavar dois pratos. Katie a acompanhou até a porta.

Quando Jo saiu para a varanda, ela parou. — Acho que tivemos visitas — disse ela.

— Do que você está falando?

— Há uma bicicleta ao lado da sua árvore.

Katie a seguiu para fora da casa. Apesar do brilho amarelado da luz da varanda, o mundo estava escuro e os contornos dos pinheiros ao longe faziam com que Katie se lembrasse da borda irregular de um buraco negro. Vaga-lumes imitavam as estrelas, piscando e brilhando, e Katie apertou os olhos para enxergar, percebendo que Jo tinha razão.

— De quem será essa bicicleta? — perguntou Katie.

— Não sei.

— Você ouviu alguém chegando?

— Não. Mas acho que alguém a deixou para você. Está vendo? Aquilo ao redor do guidão não é um laço de fita?

Katie se inclinou para frente, percebendo o laçarote. Uma bicicleta feminina. Tinha uma cestinha de metal de cada lado da roda traseira e outra instalada em frente ao guidão. Havia também uma corrente enrolada ao redor do selim, com a chave no cadeado.

— Quem me daria uma bicicleta?

— Por que você fica me fazendo essas perguntas? Não faço a menor ideia do que está acontecendo.

Katie e Jo desceram as escadas para a rua. Embora a maior parte das poças já tivesse secado depois que o solo arenoso absorveu a água, o gramado ainda estava bem úmido por causa da chuva, encharcando as pontas dos sapatos de Katie enquanto ela atravessava o jardim. Ela tocou na bicicleta e depois no laço de fita, deslizando seus dedos por ele como um vendedor de tapetes faria. Havia um cartão sob o laço e Katie o apanhou.

— Foi Alex — disse ela, com espanto na voz.

— Alex da loja de conveniência? Ou outro Alex?

— O cara da loja.

— O que diz o cartão?

Katie balançou a cabeça, tentando compreender as palavras antes de estendê-lo para que Jo o lesse. *Imaginei que você gostaria dela.*

Jo tocou o cartão com os dedos. — Acho que isso significa que ele está tão interessado em você como você está interessada nele.

— Não estou interessada nele!

— É claro que não — disse Jo, piscando o olho. — Por que estaria?

8

ALEX ESTAVA VARRENDO O CHÃO perto dos refrigeradores quando Katie entrou na loja. Ele imaginava que ela viria até ali para conversar com ele logo cedo. Depois de apoiar o cabo da vassoura contra o vidro, ele colocou a camisa para dentro das calças e passou a mão pelo cabelo. Kristen passou a manhã inteira esperando pela chegada de Katie e já havia se levantado de sua mesa antes que a porta se fechasse.

— Oi, senhorita Katie — disse Kristen. — Você viu a bicicleta?

— Eu vi sim, obrigada. É por causa dela que estou aqui.

— Nós passamos um bom tempo trabalhando nela.

— Foi um ótimo trabalho. Seu pai está por aqui?

— Sim, está logo ali — disse Kristen, apontando. — Ele já está vindo.

Alex manteve os olhos em Katie quando ela se virou.

Oi, Katie — disse ele.

Quando se aproximou, ela cruzou os braços. — Podemos conversar lá fora por um minuto?

Ele ouviu a frieza na voz dela e sabia que ela estava se esforçando muito para não demonstrar sua raiva na frente de Kristen.

— É claro — disse ele, abrindo a porta. Ele a seguiu até o lado de fora e percebeu que estava admirando a silhueta do seu corpo, enquanto Katie andava até o lugar onde havia encostado a bicicleta.

Parando ao lado da bicicleta, ela se virou para encará-lo. Na cesta da frente estava o guarda-chuva que ela havia tomado emprestado no dia anterior. Ela tamborilou os dedos no selim, com uma expressão séria no rosto. — Posso perguntar o que significa isso?

— Você gostou dela?

— Por que você comprou uma bicicleta para mim?

— Eu não a comprei para você — disse ele.

Ela piscou os olhos, com uma expressão confusa. — Mas seu bilhete...

Ele deu de ombros. — Ela esteve no depósito durante os últimos dois anos, apenas acumulando poeira. Acredite em mim. A última coisa que eu faria seria comprar uma bicicleta para você.

Os olhos dela passaram a demonstrar sua indignação. — Não é disso que estou falando! Você vive me dando coisas e isso tem que parar. Eu não quero nada de você. Não preciso de um guarda-chuva, nem de legumes, nem de vinho. E não preciso de uma bicicleta.

— Então dê a bicicleta para alguém — disse ele, dando de ombros novamente. — Porque eu também não a quero.

Ela ficou em silêncio e Alex observou quando a confusão cedeu lugar à frustração e, finalmente, à futilidade. No fim, ela balançou a cabeça e se virou para ir embora. Antes que ela pudesse dar um passo, ele limpou a garganta. — Antes de ir embora, você poderia fazer a gentileza de ouvir o que tenho a dizer?

Katie virou o pescoço e olhou para Alex por cima do ombro. — Não me importa.

— Talvez você não se importe, mas é importante para mim.

Ela manteve os olhos fixos nos dele, vacilando, até ceder. Quando ela suspirou, ele apontou para um banco de madeira em frente à loja. Alex havia colocado o banco ali em tom de brincadeira, enfiado entre a máquina de fazer gelo e alguns botijões de gás, sabendo que ninguém gostaria de sentar ali. Quem iria querer sentar de frente para o estacionamento e a estrada que passava logo adiante? Mesmo assim, para sua surpresa, várias pessoas se sentavam naquele banco, quase todos os dias. A única razão pela qual o banco estava vazio agora era o fato de ainda estar muito cedo.

Katie hesitou um pouco antes de se sentar e Alex entrelaçou os dedos sobre o colo.

— Não estava mentindo sobre o fato de que a bicicleta estava juntando poeira nos últimos dois anos. Ela pertencia à minha esposa — disse Alex. — Ela adorava essa bicicleta e costumava usá-la o tempo todo. Certa vez, chegou até mesmo a ir de Southport a Wilmington, mas, é claro, quando chegou lá, já estava exausta e eu tive que ir buscá-la de carro. E não havia ninguém para cuidar da loja. Literalmente tive que fechar as portas por duas horas.

Ele fez uma pausa para tomar fôlego. — Aquela foi a última vez que ela pedalou. Naquela noite ela teve a primeira convulsão e eu tive que correr para levá-la ao hospital. Depois disso, ela ficou cada vez pior e nunca mais subiu na bicicleta. Deixei a bicicleta na garagem, mas toda vez que a vejo, não consigo evitar de pensar naquela noite horrível — disse ele, alisando as dobras da camisa. — Eu sei que já devia ter me livrado dela, mas não queria dá-la a alguém que iria usá-la apenas uma ou duas vezes e que depois a deixaria jogada em algum canto. Queria que ela ficasse com alguém que gostasse dela tanto quanto minha esposa gostava. Alguém que realmente a usasse. É isso que minha esposa iria querer que eu fizesse. Se você a tivesse conhecido, você entenderia. Você estaria me fazendo um enorme favor.

Quando Katie falou, sua voz estava embargada. — Não posso ficar com a bicicleta de sua esposa.

— Quer dizer que ainda pretende devolvê-la?

Quando ela fez que sim com a cabeça, ele se inclinou para frente e apoiou os cotovelos sobre os joelhos. — Você e eu somos muito mais parecidos do que você imagina. Se eu estivesse na sua situação, faria exatamente a mesma coisa. Você não quer sentir que deve algo a alguém. Você quer provar que pode cuidar de si mesma sem depender de mais ninguém, não é?

Ela abriu a boca para responder, mas não disse nada. Em meio ao silêncio, ele continuou.

— Eu era exatamente assim quando minha esposa morreu. E fui assim durante muito tempo. As pessoas vinham até a loja e muitas delas me diziam que eu poderia lhes telefonar se precisasse de alguma coisa. A maioria delas sabia que não tenho família por perto e todas elas tinham ótimas intenções, mas nunca telefonei para ninguém. Simplesmente porque aquilo não tinha nada a ver com minha maneira de viver. Mesmo se quisesse alguma coisa, não saberia como pedir. E mesmo assim, na maior parte do tempo, nem sabia exatamente o que eu queria. Tudo que sabia era que eu havia chegado ao fim da minha corda e, para continuar com essa metáfora, por muito tempo eu mal conseguia me segurar nela. Veja minha situação. De uma vez só, eu tive que cuidar de duas crianças pequenas e também da loja. Meus filhos eram bem mais novos e precisavam de mais atenção naquela época do que precisam agora. Até que um dia, Joyce apareceu — concluiu ele, olhando para Katie. — Você já a conheceu? Uma senhora idosa que trabalha algumas tardes por semana, incluindo aos domingos, e que conversa com todo mundo? Josh e Kristen a adoram.

— Acho que não.

— Não tem importância. Mesmo assim, ela apareceu uma tarde, por volta das 5 horas, e me disse que cuidaria das crianças, enquanto eu iria para a praia passar uma semana. Ela já havia encontrado um lugar para eu me hospedar e disse que não aceitaria um "não" como resposta porque, em sua opinião, eu estava inevitavelmente fadado a ter um colapso nervoso.

Ele colocou os dedos no local onde o nariz se juntava à testa, tentando suprimir as lembranças daqueles dias. — No início, aquilo me irritou. Afinal, são meus filhos, não? E que tipo de pai eu era para fazer as pessoas pensarem que eu não daria conta das responsabilidades envolvidas em ser pai? Mas Joyce fez algo diferente. Ela não me pediu para telefonar se precisasse de alguma coisa. Ela sabia o que eu estava passando e fez o que pensava ser a coisa certa. No dia seguinte, eu estava a caminho da praia. E Joyce estava certa. Nos primeiros dois dias, ainda estava em frangalhos. Mas, no decorrer de mais alguns dias, saí para algumas longas caminhadas, li alguns livros, dormi até tarde. E quando voltei, percebi que estava mais relaxado do que já estivera há muito, muito tempo...

Alex deixou as palavras no ar, sentindo o peso do julgamento de Katie sobre si.

— Não sei por que você está me contando isso.

Ele se virou para ela. — Nós dois sabemos que, se eu tivesse lhe oferecido a bicicleta, você teria dito “não”. Assim, da mesma forma que Joyce fez comigo, fui em frente e fiz o que fiz, porque era a coisa certa a fazer. Porque eu aprendi que não há problema em aceitar um pouco de ajuda de vez em quando — concluiu Alex, olhando para a bicicleta. — Fique com ela. Não tenho outro uso para ela e você tem que admitir que a bicicleta facilitaria muito sua ida e volta do trabalho.

Demorou alguns segundos antes que Alex percebesse que os ombros dela estavam relaxados. Ela se virou para ele com um sorriso torto.

— Você ensaiou esse discurso todo, não foi?

— É claro que ensaiei — disse ele, esforçando-se para parecer envergonhado. — Mas você vai ficar com ela?

Katie hesitou. — Bem, acho que uma bicicleta vai me ajudar, sim — admitiu ela, finalmente. — Obrigada.

Durante um longo momento, nenhum dos dois disse coisa alguma. Enquanto lhe observava o perfil, Alex percebeu mais uma vez o quanto ela era bonita, embora ele percebesse que Katie provavelmente não achava que aquilo fosse verdade. E tudo isso servia apenas para deixá-la ainda mais atraente.

— Por nada — disse ele.

— Mas chega de presentes, certo? Você já fez mais do que o suficiente por mim.

— De acordo — disse ele, voltando a olhar em direção à bicicleta. — Ela está em boas condições? Foi fácil andar nela? Pergunto isso por causa das cestinhas.

— Não tive problemas. Por quê?

— Porque Kristen e Josh me ajudaram a instalá-las ontem. Um daqueles projetos ótimos para um dia chuvoso, sabe? Foi Kristen que as escolheu. Ah, e, para que você saiba, ela também achou que seria ótimo colocar luvas purpurinadas no guidão, mas disse a ela que isso já seria demais.

— Não me importaria de ter manoplas purpurinadas.

Alex riu. — Vou dizer isso a Kristen.

Katie hesitou. — Você está fazendo um ótimo trabalho, sabia? Em relação a seus filhos.

— Obrigado.

— Estou sendo sincera. Sei que não está sendo fácil.

— É assim que a vida funciona. Na maior parte do tempo nada é fácil. Temos simplesmente que tentar fazer o melhor que pudermos. Entende o que quero dizer?

— Sim. Acho que entendo — disse ela.

A porta da loja se abriu e quando Alex se inclinou para frente, ele viu Josh esquadrinhando o estacionamento e Kristen logo atrás dele. Com seus cabelos e olhos castanhos, Josh era muito parecido com sua mãe. O garoto estava com os cabelos desalinhados e Alex sabia que ele havia acabado de se levantar da cama.

— Estamos aqui, crianças.

Josh coçou a cabeça enquanto andou até onde eles estavam. Kristen abriu um sorriso, acenando para Katie.

— Papai? — perguntou Josh.

— Sim, o que foi?

— Queríamos perguntar se realmente vamos à praia hoje. Você prometeu que nos levaria.

— Bem, esse é o plano para hoje.

— Vamos levar a churrasqueira também?

— É claro que vamos.

— Tudo bem, então — disse ele, esfregando o nariz. — Oi, senhorita Katie.

Katie acenou para Josh e Kristen.

— Você gostou da bicicleta? — perguntou Kristen.

— Gostei, sim. Obrigada.

— Eu tive que ajudar meu pai a consertá-la — informou Josh. — Ele não é muito bom com ferramentas.

Katie olhou para Alex com um sorriso torto. — Ele não me disse nada disso.

— Não tem problema. Eu sabia o que tinha que fazer. Mas ele teve que me ajudar com a nova câmara de ar.

Kristen fixou os olhos em Katie. — Você vem para a praia com a gente?

Katie se endireitou no banco de madeira. — Acho que não.

— Por que não? — perguntou Kristen.

— Provavelmente porque ela vai trabalhar — disse Alex.

— Na verdade, não — disse ela. — Mas preciso fazer algumas coisas na minha casa.

— Então você pode vir conosco — pediu Kristen. — Vai ser muito divertido!

— Este é um momento para você e para sua família — insistiu ela. — Não quero atrapalhar.

— Mas você não vai atrapalhar. E vai ser muito divertido. Você pode me olhar enquanto eu nado. Vamos, por favor! — implorou Kristen.

Alex ficou em silêncio, não desejando acrescentar ainda mais pressão sobre ela. Ele presumiu que Katie diria não, mas, para sua surpresa, ela acabou assentindo com um leve meneio de cabeça. E respondeu com uma voz suave.

— Tudo bem — disse ela, finalmente.

9

Depois de voltar da loja, Katie estacionou a bicicleta nos fundos da casa e entrou para trocar de roupa. Ela não tinha um traje de banho, mas não usaria um desses mesmo que o tivesse. Por mais que fosse natural para uma moça caminhar em frente a estranhos com peças equivalentes a uma calcinha e sutiã, não se sentiria confortável vestindo algo assim na frente de Alex em um passeio com seus filhos. Ou, francamente, mesmo que as crianças não estivessem presente.

Embora resistisse à ideia, Katie tinha que admitir que Alex a intrigava. Não por causa das coisas que havia feito por ela, por mais que aquilo fosse tocante. Tinha mais a ver com a maneira triste com que às vezes ele sorria, a expressão em seu rosto quando ele falava sobre sua falecida esposa, ou a maneira como ele tratava seus filhos. Havia uma solidão em Alex que ele não conseguia disfarçar, e ela sabia que, de certa forma, era muito parecida com a solidão que ela também sentia.

Ela sabia que Alex estava interessado nela. E Katie tinha bastante experiência para reconhecer situações em que os homens a achavam atraente; o balconista da mercearia falando demais, um estranho que olhava em sua direção, ou um garçom em um restaurante que vinha mais vezes do que o necessário até a mesa onde ela estivesse sentada. Com o tempo, ela aprendeu a fingir que não percebia o interesse daqueles homens; em outros momentos, ela mostrava um óbvio desdém, porque sabia o que aconteceria se não o fizesse. Quando chegassem em casa. Quando estivessem sozinhos.

Mas aquela vida já não era mais sua, lembrou-se Katie. Abrindo as gavetas, ela tirou um conjunto de short e sandálias que havia comprado na Anna Jean's. Na noite anterior ela havia bebido vinho com uma amiga e agora iria à praia com Alex e sua família. Eram coisas comuns de vida comum. O conceito lhe pareceu estranho, como se ela estivesse aprendendo os hábitos e costumes de uma terra estrangeira, o que fazia com que se sentisse estranhamente encantada e desconfiada ao mesmo tempo.

Assim que terminou de se vestir, Katie viu o jipe de Alex vindo pela estrada de cascalhos e respirou fundo enquanto ele estacionava em frente à sua casa. "Agora ou nunca", pensou ela consigo mesma quando saiu para a varanda.

— Você precisa colocar o cinto de segurança, senhorita Katie — disse Kristen por trás dela. — Meu pai não vai ligar o carro até que você o prenda.

Alex olhou para ela, como se quisesse dizer: *"Está preparada?"*. Katie lhe ofereceu seu melhor sorriso.

— Bem, vamos lá.

Em menos de uma hora eles chegaram à cidade litorânea de Long Beach, com seus sobrados de madeira e a maravilhosa vista para o mar. Alex encostou o carro em um pequeno estacionamento perto das dunas; alguns tufos de grama alta se agitavam com a brisa marinha constante. Katie desceu do carro e olhou para o oceano, respirando fundo.

As crianças desceram do carro e imediatamente foram em direção à trilha que serpenteava entre as dunas.

— Eu vou lá dar uma olhada na água, papai! — gritou Josh, com sua máscara e o *snorkel* nas mãos.

— Eu também! — acrescentou Kristen, seguindo seu irmão.

Alex estava ocupado, descarregando a traseira do jipe. — Esperem aí — gritou ele. — Vamos com calma, hein?

Josh suspirou e sua impaciência era aparente enquanto apoiava o peso do corpo, ora num pé, ora no outro. Alex começou a retirar a caixa térmica de dentro do porta-malas.

— Você precisa de ajuda? — perguntou Katie.

Alex balançou a cabeça. — Eu consigo me virar com essas coisas. Mesmo assim, se você puder passar o protetor solar nas crianças e ficar de olho nelas por alguns minutos, vai ser de muita ajuda. Eu sei que este lugar os deixa animados demais para ficarem quietos.

Alex passou os minutos seguintes tirando as coisas do carro e armando uma pequena tenda perto da mesa de piquenique mais próxima da duna, onde a maré alta não os alcançaria. Embora houvesse algumas outras famílias, a praia estava praticamente vazia e eles poderiam ficar tranquilos naquela parte da praia. Katie havia tirado as sandálias e estava à beira da água enquanto as crianças brincavam na parte mais rasa. Seus braços estavam cruzados e, mesmo àquela distância, Alex percebeu uma rara expressão de contentamento em seu rosto.

Alex jogou duas toalhas sobre os ombros e foi em direção a Katie. — É difícil acreditar que ainda ontem tivemos uma tempestade tão forte.

Ela se virou ao ouvir o som da voz dele. — Eu havia me esquecido do quanto sentia falta do oceano.

— Faz muito tempo que não vem à praia?

— Tempo demais — disse ela, escutando o ritmo suave das ondas enquanto elas gentilmente quebravam contra a praia.

Josh corria em direção às ondas e depois voltava à praia, enquanto Kristen estava agachada na areia, procurando por conchas.

— Imagino que às vezes deve ser bem difícil ter que cuidar e educar seus filhos sozinho — observou Katie.

Alex hesitou, considerando a questão. Quando falou, sua voz tinha um tom gentil. — Na maior parte do tempo não é tão ruim.

Nossas vidas diárias acabam entrando num certo ritmo, entende? É quando fazemos coisas como estas, quando saímos do ritmo normal, que as coisas ficam um pouco frustrantes.

Ele deu um leve chute na areia, enterrando seu pé até a metade. — Quando minha esposa e eu falávamos sobre ter um terceiro filho, ela tentava me advertir de que essa terceira criança faria nossa rotina mudar por completo. Num jogo de basquete seria como passar de uma marcação homem a homem para uma marcação por zona. Ela costumava dizer que não tinha certeza de que eu conseguiria aguentar a barra. Mesmo assim, aqui estou eu, fazendo uma marcação por zona, todos os dias... — ele deixou a frase no ar, balançando a cabeça. — Me desculpe. Não deveria ter dito isso.

— Não deveria ter dito o quê?

— Parece que sempre que converso com você acabo falando sobre minha esposa.

Pela primeira vez, ela se virou para encará-lo. — E por que você não deveria falar sobre sua esposa?

Ele empurrou uma pilha de areia para frente e para trás com o pé, alisando o buraco que havia feito. — Porque não quero que você pense que não sei falar sobre outra coisa. Ou que tudo que faço é viver no passado.

— Você a amava muito, não é?

— Sim — respondeu ele.

— E ela era uma parte muito importante da sua vida, além de ser a mãe de seus dois filhos, certo?

— Certo.

— Então não há problemas em falar sobre ela — disse Katie. — Ela é parte da pessoa que você é.

Alex lhe deu um sorriso de gratidão, mas não conseguiu pensar em mais nada para dizer. Katie pareceu ler sua mente e perguntou num tom gentil: — Quando vocês se conheceram?

— Nos conhecemos em um bar, entre todos os lugares possíveis. Ela havia saído com algumas amigas para celebrar o aniversário de alguém. O lugar estava quente e cheio de pessoas, havia poucas luzes, a música estava alta e ela... Bem, ela simplesmente se destacou do resto. Todas as amigas dela estavam um pouco fora do controle e era óbvio que todas estavam se divertindo bastante, mas ela parecia estar bem tranquila.

— Aposto que ela era muito bonita também.

— Nem preciso mencionar o quanto — disse ele. — Assim, engolindo meu nervosismo, fui até onde ela estava e comecei a usar todo o charme que eu tinha à minha disposição.

Quando terminou a frase, ele percebeu o sorriso que havia nos cantos dos lábios dela.

— E então? — perguntou Katie.

— Mesmo assim, demorei três horas para conseguir que ela me dissesse seu nome e me desse seu número de telefone.

Katie riu. — Ah, deixe-me adivinhar. Você ligou no dia seguinte, não é? E a convidou para sair?

— Como você sabe?

— Você parece ser o tipo de homem que faria exatamente isso.

— Você fala como se já tivesse recebido uma cantada dessas algumas vezes.

Ela deu de ombros, deixando que seu gesto fosse interpretado da maneira que ele quisesse. — E o que aconteceu depois?

— Por que você quer saber isso?

— Não sei — disse ela. — Mas eu realmente quero.

Ele a estudou por um momento. — Tudo bem. Como você já sabe, convidei-a para almoçar e nós passamos o resto da tarde conversando. No final de semana seguinte, eu disse a ela que nós dois nos casaríamos algum dia.

— Você está brincando.

— Sei que parece loucura. Pode acreditar em mim, ela também achou que eu estava louco. Mesmo assim... Eu simplesmente sabia que aquilo iria acontecer. Ela era inteligente e gentil. Nós tínhamos muitas coisas em comum e queríamos as mesmas coisas da vida. Ela ria muito e me fazia rir também. Honestamente, entre mim e ela acho que fui eu quem tirou a sorte grande.

As ondas continuaram a quebrar na praia com a brisa do oceano, chegando a cobrir os tornozelos de Alex e Katie. — Provavelmente ela achava que tivera sorte também.

— Isso aconteceu porque consegui enganá-la — disse Alex, irônico.

— Duvido que foi assim.

— Isso é porque estou conseguindo enganar você também.

Katie riu. — Não acho que seja verdade.

— Você está dizendo isso só porque somos amigos.

— Você acha que somos amigos?

— Sim — disse ele, com os olhos fixos nos dela. — Você não acha?

Pela expressão em seu rosto, Alex percebeu que a ideia a pegara de surpresa. Mas, antes que ela pudesse responder, Kristen veio correndo até onde eles estavam, fazendo a água respingar com seus passos e trazendo um punhado de conchas nas mãos.

— Senhorita Katie! — gritou ela. — Achei umas conchinhas muito bonitas!

Katie se curvou. — Pode me mostrar?

Kristen estendeu as mãos, soltando as conchas na mão de Katie antes de se virar em direção a Alex. — Papai, podemos começar a fazer o churrasco? Estou morrendo de fome!

— É claro, querida — disse ele, dando alguns passos em direção à praia, observando enquanto seu filho mergulhava por entre as ondas. Quando Josh voltou para a superfície, Alex colocou as mãos ao redor da boca.

— Ei, Josh? — gritou ele. — Vou acender a churrasqueira. Por que não vem até aqui?

— Agora? — gritou Josh em resposta.

— Apenas por alguns momentos.

Mesmo àquela distância, ele viu que os ombros de Josh se contraíram pelo desânimo. Katie também deve ter percebido, pois se apressou logo em dizer.

— Eu posso ficar aqui se você quiser — disse ela.

— Tem certeza?

— Vou ficar aqui vendo as conchas que Kristen está me mostrando.

Ele fez que sim com a cabeça e voltou sua atenção para Josh. — A senhorita Katie vai ficar tomando conta de vocês. Por isso, não vá muito fundo!

— Não vou, não! — disse ele, sorrindo.

10

Pouco tempo depois, Katie trouxe uma Kristen que tremia de frio e um Josh bastante animado de volta para a toalha que Alex havia estendido sobre a areia. A churrasqueira já estava montada e os pedaços de carvão já estavam em brasa.

Alex abriu a última das cadeiras de praia sobre a toalha e observou enquanto eles se aproximavam. — Como estava a água, meninos?

— Ótima! — respondeu Josh. Seu cabelo, parcialmente seco, estava espetado e apontando em todas as direções. — Quando o almoço vai estar pronto?

Alex deu uma olhada nas brasas. — Daqui a uns vinte minutos.

— Será que eu e Kristen podemos voltar para a água?

— Vocês acabaram de sair da água. Por que não descansam por alguns minutos?

Não queremos nadar. Queremos fazer castelos de areia — disse ele.

Alex percebeu que Kristen estava batendo os dentes. — Tem certeza de que querem fazer isso? Vocês estão roxos de frio.

Kristen fez que sim com a cabeça, em longos movimentos. — Estou bem — disse ela, ainda tremendo. — E a praia foi feita para construirmos castelos nela.

— Tudo bem, tudo bem. Mas vistam suas camisetas, então. E fiquem num lugar onde eu possa vê-los — disse ele, apontando com o dedo.

— Eu sei, papai — disse Josh, com um suspiro. — Não sou mais criança.

Alex abriu uma sacola de viagem e ajudou Josh e Kristen a vestirem suas camisetas. Quando terminou, Josh pegou outra bolsa cheia de brinquedos de plástico e saiu em disparada, parando a poucos passos da água. Kristen o seguiu.

— Quer que eu vá até lá para ficar com eles?

Alex balançou a cabeça. — Não, eles vão ficar bem. Já estão acostumados com essa parte, quando eu me ocupo com o almoço. Eles sabem que devem ficar longe da água.

Indo até a caixa térmica, ele se agachou e abriu a tampa. — Está ficando com fome também? — perguntou ele.

— Um pouco — disse Katie, antes de perceber que não havia comido nada desde o queijo e o vinho divididos com Jo na noite anterior. Logo ela ouviu seu estômago roncar e cruzou os braços em frente à barriga.

— Ótimo, porque estou faminto.

Enquanto Alex procurava por bebidas na caixa térmica, Katie percebeu os músculos definidos em seus antebraços. — Estava pensando em assar salsichas para Josh, um cheeseburguer para Kristen e filés para você e para mim.

Alex retirou as carnes do meio do gelo e depois se inclinou por cima da churrasqueira, soprando as brasas.

— Posso ajudar com alguma coisa?

— Você se importa de colocar a toalha sobre a mesa? Está dentro da caixa.

— É claro — disse Katie. Ela tirou uma das bolsas de gelo da caixa térmica e ficou olhando, embasbacada. — Você trouxe comida suficiente para meia dúzia de famílias — disse ela.

— Pois é. Com as crianças, sempre penso que o melhor é trazer coisas demais em vez de deixar que algo falte, pois nunca sei exatamente o que eles vão querer comer. Você não imagina quantas vezes nós viemos até aqui e percebi que havia esquecido alguma coisa. E quando isso acontecia, tinha que colocar as crianças de volta no carro e correr para a loja. Então quis evitar que isso acontecesse hoje.

Katie abriu a toalha plástica e, seguindo as instruções de Alex, firmou os cantos da toalha com os pesos de papel que ele se lembrou de trazer.

— Pronto. E agora? Quer que eu coloque os pratos e talheres na mesa?

— Ainda temos alguns minutos. Não sei você, mas estou pronto para uma cerveja — disse ele. Enfiando a mão na caixa térmica, tirou uma garrafa.

— Acho que vou preferir um refrigerante.

— Uma diet? — perguntou ele, com a mão novamente na caixa.

— Ótimo.

Quando Alex entregou a lata à Katie, sua mão roçou de leve na dela, embora ela não tivesse certeza de que ele havia percebido.

Alex apontou para as cadeiras. — Quer sentar?

Ela hesitou um pouco antes de se sentar ao lado dele. Quando Alex abriu as cadeiras sobre a areia, ele deixou uma boa distância entre elas, de modo que eles não viessem a se tocar acidentalmente. Alex girou a tampa de sua cerveja e tomou um gole. — Não há nada melhor do que uma cerveja gelada em um dia quente na praia.

Ela sorriu, um pouco desconcertada por estar sozinha com ele. — Vou acreditar na sua palavra.

— Você não gosta de cerveja?

A mente de Katie viajou no tempo, lembrando-se de seu pai e das latas vazias de Pabst Blue Ribbon que geralmente entulhavam o chão, empilhadas descuidadamente ao lado da poltrona onde ele costumava se sentar. — Não muito — admitiu ela.

— Somente vinho, então?

Ela demorou um momento para se lembrar que Alex havia lhe dado uma garrafa. — Para falar a verdade, tomei um pouco de vinho ontem à noite. Com minha vizinha.

— É mesmo? Que bom.

Ela tentou encontrar um assunto mais seguro. — Você disse que nasceu em Spokane?

Ele esticou as pernas, relaxando e colocou um tornozelo sobre o outro. — Nasci e fui criado lá. Morei sempre na mesma casa, até o dia em que fui para a faculdade — disse ele, olhando-a de lado. — Frequentei a Universidade de Washington. O lar dos Huskies.

Ela sorriu. — Seus pais ainda moram lá?

— Sim.

— Então deve ser difícil para eles virem visitar os netos.

— Imagino que sim.

Algo no tom de voz dele chamou a atenção de Katie. — Você imagina?

— Eles não são o tipo de avós que viriam visitar, mesmo que morassem mais perto. Eles viram as crianças apenas uma ou duas vezes. A primeira foi quando Kristen nasceu e a segunda foi no funeral — disse ele, balançando a cabeça.

— Não me peça para explicar — prosseguiu Alex. — Meus pais não têm qualquer interesse pelas crianças e o máximo que fazem é mandar cartões quando eles fazem aniversário ou presentes no Natal. Eles preferem viajar ou fazer qualquer outra coisa.

— Como é?

— O que eu posso fazer? Além disso, não posso dizer que eles eram tão diferentes comigo. A primeira vez que meus pais vieram me visitar quando eu estava na faculdade foi no dia da formatura. Embora eu nadasse bem o bastante para conseguir uma bolsa de estudos integral, eles me viram competir apenas duas vezes. Mesmo que eu fosse vizinho deles, duvido que eles iriam querer ver as crianças. Essa é uma das razões pelas quais me estabeleci aqui. Afinal, não faria diferença estar perto ou longe deles, não é?

— E os outros avós?

Alex arranhou o rótulo de sua garrafa de cerveja. — A situação é um pouco mais complicada com eles. Eles têm duas outras filhas que se mudaram para a Flórida e, depois que me venderam a loja, também se mudaram para lá. Eles vêm nos visitar por alguns dias, geralmente uma ou duas vezes por ano, mas mesmo assim é difícil demais para eles. Além do mais, se recusam a ficar na casa, porque acho que o lugar faz com que se lembrem de Carly. Provavelmente é uma dose muito grande de lembranças, eu acho.

— Em outras palavras, você acabou ficando sozinho.

— Pelo contrário — disse ele, olhando para as crianças. — Eu tenho a eles, lembra-se?

— Mesmo assim, deve ser difícil. Administrar a loja, criar e cuidar de seus filhos.

— Não é tão ruim. Desde que eu me levante às 6 da manhã e não me deite para dormir antes da meia-noite, é fácil dar conta de tudo.

Ela riu, descontraída. — Você acha que o braseiro já está no ponto?

— Deixe-me dar uma olhada — disse ele. Depois de colocar a garrafa na areia, ele se levantou da cadeira e foi até a churrasqueira. Os pedaços de carvão estavam brancos e o calor se erguia em ondas tremeluzentes. — Você tem um *timing* impecável — disse ele. Alex colocou os filés e os hambúrgueres na grelha enquanto Katie foi até o lugar onde a caixa térmica estava e começou a trazer uma quantidade infindável de objetos para a mesa: potes de plástico com salada de batata e repolho, picles, vagens, frutas fatiadas, dois sacos de batatas fritas, fatias de queijo, além de molhos e temperos diversos.

Ela balançou a cabeça à medida que organizava tudo, pensando que Alex havia se esquecido de que seus filhos ainda eram pequenos. Havia mais comida aqui do que no armário da cabana onde ela morava, em Southport.

Alex cuidava dos filés e do bife de hambúrguer na grelha, acrescentando por fim as salsichas de cachorro quente. Enquanto cozinhava, ele percebeu que seu olhar se desviava para as pernas de Katie quando ela se movia ao redor da mesa, mais uma vez percebendo o quanto ela era atraente.

Ela pareceu perceber que ele a olhava. — O que foi?

— Nada — disse ele.

— Você estava pensando em alguma coisa.

Ele suspirou. — Estou feliz por você ter vindo conosco hoje — disse ele, finalmente. — Porque estou me divertindo muito.

•◆•

Enquanto Alex cuidava da churrasqueira, os dois mantiveram uma conversa tranquila e descontraída. Alex explicou a Katie os pormenores envolvidos na administração de uma loja de conveniência. Contou também como seus sogros haviam iniciado o negócio e descreveu alguns dos clientes habituais com afeição, outros que podiam ser definidos como excêntricos e Katie silenciosamente imaginou se ela teria sido incluída naquela descrição caso Alex tivesse trazido outra pessoa à praia.

Não que aquilo tivesse qualquer importância. Quanto mais ele falava, mais ela percebia que ele era o tipo de homem que tentava encontrar o que cada pessoa tinha de melhor — o tipo de homem que não gostava de reclamar da vida. Ela tentou imaginar como ele seria quando era mais jovem, e gradualmente fez com que a conversa enveredasse por aquela direção. Alex falou sobre sua infância e adolescência em Spokane, sobre os fins de semana preguiçosos em que ele costumava andar de bicicleta pela Centennial Trail com seus amigos. Ele contou que, quando descobriu a natação, o esporte rapidamente se tornou uma obsessão. Alex nadava quatro ou cinco horas por dia e tinha o desejo de disputar uma olimpíada. Entretanto, o rompimento de um músculo do ombro durante seu segundo ano da faculdade acabou com seu sonho. Falou também sobre as festas que frequentou durante a faculdade e dos amigos que fez, admitindo que quase todas aquelas amizades foram se distanciando lentamente, até que o contato com seus colegas fosse totalmente perdido. Enquanto falava, Katie percebeu que ele não parecia aumentar ou diminuir os fatos sobre seu passado, além de não parecer estar preocupado com o que os outros pensavam dele.

Ela podia ver os resquícios do atleta de elite que Alex havia sido, percebendo seus movimentos fluidos e graciosos e a maneira tranquila com que ele sorria, como se estivesse bem acostumado com vitórias e derrotas. Quando terminou de falar, ela sentiu receio de que ele fosse lhe perguntar sobre seu passado, mas ele pareceu pressentir que aquilo a deixaria desconfortável. Em vez disso, preferiu começar a contar uma outra história.

Quando a comida ficou pronta, ele chamou as crianças e elas vieram correndo. Os dois estavam cobertos de areia e Alex fez com que eles ficassem ao lado do carro enquanto ele os esfregava. Conforme o observava, Katie via que Alex era um pai muito melhor do que ele mesmo imaginava. Ótimo de todas as maneiras que eram importantes.

Quando as crianças chegaram à mesa, a conversa mudou de rumo. Katie ouviu enquanto eles conversavam sobre o castelo de areia que haviam construído e um dos programas no Disney Channel que os dois gostavam de assistir. Quando mencionaram em voz alta sobre as guloseimas que comeriam mais tarde — *marshmallows,* barras de chocolate e biscoitos doces, aquecidos até que estivessem quase derretidos —, ficou claro que Alex havia criado tradições especiais e divertidas para aquelas crianças. Ele era diferente dos homens que ela havia conhecido no passado, diferente de qualquer pessoa que ela conhecera em toda a sua vida. Conforme a conversa prosseguiu, quaisquer vestígios do nervosismo que sentia começaram a desaparecer.

A comida estava deliciosa, uma mudança muito bem-vinda em relação à sua dieta austera recente. O céu continuou limpo, a imensidão azul quebrada apenas quando alguma ave marinha ocasionalmente passava voando por perto. A brisa soprava tranquila, suave o bastante para mantê-los refrescados, e o ritmo constante das ondas ajudava a manter a sensação de calma e tranquilidade.

Quando terminaram de comer, Josh e Kristen ajudaram a limpar a mesa e a guardar as porções que não haviam sido comidas. Alguns itens que não se estragariam — o pote de picles e as batatas fritas — foram deixados sobre a mesa. As crianças queriam brincar com suas pranchas de *body-boarding* e, depois que Alex voltou a aplicar o protetor solar neles, também tirou sua camisa e os seguiu até as ondas.

Katie levou sua cadeira até a borda da água e passou a hora seguinte observando Alex ajudando seus filhos a deslizarem pela arrebentação, posicionando um e depois o outro para que pudessem aproveitar as ondas que chegavam. Ela ficou maravilhada com o jeito que ele tinha de fazer com que cada um dos filhos se sentisse o centro das atenções. Havia um carinho no modo como ele os tratava, uma dose de paciência que ela não esperava realmente que fosse possível em um pai. Conforme a tarde chegou e as nuvens começaram a se formar, Katie percebeu que estava sorrindo, pensando que, pela primeira vez em muitos anos, sentia-se totalmente relaxada. E aquilo não era tudo. Ela sabia que estava se divertindo tanto quanto as crianças.

11

Depois de saírem da água, Kristen declarou que estava sentindo frio e Alex a levou ao banheiro para vestir roupas secas. Katie ficou com Josh sobre a canga, admirando o brilho do sol nas ondas enquanto ele fazia pequenas pilhas de areia.

— Ei, quer me ajudar a soltar pipa? — perguntou Josh, repentinamente.

— Acho que eu não saberia fazer isso. Nunca soltei pipa antes.

— É fácil — insistiu ele, procurando entre a pilha de brinquedos que Alex havia trazido, até que retirou uma pequena pipa de lá. — Posso lhe mostrar. Vamos.

Josh saiu correndo em direção à praia e Katie correu alguns passos antes de voltar a caminhar, a passos ligeiros. Quando chegou até onde Josh estava, ele já tinha começado a desenrolar o carretel de linha e deu a pipa para que ela a segurasse.

— Segure ela bem alto, em cima da cabeça.

Ela fez como ele lhe instruiu, à medida que Josh começava a se afastar lentamente, desenrolando a linha com bastante desenvoltura.

— Está pronta? — gritou ele, quando finalmente parou de se afastar. — Quando eu sair correndo e gritar, você solta a pipa!

— Estou pronta! — gritou ela em resposta.

Josh começou a correr e, quando Katie sentiu a linha tensionar, o ouviu gritar e largou a pipa imediatamente. Ela não sabia se a brisa estava forte o suficiente, mas a pipa disparou em direção ao céu em questão de segundos. Josh parou de correr e se virou. Enquanto ela caminhava em sua direção, ele deixou a linha correr ainda mais.

Chegando até onde o garoto estava, ela protegeu seus olhos do sol enquanto observava a pipa subir cada vez mais. Em preto e amarelo, o distintivo do Batman era visível, mesmo àquela distância.

— Eu sei soltar pipa muito bem — disse ele, olhando para o céu. — Por que você nunca soltou uma?

— Não sei. Mas não era uma coisa que eu fazia quando era criança.

— Você devia experimentar. É divertido.

Josh continuou a olhar para cima, seu rosto demonstrando toda a sua concentração. Pela primeira vez, Katie percebeu o quanto Josh e Kristen eram parecidos.

— Você gosta de ir à escola? Você está no jardim de infância, não é?

— Ah, a escola é legal. Gosto mais da hora do recreio. Meus amigos e eu apostamos corrida e fazemos outras coisas.

"É claro", pensou ela. Desde que eles chegaram à praia ele não parou de se mexer nem por um minuto. — E você gosta da sua professora?

— Ela é muito legal e se parece com meu pai. Ela não grita com os alunos.

— Seu pai não grita?

— Não — disse ele, cheio de convicção.

— E o que ele faz quando fica bravo?

— Meu pai não fica bravo.

Katie estudou Josh, perguntando-se se ele estava sendo sincero, antes de perceber que o garoto era incapaz de mentir.

— Você tem muitos amigos? — perguntou ele.

— Não muitos, por quê?

— Meu pai diz que você é amiga dele. Foi por isso que ele a trouxe à praia.

— Quando ele lhe disse isso?

— Quando estávamos no meio das ondas.

— E o que mais ele disse?

— Ele perguntou se nós não havíamos ficado incomodados por você ter vindo.

— E vocês ficaram?

— Claro que não — disse ele, dando de ombros. — Todo mundo precisa de amigos, e a praia é um lugar muito divertido.

Não havia como contestar aquilo. — Você está certo — disse ela.

— Minha mãe costumava vir aqui conosco, sabe?

— É mesmo?

— Sim, mas ela morreu.

Eu sei. E lamento muito por isso. Deve ser muito difícil. Imagino que você sinta muita saudade dela.

Ele assentiu. Por um instante, Josh pareceu ao mesmo tempo mais velho e mais novo do que realmente era. — Meu pai fica triste às vezes. Ele acha que eu não percebo, mas dá para perceber.

— Acho que eu também ficaria triste — disse Katie.

Josh ficou em silêncio enquanto pensava na resposta dela. — Obrigado por me ajudar com a pipa — disse ele.

— **Parece que vocês** dois estão se divertindo bastante — observou Alex.

Depois que Kristen trocou de roupa, Alex a ajudou a colocar a pipa no ar e foi até onde Katie estava sentada, na areia compactada perto da borda da água. Katie podia sentir seu cabelo se movendo lentamente com a brisa.

— Ele é um doce. E mais comunicativo do que eu achava que seria.

Enquanto Alex observava os filhos empinando suas pipas, Katie teve a sensação de que os olhos dele não perdiam nenhum detalhe.

— Então é isso que você faz nos fins de semana, depois de sair da loja. Você sai para se divertir com seus filhos.

— Sempre. Eu acho isso muito importante.

— Mesmo que seus pais não tenham a mesma opinião?

Ele hesitou. — Essa seria uma resposta fácil, não é? Admitir que me senti prejudicado e jurei a mim mesmo que seria diferente? Parece uma boa ideia, mas não sei se as coisas funcionam exatamente assim. A verdade é que passo meu tempo com eles porque gosto de fazer isso. Eu gosto deles. E gosto de observá-los enquanto crescem, e quero ser parte desse processo.

Conforme Alex respondia, Katie percebeu que estava rememorando sua própria infância, tentando imaginar se sua mãe ou seu pai teriam os mesmos sentimentos de Alex, sem conseguir.

— Por que você entrou para o exército logo depois de se formar?

— Naquela época, achava que era a coisa certa a fazer. Eu queria um desafio novo, queria experimentar algo diferente e o alistamento era uma boa desculpa para que eu saísse de Washington. Com exceção de uma meia dúzia de competições de natação, nunca saí realmente do estado onde nasci.

— Você chegou a...?

Quando ela deixou a frase no ar, ele terminou a sentença para ela. — Combater? Não, eu não era esse tipo de soldado. Eu me formei em direito criminal na faculdade e fui designado para o DIC.

— O que é isso?

Quando Alex explicou o significado da sigla, ela se virou em direção a ele. — É como a polícia?

Ele assentiu. — Eu era um investigador — disse ele.

Katie não disse nada. Em vez disso, ela virou o rosto abruptamente, e sua expressão foi se fechando como um portão de aço.

— Eu disse alguma coisa errada? — perguntou ele.

Ela balançou a cabeça sem responder. Alex olhou fixamente para ela, imaginando o que poderia estar errado. Suas suspeitas a respeito do passado dela apareceram quase imediatamente.

— O que está havendo, Katie?

— Nada — insistiu ela. No entanto, assim que aquelas palavras surgiram, Alex soube que ela não estava dizendo a verdade. Em outro lugar e em outro tempo, ele provavelmente teria aproveitado para fazer mais perguntas. Mas, em vez disso, deixou o assunto morrer ali.

— Não precisamos falar sobre isso — disse ele, com um tom tranquilo. — E, além disso, não tenho mais nada a ver com o exército e com o DIC. Acredite em mim quando digo que me sinto muito mais feliz cuidando de uma loja de conveniência.

Ela fez que sim com a cabeça, mas Alex sentiu vestígios de ansiedade nela. Sabia que Katie precisava de espaço, mesmo que não tivesse certeza do motivo. Ele apontou por cima do ombro com seu polegar. — Olhe, preciso colocar mais carvão na churrasqueira. Se as crianças não ganharem suas guloseimas, vou passar o mês inteiro ouvindo reclamações. Não demoro.

— Claro — disse ela, fingindo estar despreocupada. Quando ele se afastou, Katie respirou aliviada, sentindo que havia conseguido escapar. "Ele trabalhava como investigador policial", pensou ela consigo mesma, enquanto tentava dizer a si mesma que aquilo não importava. Mesmo assim, demorou quase um minuto inteiro tentando controlar sua respiração até que voltasse a se sentir no controle da situação novamente. Kristen e Josh estavam nos mesmos lugares, embora Kristen tivesse se abaixado para examinar outra concha, ignorando sua pipa, que voava para longe.

Ela ouviu Alex se aproximando.

— Eu disse que não demoraria. Depois das guloseimas de sobremesa, estava pensando em juntar as coisas e ir para casa. Gostaria de ficar até o pôr do sol, mas Josh tem que ir para a escola cedo amanhã.

— A qualquer hora que você queira ir embora para mim está bem — disse ela, cruzando os braços.

Percebendo os ombros rígidos e a tensão na voz de Katie, Alex franziu as sobrancelhas. — Não sei o que foi que eu disse que lhe incomodou tanto, mas peço desculpas — disse ele, após alguns momentos. — Apenas saiba que estou aqui se você quiser conversar a respeito.

Ela assentiu sem responder e, embora Alex estivesse esperando que ela dissesse algo, nada sobreveio. — É assim que as coisas vão ser entre nós? — perguntou ele.

— O que você quer dizer?

— Parece que, de repente, estou pisando em ovos enquanto conversamos, mas não sei realmente o motivo.

— Eu contaria a você, mas não posso — disse Katie. Ela falava num tom tão baixo que era quase encoberto pelo som das ondas.

— Pode pelo menos me informar o que foi que eu disse? Ou o que foi que eu fiz?

Ela se virou em direção a ele. — Você não disse nem fez nada de errado. Mas, neste momento, não posso dizer nada além disso, está bem?

Ele a observou demoradamente. — Tudo bem, então. Desde que você ainda esteja se divertindo.

Ela precisou se esforçar um pouco, mas finalmente conseguiu abrir um sorriso. — Este foi o melhor dia que já tive em muito, muito tempo. Na verdade, o melhor fim de semana.

— Você ainda está brava por causa da bicicleta, não é? — disse ele, apertando os olhos e fingindo estar desconfiado. Apesar da tensão que sentia, Katie riu.

— É claro que estou. Vou levar um bom tempo para me recuperar daquilo — disse ela, fingindo estar magoada.

Olhando em direção ao horizonte, ela pareceu estar aliviada.

— Posso lhe perguntar uma coisa? — disse Katie, mais uma vez assumindo uma postura séria. — Você não precisa responder, se não quiser.

— Pode perguntar o que quiser — disse ele.

— O que aconteceu com sua esposa? Você disse que ela teve uma convulsão, mas não me disse o que a deixou doente.

Ele suspirou, como se soubesse o tempo todo que ela faria aquela pergunta. Ainda assim, ele teve que se empedernir para responder. Ele começou a falar lentamente.

— Ela teve um tumor no cérebro. Ou, para ser mais exato, teve três tipos diferentes de tumores no cérebro. Eu não sabia na época, mas os médicos dizem que não é tão incomum de acontecer. Havia um que estava crescendo lentamente, que é o tipo de tumor que todos conhecem; era do tamanho de um ovo e os cirurgiões conseguiram removê-lo quase completamente. Mas os outros não eram tão simples. Eram tumores que crescem e se espalham como se fossem patas de aranha e não havia como extirpá-los sem remover parte do cérebro dela. Eles eram agressivos também. Os médicos fizeram o melhor que podiam, mas quando saíram da sala de cirurgia dizendo que o procedimento havia sido realizado de acordo com o que era possível, eu soube exatamente o que eles queriam dizer.

— Eu não consigo imaginar como seria ouvir esse tipo de notícia — disse Katie, olhando para a areia.

— Eu admito que foi difícil conseguir acreditar naquilo. Foi muito... inesperado. Afinal, na semana anterior, nós éramos uma família normal e, na seguinte, ela estava morrendo e não havia nada que eu pudesse fazer para impedir que isso acontecesse.

A alguns metros, Kristen e Josh ainda estavam ocupados com suas pipas, mas Katie sabia que Alex mal podia vê-los.

— Depois da cirurgia, ela levou algumas semanas para voltar a caminhar e agir normalmente, e eu queria acreditar que tudo estava bem. Entretanto, semana após semana, comecei a perceber as mudanças, por menores que fossem. O lado esquerdo do corpo dela começou a enfraquecer e ela estava dormindo por períodos cada vez mais longos. Foi difícil, mas a pior parte para mim foi perceber que ela começou a se afastar das crianças. Como se não quisesse que eles se lembrassem dela nos dias em que estava doente; ela queria que eles se lembrassem dela do jeito que costumava ser e agir.

Alex parou e tomou fôlego, finalmente balançando a cabeça. — Desculpe. Eu não devia ter lhe contado isso. Ela era uma ótima mãe. Afinal, veja como os meninos são ótimos filhos.

— Acho que o pai delas tem algo a ver com isso também.

— Eu me esforço. Mas, em boa parte do tempo, me sinto como se não soubesse direito o que estou fazendo. É como se eu estivesse fingindo, ou fazendo tudo sem qualquer critério.

— Acho que todos os pais se sentem assim.

Alex se virou para encará-la. — Os seus também se sentiam?

Ela hesitou. — Acho que meus pais fizeram o melhor que podiam — respondeu Katie. Não era realmente um elogio, mas era a verdade.

— Você ainda tem contato com eles?

— Eles morreram em um acidente de carro quando eu tinha dezenove anos.

Ele olhou para ela com atenção. — Eu lamento por isso.

— Foi difícil — disse Katie.

— Você tem irmãos ou irmãs?

— Não — disse ela, virando-se para a água do mar. — Sou sozinha.

•◆•

Alguns minutos depois, Alex ajudou as crianças a recolherem as pipas e voltaram para a área de piquenique. As brasas ainda não estavam no ponto e Alex aproveitou o tempo para esfregar a areia das pranchas e bater as toalhas antes de pegar o que precisava para assar as guloseimas e os doces na churrasqueira.

Kristen e Josh guardaram a maior parte das suas coisas e Katie colocou o restante da comida de volta na caixa térmica enquanto Alex começou a levar as coisas de volta para o jipe. Quando terminou, havia restado apenas uma toalha e quatro cadeiras. As crianças as haviam colocado em um círculo conforme Alex distribuía espetos longos e o saco de *marshmallows*. Em meio à animação que sentia, Josh rasgou o plástico, despejando uma pequena pilha sobre a toalha que estava na areia.

Seguindo o exemplo das crianças, Katie enfiou três *marshmallows* em seu espeto e, junto com Alex, Josh e Kristen, ficou em pé ao lado da churrasqueira, girando o espeto entre os dedos à medida que a camada exterior dos doces se derretia e mudava de cor para um marrom caramelado. Katie deixou os seus perto demais das brasas e dois de seus *marshmallows* pegaram fogo, os quais Alex imediatamente soprou até se apagarem.

Quandos os *marshmallows* estavam prontos, Alex ajudou seus filhos a terminar a preparação do doce: calda de chocolate por cima do biscoito doce, seguido pelos *marshmallows* e coberto por outro biscoito. Era uma sobremesa doce e pegajosa, e era a melhor coisa que Katie já havia comido em toda a sua vida.

Sentada entre as crianças, ela percebeu que Alex estava se esforçando para não deixar que seus biscoitos se esfarelassem, e acabou por se lambuzar inteiro. Quando usou seus dedos para limpar a boca, só piorou a situação. As crianças acharam aquilo hilário e Katie não conseguiu evitar uma risadinha também. Ao mesmo tempo, ela sentiu uma onda inesperada e repentina de esperança. Apesar da tragédia que eles haviam atravessado, aquela família parecia ser feliz. Era isso que uma família que se ama fazia quando estavam juntos. Para eles, não era nada além de um dia comum no final de semana, mas, para Katie, havia algo parecido com uma revelação: perceber que, após tantos anos, momentos felizes como aqueles podiam existir. E que talvez, algum dia, ela teria a possibilidade de viver dias parecidos como aqueles no futuro.

12

— **E depois,** o que aconteceu?

Jo estava sentada em frente à Katie, do outro lado da mesa. A cozinha havia assumido uma tonalidade amarela, iluminada apenas pela lâmpada que ficava sobre o fogão. Quando Katie retornou, Jo veio bater em sua porta, com respingos de tinta no cabelo. Katie começou a preparar um bule de café e havia duas xícaras sobre a mesa.

— Nada de mais. Depois que terminamos de comer os doces, demos uma última volta na praia, entramos no carro e voltamos para casa.

— Ele acompanhou você até a porta de casa?

— Sim.

— Você o convidou para entrar?

— Ele tinha que levar as crianças de volta.

— Você lhe deu um beijo de boa-noite?

— É claro que não.

— Por que não?

— Você não ouviu o que eu disse? Ele levou os filhos para a praia e me convidou para ir junto. Não foi um encontro romântico.

Jo levantou sua xícara de café. — Para mim, pareceu um encontro romântico.

— Foi um dia em família.

Jo considerou aquilo. — Parece também que vocês passaram um bom tempo conversando.

Katie se recostou em sua cadeira. — Acho que você queria que fosse um encontro.

— E por que eu iria querer isso?

— Não sei. Mas desde que nos conhecemos, a cada vez que conversamos, você faz questão de mencioná-lo. É como se você estivesse tentando... não sei. Como se estivesse tentando fazer com que eu o notasse.

Jo agitou o conteúdo de sua xícara antes de colocá-la de volta na mesa. — E você o notou?

Katie jogou as mãos para cima. — Está vendo o que eu quero dizer?

Jo riu antes de balançar a cabeça. — Tudo bem. Que tal pensar deste modo? — Ela hesitou antes de prosseguir. — Já conheci várias pessoas e, com o passar do tempo, desenvolvi instintos nos quais aprendi a confiar. Como nós duas sabemos, Alex é uma ótima pessoa. E quando conheci você, Katie, tive a mesma opinião. E não fiz nada além de provocar você em relação a ele. Não arrastei você até a loja e os forcei a se apresentarem. Também não estava por perto quando ele a convidou para ir à praia, um convite que você estava mais do que disposta a aceitar.

— Kristen me pediu para ir...

— Eu sei. Você me contou — disse Jo, levantando uma sobrancelha. — E eu tenho certeza de que esse foi o único argumento que a convenceu a aceitar o convite.

Katie fez uma careta. — Você tem essa mania de distorcer as coisas.

Jo riu novamente. — Já lhe passou pela cabeça que estou fazendo isso porque senti inveja de você? Oh, não por você ter saído com Alex, mas por você ter ido à praia em um dia perfeito como hoje, enquanto eu estava enfurnada em casa pintando minhas paredes pelo segundo dia consecutivo. Nunca mais quero encostar um dedo em um rolo de pintura pelo resto da minha vida. Meus braços e ombros estão bastante doloridos.

Katie se levantou e foi até o balcão. Ela se serviu de mais uma xícara de café e levantou o bule, oferecendo-o a Jo. — Quer mais?

— Não, obrigada. Preciso dormir esta noite e cafeína demais pode atrapalhar. Acho que vou ligar para o restaurante de comida chinesa e pedir que me tragam algo para jantar. Você quer um pouco?

— Não estou com fome — disse Katie. — Comi demais hoje.

— Não acho que isso seja possível, embora você tenha tomado bastante sol. A cor fica ótima em você, mesmo que daqui a alguns anos isso lhe traga algumas rugas.

Katie fez outra careta. — Obrigada por me lembrar.

— Amigos são para essas coisas — disse Jo, levantando-se e espreguiçando-se. — A noite passada foi ótima, ainda que eu tenha que admitir que paguei o preço por ela na manhã de hoje.

— Foi divertido — concordou Katie.

Jo deu alguns passos antes de se virar. — Ah, me esqueci de perguntar. Você vai ficar com a bicicleta?

— Sim — respondeu ela.

Jo pensou no caso. — É uma boa ideia.

— O que você quer dizer com isso?

— Simplesmente acho que você não precisa devolvê-la. Você obviamente precisa de um meio de transporte e ele queria que você ficasse com ela. Por que você iria querer devolvê-la? — Jo deu de ombros. — Seu problema é que você fica procurando demais por significados ou segundas intenções nas ações e nas palavras dos outros.

— Assim como faço com minha amiga manipuladora?

— Você realmente acha que sou manipuladora?

Katie pensou por um momento. — Talvez seja um pouco, sim.

Jo sorriu. — E como está sua agenda de trabalho esta semana? Vai trabalhar bastante?

Katie fez que sim com a cabeça. — Seis noites e três dias.

Jo fez uma careta. — Eca.

— Não tem problema. Preciso do dinheiro e já estou acostumada.

— E, é claro, você teve um ótimo fim de semana.

Katie considerou aquelas palavras. — É... tive, sim.

13

Os dias seguintes se passaram sem muitas novidades, o que apenas fez com que parecessem mais longos do que o habitual para Alex. Ele não conversava com Katie desde que a havia deixado em casa na noite de domingo. Não era algo completamente inesperado, pois ele sabia que ela iria trabalhar bastante naquela semana; entretanto, mais de uma vez ele se apanhou saindo da loja e olhando pela estrada na direção da casa dela, sentindo-se vagamente decepcionado quando não a via.

Foi o bastante para esmagar a ilusão de que ele a havia encantado de tal maneira que ela não conseguiria resistir à tentação de vir à loja para vê-lo. Mesmo assim, ficou surpreso pelo entusiasmo quase adolescente que sentia ao pensar em revê-la, mesmo que Katie não tivesse o mesmo sentimento. Ele a imaginava na praia, com seu cabelo castanho balançando com a brisa, as feições delicadas do seu rosto e olhos que pareciam mudar de cor toda vez que a via. Pouco a pouco, ela conseguiu relaxar conforme o dia avançou e Alex teve a sensação de que o passeio na praia havia, de algum modo, suavizado a resistência que ela tinha.

Não era apenas o passado de Katie que o intrigava, mas também todas as outras coisas que ele não sabia a seu respeito. Tentou imaginar, por exemplo, que tipo de música ela gostava ou qual a primeira coisa que pensava quando acordava pela manhã, ou se ela já havia ido até um estádio de beisebol para assistir a uma partida. Ele se perguntava se ela dormia de costas ou de lado e, se tivesse a oportunidade de escolher, se preferiria tomar banho em um chuveiro ou em uma banheira. Quanto mais pensava nela, mais curioso ficava.

Na quinta-feira, Alex estava decidindo se deveria ir até a casa de Katie ou não. Ele queria fazer isso e já havia até pegado as chaves do carro, mas acabou desistindo da ideia porque não sabia o que diria quando chegasse lá. Também não sabia qual seria a reação de Katie. Será que iria sorrir? Ou seria tomada pelo nervosismo? Ela o convidaria para entrar ou o mandaria embora? Por mais que ele tentasse imaginar o que aconteceria, não conseguiu, então acabou deixando as chaves do carro de lado.

Era complicado. Mas acabou se lembrando, mais uma vez, de que ela era uma mulher misteriosa.

•◆•

Não demorou muito para que Katie admitisse que a bicicleta fora um presente que caiu dos céus. Além de poder voltar para casa nos dias em que trabalhava por dois períodos no restaurante, ela sentiu que, pela primeira vez, poderia realmente começar a explorar a cidade. E foi exatamente o que fez. Na terça-feira, visitou duas lojas de antiguidades, apreciou as paisagens marítimas pintadas em aquarela que estavam expostas em uma galeria de artes e pedalou por entre alguns dos bairros de Southport, admirando as amplas varandas e os pórticos que adornavam as casas perto da orla marinha. Na quarta, foi até a biblioteca e passou algumas horas examinando as prateleiras, lendo as orelhas dos livros do acervo e enchendo a cestinha da bicicleta com os romances que despertaram seu interesse.

Durante a noite, entretanto, enquanto lia os livros que havia tomado emprestado deitada em sua cama, ela às vezes percebia que perdia a concentração e deixava a imagem de Alex povoar seus pensamentos. Com as memórias da época em que vivia em Altoona, ela percebeu que Alex fazia com que se lembrasse do pai de sua amiga Callie. Durante o segundo ano do ensino médio, Callie morava na mesma rua que ela e, embora não se conhecessem tão bem — Callie era dois anos mais nova — Katie se lembrava de sentar nos degraus da sua varanda nas manhãs de sábado. Como um relógio, o pai de Callie abria a porta da garagem, assobiando uma música enquanto tirava o cortador de grama e o posicionava em um dos cantos do jardim. Ele tinha orgulho do seu jardim — era provavelmente o mais bem cuidado de todo o bairro — e ela o observava enquanto ele passava o aparelho sobre o gramado com uma precisão militar. De vez em quando, ele parava para tirar um galho caído no caminho do cortador e, naqueles momentos, esfregava o rosto com um lenço que deixava guardado no bolso de trás do seu short. Quando terminava, apoiava-se no capô do carro que deixava estacionado em frente à sua garagem, degustando um copo de limonada que sua esposa sempre vinha lhe trazer. Às vezes, ela se recostava no carro ao lado do marido, e Katie sorria enquanto o observava tocar o quadril da esposa quando queria que ela lhe desse atenção.

Havia um quê de satisfação na maneira como ele bebia a limonada e tocava a esposa que fazia Katie pensar. Aquele homem estava satisfeito com a vida que tinha e todos os seus sonhos, de alguma forma, haviam se realizado. Frequentemente, enquanto Katie o observava, ela se perguntava como seria sua vida se ela tivesse nascido naquela família.

Alex tinha aquele mesmo ar de satisfação quando seus filhos estavam por perto. De certa maneira, ele não somente havia conseguido superar a tragédia de perder a esposa, mas havia conseguido fazê-lo com força suficiente para ajudar seus filhos a superarem aquela perda também. Quando ele falava sobre a esposa falecida, Katie havia tentado perceber se havia tristeza ou autopiedade em sua voz, mas não detectou nenhum desses sentimentos. É claro que havia ressentimento e um toque de solidão. Entretanto, mesmo quando Alex falava sobre sua esposa, ele não fazia comparações entre ela e Katie. Ele parecia aceitá-la e, mesmo que ela não soubesse exatamente quando aquilo havia acontecido, percebeu que estava se sentindo atraída.

Mesmo assim, seus sentimentos eram bastante complicados. Katie não baixava a guarda para deixar alguém se aproximar desde o tempo em que tinha morado em Atlantic City, e a experiência acabara sendo um pesadelo. Entretanto, por mais que ela tentasse permanecer distante, parecia que toda vez que ela via Alex algo acontecia para fazer com que os dois se aproximassem. Às vezes por acidente, como o dia em que Josh caiu no rio e ela ficou com Kristen. Outras vezes, parecia até mesmo que era obra do destino. Como no dia em que a tempestade caiu. Ou quando Kristen saiu da loja e implorou a ela para que fosse à praia com a família. Quanto mais tempo ela passava ao lado de Alex, mais sentia que ele sabia muito mais do que deixava transparecer e aquilo a assustava. Fazia com que se sentisse nua e vulnerável e aquele era um dos motivos pelo qual ela evitara ir até a loja dele durante a semana inteira. Ela precisava de tempo para pensar, tempo para decidir o que faria a respeito daquela situação, se é que faria alguma coisa.

Infelizmente, ela havia passado tempo demais se lembrando da maneira como as linhas de expressão ao lado dos olhos de Alex se juntavam quando ele sorria, ou dos movimentos graciosos que ele fizera ao sair do mar. Pensou em Kristen buscando a mão do pai e a total confiança que Katie via naquele simples gesto. No início, Jo havia dito algo sobre Alex ser um bom homem, o tipo de homem que faz a coisa certa e, embora Katie não pudesse dizer que o conhecesse bem, seus instintos lhe diziam que ele era um homem em quem ela podia confiar. Que, não importava o que lhe dissesse, ele a apoiaria, guardaria seus segredos e nunca usaria o que sabia para magoá-la.

Eram ideias irracionais e ilógicas, que iam contra tudo o que ela tinha prometido a si mesma quando se mudou para Southport. Mas

Katie percebeu que queria que ele a conhecesse melhor. Ela queria que ele a entendesse, porque tinha a estranha sensação de que ele era o tipo de homem pelo qual ela poderia se apaixonar, mesmo que não quisesse.

14

Caçar borboletas.

A ideia havia surgido em sua mente logo depois de acordar na manhã de sábado, até mesmo antes de descer até a loja para abrir as portas para o público. Estranhamente, enquanto ele imaginava as possibilidades que teria para entreter seus filhos naquele dia, se lembrou de um projeto que havia feito quando estava na 6ª série. A professora havia pedido aos alunos que fizessem uma coleção de insetos. Sua memória voltou até uma tarde em que ele estava correndo por um gramado durante o recreio da escola, buscando qualquer inseto no qual conseguisse pôr as mãos, de abelhas a gafanhotos. Tinha certeza de que Josh e Kristen gostariam de fazer aquilo e, sentindo orgulho de si mesmo por ter pensado em algo interessante e original para ocupar uma tarde do fim de semana, remexeu nas redes de pesca que tinha na loja, escolhendo três que tinham o tamanho apropriado.

Quando comentou sobre a ideia com as crianças na hora do almoço, elas não ficaram muito entusiasmadas.

— Não quero machucar nenhuma borboleta. Eu gosto delas — protestou Kristen.

— Nós não vamos machucá-las. Podemos soltá-las depois.

— Então por que precisamos caçá-las?

— Porque é divertido.

— Não acho que seja divertido. Para mim, parece uma malvadeza.

Alex abriu a boca para responder, mas não soube exatamente o que dizer. Josh deu outra mordida no seu sanduíche de queijo grelhado.

— O dia está muito quente, papai — declarou Josh, falando enquanto mastigava.

— Tudo bem. Podemos ir nadar no riacho depois de caçar as borboletas. E mastigue com a boca fechada.

Josh engoliu. — Por que não vamos nadar no riacho agora?

— Porque vamos sair para caçar borboletas.

— Não podemos ir ao cinema em vez de fazer isso?

— Isso! Vamos ao cinema!

Às vezes, Alex achava que ser pai era uma experiência exasperante.

— O dia está lindo e não vamos passá-lo enfurnados em um cinema. Nós vamos sair para caçar borboletas. E isso não é tudo: vocês dois vão gostar do passeio, entenderam?

Após o almoço, Alex os levou para um campo nos arredores da cidade que estava repleto de flores do campo. Ele lhes entregou as redes que usariam para caçar as borboletas e mandou que entrassem em ação, observando enquanto Josh arrastava sua rede atrás de si e Kristen segurava a sua contra o corpo, de maneira parecida com o que fazia com suas bonecas.

Alex resolveu colocar as mãos à obra e correu na frente deles, com sua rede preparada. Logo adiante, esvoaçando entre as flores, ele viu dúzias de borboletas. Quando chegou perto, balançou sua rede em um arco, capturando uma. Agachando-se, começou a manipular a rede cuidadosamente, permitindo que o laranja e o marrom das asas da borboleta ficassem à mostra.

— Uau! — disse ele, tentando demonstrar o máximo de entusiasmo que conseguiu. — Peguei uma!

Em questão de segundos, Josh e Kristen vieram correndo e olharam por cima do seu ombro.

— Cuidado com ela, papai — avisou Kristen.

— Pode deixar, querida. Olhe como as cores são bonitas.

Os dois se aproximaram ainda mais.

— Que legal! — gritou Josh para, no momento seguinte, correr por entre as flores e balançar sua rede vigorosamente.

Kristen continuou a estudar a borboleta.

— Acho que ela está assustada.

— Tenho certeza de que ela está bem. Mas vou soltá-la.

Ela assentiu enquanto Alex cuidadosamente virava a rede do avesso. De volta ao ar livre, a borboleta se prendeu à rede antes de sair voando novamente. Os olhos de Kristen se arregalaram com a surpresa.

— Pode me ajudar a pegar uma?

— Eu adoraria fazer isso.

Eles passaram pouco mais de uma hora correndo por entre as flores e capturaram oito tipos diferentes de borboletas, incluindo uma junônia, embora a maioria fosse de hespérias. Quando terminaram, os rostos das crianças estavam vermelhos e molhados de suor, e Alex os levou para tomar um sorvete antes de irem para o riacho que passava atrás da casa. Os três foram até o atracadouro e pularam juntos na água — Josh e Kristen usando coletes salva-vidas — flutuando com a correnteza tranquila. Era um dia como vários que Alex havia passado em sua infância. Quando eles saíram da água, ele ficou satisfeito ao perceber que, com exceção do passeio até a praia, aquele fora o melhor fim de semana que eles tiveram em um bom tempo.

Mas foi cansativo também. Depois, quando as crianças já haviam tomado banho, elas quiseram assistir a um filme. Alex colocou o DVD *A incrível jornada*, um filme que eles já haviam assistido dezenas de vezes, mas que sempre estavam dispostos a ver novamente. Enquanto estava na cozinha, ele podia vê-los no sofá, nenhum deles movendo um músculo, olhando para a televisão daquela maneira mesmerizada que é típica de crianças exaustas.

Alex limpou o balcão da cozinha e colocou os pratos sujos na lava-louças. Depois, colocou um fardo de roupas sujas na máquina de lavar, arrumou a sala de estar e limpou o banheiro das crianças antes de finalmente se sentar ao lado deles no sofá por alguns momentos. Josh estava enrodilhado em um dos lados do sofá e Kristen no outro. Quando o filme terminou, Alex sentiu suas próprias pálpebras começando a pesar. Depois de trabalhar na loja, brincar com seus filhos e limpar a casa, era bom poder simplesmente relaxar por alguns momentos.

O som da voz de Josh o fez despertar abruptamente.

— Ei, papai?

— Sim?

— O que temos para o jantar? Estou morrendo de fome.

NA COPA DO RESTAURANTE, Katie olhou para o deck e depois se voltou, observando enquanto Alex e as crianças acompanhavam a recepcionista até uma mesa aberta que ficava perto da cerca que delimitava a varanda. Kristen sorriu e acenou assim que viu Katie, hesitando apenas por um segundo antes de correr por entre as mesas até alcançá-la. Katie se curvou quando a garotinha colocou seus braços ao redor do seu pescoço.

— Nós quisemos fazer uma surpresa! — disse Kristen.

— Bem, vocês conseguiram. O que vieram fazer aqui?

— Meu pai não quis cozinhar para a gente hoje.

— Não quis?

— Ele disse que estava cansado demais.

— É, mas a história não acaba aí — anunciou Alex. — Pode acreditar.

Katie não conseguiu perceber quando ele se aproximava e ficou em pé.

— Ah, oi — disse ela, sentindo o rosto corar contra sua vontade.

— Como estão as coisas? — perguntou Alex.

— Bem — disse ela, sentindo-se um pouco agitada. — Ocupada, como você pode ver.

— Parece estar bem ocupada mesmo. Tivemos que esperar antes

que eles conseguissem nos arranjar uma mesa na área onde você atende.

— Esteve assim o dia todo.

— Bem, não vamos mais atrapalhá-la. Venha, Kristen. Vamos para a mesa. A gente se fala em alguns minutos, ou quando você vier anotar nossos pedidos.

— Tchau, senhorita Katie — disse Kristen, acenando outra vez.

Katie os observou enquanto eles andavam até a mesa, sentindo-se estranhamente feliz com aquela visita. Ela viu Alex abrir o cardápio e se inclinar para a frente para ajudar Kristen a segurar o cardápio que ela tinha nas mãos e, por um instante, desejou estar sentada à mesa com eles.

Ela arrumou seu uniforme e olhou para seu reflexo no aço inox da cafeteira. Não conseguiu ver muito, apenas uma imagem borrada. Mas foi o bastante para fazer com que ela passasse a mão pelos cabelos. Depois de verificar rapidamente se sua camisa não estava manchada — não haveria nada que pudesse fazer a respeito daquilo, mas Katie queria se certificar assim mesmo — foi até a mesa em que Alex e as crianças estavam sentados.

— Oi, gente — disse ela, dirigindo-se a Josh e Kristen. — Ouvi dizer que o pai de vocês não quis fazer o jantar hoje.

Kristen deu uma risadinha, mas Josh apenas fez que sim com a cabeça. — Ele disse que estava cansado.

— Foi o que me disseram — respondeu Katie.

Alex revirou os olhos. — Meus próprios filhos me jogaram debaixo de um ônibus.

— Eu não jogaria você debaixo de um ônibus, papai — disse Kristen, bem séria.

— Obrigado, querida.

Eles pediram xícaras de chá e uma cesta de bolinhos de chuva. Katie trouxe as bebidas para a mesa e, à medida que se afastava, sentiu que os olhos de Alex a acompanhavam. Ela lutou contra o impulso de olhar para ele por cima do ombro, embora quisesse desesperadamente fazê-lo.

Durante os minutos seguintes, Katie anotou pedidos e recolheu pratos das outras mesas. Ela trouxe duas bandejas com refeições até uma outra mesa e, finalmente, veio trazer a cesta de bolinhos de chuva.

— Tenham cuidado. Ainda estão bem quentes.

— É melhor comê-los enquanto estão quentes ainda — disse Josh, colocando a mão dentro da cesta. Kristen pegou um bolinho também.

— Nós fomos caçar borboletas hoje — disse ela.

— É mesmo?

— Sim. Mas não as machucamos. Nós as soltamos depois de pegá-las.

— Parece ter sido bem divertido. Vocês gostaram do passeio?

— Foi ótimo! Eu peguei umas 100 borboletas, eu acho. E depois fomos nadar — disse Josh.

— Deve ter sido muito bom mesmo. Não me admira que seu pai esteja cansado.

— Eu não estou cansado — disse Josh.

— Eu também não — disse Kristen, logo em seguida.

— Talvez não, mas, mesmo assim, os dois vão para a cama cedo hoje. O seu pobre e velho pai precisa dormir — disse Alex.

Katie balançou a cabeça. — Não seja tão duro consigo mesmo — disse ela. — Você não é pobre.

Ele levou um momento até perceber que ela estava brincando e riu. Foi alto o bastante para que as pessoas da mesa ao lado percebessem, mas Alex não pareceu se importar.

— Eu venho até aqui para relaxar e desfrutar do meu jantar e a garçonete vem tirar um sarro da minha cara.

— A vida é assim mesmo.

— Isso é o que você diz. Da próxima vez que eu vier aqui, você vai me mandar escolher algo do cardápio para as crianças e ainda dizer que estou ganhando peso.

— Bem, eu não ia dizer nada — comentou Katie enquanto olhava para a barriga de Alex. Ele riu novamente e quando voltou a olhá-la nos olhos ela percebeu um brilho diferente em seu olhar, fazendo com que Katie se lembrasse de que Alex a achava atraente.

— Acho que já decidimos o que vamos pedir — disse ele.

— O que posso trazer para vocês?

Alex ditou os pedidos e Katie os anotou. Ela manteve o contato visual antes de deixar a mesa e levar o pedido para a cozinha. Enquanto continuava a trabalhar nas mesas de sua seção — assim que as pessoas saíam, outras entravam no restaurante para ocupar as mesas — a garçonete descobria motivos para ir até a mesa de Alex. Voltava para encher os copos de água e as xícaras de chá, recolheu a cesta quando os bolinhos de chuva terminaram e trouxe outro garfo para Josh quando ele deixou o seu cair no chão. Ela conversava tranquilamente com Alex e as crianças, aproveitando cada momento até que lhes trouxesse o jantar.

Mais tarde, depois que haviam terminado, Katie recolheu os pratos e lhes trouxe a conta. Naquele momento, o sol já estava se pondo e Kristen começou a bocejar. De qualquer forma, o movimento no restaurante parecia estar aumentando ainda mais. Ela teve tempo apenas para um rápido adeus enquanto as crianças desciam as escadas, mas, quando Alex hesitou, Katie teve a impressão de que ele iria convidá-la para sair. Ela não sabia como lidaria com aquela situação, porém, antes que ele conseguisse dizer qualquer coisa, um dos clientes de Katie derrubou uma cerveja. Ele se levantou de sua cadeira rápido demais, esbarrando nela, e outros dois copos acabaram tombando. Alex deu um passo atrás, sentindo que o momento não era apropriado, e sabia que ela teria que voltar ao trabalho.

— Até mais — disse ele, acenando à medida que saía atrás das crianças.

No dia seguinte, Katie abriu a porta da loja cerca de meia hora após Alex abrir as portas para o público.

— Você chegou cedo — disse Alex, surpreso.

— Eu levantei cedo e pensei que aproveitaria para fazer minhas compras antes das outras coisas que preciso fazer hoje.

— O movimento no restaurante diminuiu ontem à noite?

— Depois de um bom tempo, sim. Mas estamos com menos gente na equipe esta semana. Uma delas viajou para assistir ao casamento da sua irmã e outra ligou dizendo que estava doente. O lugar está uma loucura.

— Eu percebi. Mas a comida estava ótima, apesar de o serviço ter demorado um pouco.

Quando ela o olhou com uma expressão irada, ele riu. — Isso é por ter zombado de mim na noite passada — disse Alex, balançando a cabeça. — Você me chamou de velho. Vou lhe contar a verdade, meu cabelo ficou grisalho antes que eu completasse 30 anos.

— Você se preocupa demais com isso — disse ela, tentando devolver a provocação. — Mas pode acreditar em mim. Fica bem em você. Dá um certo ar de respeitabilidade.

— E isso é bom ou ruim?

Ela sorriu sem responder e logo depois pegou uma cesta de compras. Enquanto a retirava da pilha, ela o ouviu limpar a garganta. — Você vai trabalhar tanto nesta semana como trabalhou na semana passada?

— Não, nem tanto.

— E no próximo fim de semana?

Ela pensou por um momento. — Estou de folga no sábado. Por quê?

Ele apoiou as mãos no balcão antes de olhá-la nos olhos. — Porque eu estava imaginando se você gostaria que eu a levasse para jantar. Só nós dois dessa vez. Sem as crianças.

Katie sabia que ela e Alex haviam chegado a uma encruzilhada, uma que mudaria as coisas entre eles. Ao mesmo tempo, foi por aquela razão que ela tinha ido até a loja tão cedo. Queria descobrir se estava enganada em relação à expressão que vira nos olhos dele na noite anterior, porque foi a primeira vez que soubera, com certeza, que queria que ele a convidasse.

Em meio ao silêncio, entretanto, Alex pareceu não compreender o que ela estava pensando. — Deixe para lá. Não é assim tão importante.

Katie continuou olhando nos olhos dele. — Sim, eu adoraria jantar com você. Mas com uma condição.

— E qual seria a condição?

— Você já fez tantas coisas por mim que eu gostaria de poder fazer algo por você desta vez. Que tal se eu preparasse o jantar? Na minha casa.

Ele sorriu, aliviado. — Vai ser perfeito.

15

No sábado, Katie acordou mais tarde do que o habitual. Ela havia passado os últimos dias indo de loja em loja, freneticamente, fazendo compras e decorando sua casa. Uma nova cortina de seda para a janela da sala de estar, alguns quadros e pôsteres não muito caros para as paredes, alguns pequenos tapetes para os cômodos e uma toalha e copos de verdade para o jantar que iria preparar. Na noite de sexta-feira ela havia trabalhado até de madrugada, colocando enchimento nas capas de almofada que havia comprado e fazendo uma última faxina na casa. Apesar de o sol brilhar por entre as frestas de sua janela, iluminando sua cama com listras de luz, Katie só acordou quando ouviu o barulho de alguém martelando. Com uma olhada no relógio, ela percebeu que já passava das 9 horas.

Arrastando-se para fora da cama, Katie bocejou e depois foi até a cozinha para preparar um bule de café antes de sair para a varanda, apertando os olhos devido ao brilho do sol. Ela olhou para a casa de Jo e viu que sua amiga estava no alpendre, com o martelo em punho, pronta para dar mais uma martelada, quando viu que Katie havia saído de casa.

Jo soltou o martelo. — Espero não tê-la acordado.

— Acordou, sim, mas está tudo bem. Já passou da hora de eu estar de pé. O que você está fazendo?

— Estou tentando evitar que essa veneziana se solte da parede. Quando eu cheguei em casa ontem à noite, ela estava começando a se desprender e eu tinha certeza de que cairia no meio da noite. E, é claro, pensar que essa veneziana podia me acordar a qualquer minuto se caísse no chão fez com que eu demorasse um bom tempo para conseguir dormir.

— Você precisa de ajuda?

— Não, já estou quase terminando.

— Aceita um café, então?

— Um café me parece ótimo. Estarei aí em alguns minutos.

Katie voltou para seu quarto e trocou seu pijama por um short e uma camiseta. Ela escovou os dentes e os cabelos, o suficiente para desembaraçá-los. Por entre as frestas da janela viu que Jo estava vindo em direção à sua casa e foi até a porta da frente para abri-la.

— Sua casa está ficando muito bonita! Eu adorei os tapetes e os quadros que você escolheu.

Katie deu de ombros, com um sorriso. — Bem, estou começando a me acostumar a chamar Southport de lar, eu acho. Imaginei que era hora de começar a transformar esta casa em um lugar mais permanente.

— Está realmente ótima. Parece que você está finalmente começando a criar raízes.

— E sua casa? Como está indo?

— Está ficando melhor. Vou convidá-la para dar uma olhada quando estiver pronta.

— Por onde você esteve? Faz algum tempo que não a vejo.

Jo fez um gesto indicando que aquilo não era tão incomum. — Estive fora da cidade por alguns dias, a trabalho, e depois fui visitar uma pessoa no fim de semana passado. Desde então, estive trabalhando. Você sabe como é.

— Também estive trabalhando bastante. Tive que cumprir vários turnos no restaurante nos últimos dias.

— E vai trabalhar hoje à noite?

Katie tomou um gole do seu café. — Não. Convidei uma pessoa para vir jantar aqui.

Os olhos de Jo se iluminaram. — Posso adivinhar quem é essa pessoa?

— Você já sabe quem é — disse Katie, tentando evitar ficar com o rosto corado.

— Ah, eu sabia! — disse Jo. — Que ótimo. Fico muito feliz por você. Já escolheu o que vai vestir?

— Ainda não.

— Bem, independente do que escolha, tenho certeza de que vai ficar linda. Você vai cozinhar?

— Você pode não acreditar, mas até que eu sou uma boa cozinheira.

— E o que você vai preparar?

Quando Katie lhe contou, Jo levantou uma sobrancelha.

— Parece uma delícia — disse ela. — Vai ser muito bom, estou feliz por você. Por vocês dois, na verdade. Está animada?

— É apenas um jantar.

— O que significa que você não vai ter problemas em me contar tudo o que aconteceu depois, não é?

— Acho que você precisa encontrar algum outro passatempo.

— Provavelmente. Mas, neste momento, estou me divertindo bastante com sua vida, já que minha própria vida amorosa quase não existe nesta fase da minha vida. Uma garota precisa sonhar, você não acha?

A PRIMEIRA PARADA de Katie foi no salão de cabeleireiros. Lá, uma mulher jovem chamada Brittany cortou seu cabelo e lhe fez um belo penteado, passando o tempo inteiro conversando. Do outro lado da rua ficava a única butique para mulheres de Southport e Katie foi até ali em seguida. Embora houvesse passado em frente à loja algumas vezes, enquanto pedalava pela cidade, ela nunca tinha entrado no estabelecimento. Era uma das lojas em que nunca tinha imaginado que iria querer ou precisar entrar, mas, quando começou a olhar os produtos, até que teve surpresas agradáveis. Não apenas as mercadorias eram interessantes, mas também os preços. As que estavam em promoção, pelo menos. Foi nelas que Katie concentrou sua atenção.

Estar sozinha em uma loja de roupas como aquela para fazer compras foi uma experiência intrigante. Há muito tempo não fazia algo assim e, enquanto experimentava peças de roupa diferentes no vestiário, se sentiu muito mais livre do que nos últimos anos.

Ela comprou duas peças que estavam em promoção, incluindo uma blusa bege que ficava justa ao corpo, com apliques de contas e bordados que valorizavam seu busto e o colo, mas sem exagero. Também encontrou uma bela saia estampada de verão que combinava perfeitamente com a blusa. A saia era um pouco mais longa do que ela queria, mas Katie sabia que podia dar um jeito naquilo. Depois de pagar pelas compras, ela andou mais alguns passos e entrou naquela que sabia ser a única loja de sapatos na cidade, onde escolheu um par de sandálias. Novamente, Katie aproveitou que as sandálias estavam em promoção e decidiu esbanjar um pouco. Sem gastar demais, é claro. Embora fazer compras a deixasse ansiosa, lembrou-se das gorjetas dos últimos dias que haviam sido generosas.

De lá, ela foi até a farmácia para comprar algumas outras coisas e finalmente montou na bicicleta para atravessar a cidade e ir até o supermercado. Ela não se apressou e aproveitou para andar tranquilamente entre os corredores, sentindo suas velhas e doloridas memórias tentando voltar para assombrá-la — e, desta vez, sem sucesso.

Quando terminou, ela pedalou de volta para casa e começou os preparativos para o jantar. Katie iria fazer camarões recheados com carne de caranguejo, salteados na manteiga e no alho. Ela teve que puxar pela memória para se lembrar da receita, mas como já a havia preparado várias vezes no decorrer dos anos, estava confiante de que não havia se esquecido de nada. Como guarnições, decidiu que iria preparar pimentões recheados e pão de milho. Para os aperitivos, pedaços de queijo *brie* enrolados com tiras de *bacon*, cobertos com uma calda de framboesas.

Fazia um bom tempo que não preparava uma refeição tão elaborada, mas Katie sempre gostou de recortar receitas que encontrava em revistas, desde que era mais nova. O gosto pela culinária era a única coisa que ela tinha em comum com sua mãe, com quem compartilhou daquele interesse algumas vezes.

Katie passou o resto da tarde ocupada com a cozinha. Misturou os ingredientes para o pão de milho e o colocou no forno, depois preparou os demais ingredientes para rechear os pimentões e colocou-os na geladeira com os pedaços de queijo *brie* enrolados com *bacon*. Quando o pão de milho estava pronto, ela o deixou no balcão para esfriar, enquanto começava a preparar a calda de framboesas. Não era nada muito difícil — açúcar, framboesas e água — mas, quando terminou, a cozinha estava com um cheiro maravilhoso. O molho também foi para o refrigerador. O resto poderia esperar até um pouco mais tarde.

No quarto, ela encurtou a saia que havia comprado até um dedo acima dos joelhos e depois conferiu a casa pela última vez para ter certeza de que tudo estava em seu devido lugar. Finalmente, ela começou a se despir.

Quando entrou no chuveiro, Katie pensou em Alex. Visualizou seu sorriso tranquilo e sua maneira gentil e graciosa de se mover, e a memória lhe acendeu uma leve chama na barriga. Embora não quisesse fazer aquilo, imaginou se ele estaria tomando seu banho no mesmo momento em que ela. Havia algo de erótico naquele pensamento, a promessa de algo novo e estimulante. Era apenas um jantar, ela fez questão de lembrar a si mesma; mesmo assim, sabia que não estava sendo completamente honesta.

Havia outra força em ação, algo cuja existência ela vinha tentando negar. Sentia-se atraída por ele, mais do que gostaria de admitir. E quando saiu do chuveiro, já sabia que teria que tomar cuidado. Alex era o tipo de homem pelo qual ela poderia se apaixonar e aquela ideia a assustava. Ela não estava pronta para algo assim. Pelo menos, não neste momento.

E, logo depois de pensar naquilo, ouviu outro sussurro no fundo de sua cabeça, dizendo "sim". Talvez estivesse pronta.

Depois de se enxugar, ela hidratou a pele com uma loção corporal de cheiro adocicado, vestiu suas novas roupas e calçou as sandálias antes de aplicar a maquiagem que havia comprado na farmácia. Não precisou de muito, apenas um toque de batom nos lábios, um delineador e um pouco de sombra para os olhos. Escovou o cabelo e finalizou com um par de brincos longos que havia comprado num momento de impulso. Ao terminar, se afastou do espelho.

"Estou pronta", pensou consigo mesma. "É tudo que eu tenho". Ela se virou para um lado e depois para o outro, ajustando a blusa até finalmente abrir um sorriso. Havia um bom tempo que não se achava tão bonita.

Embora o sol finalmente tivesse cruzado o céu e brilhasse na direção do poente, a casa ainda estava quente e Katie abriu as janelas da cozinha. A brisa leve bastou para refrescá-la enquanto preparava a mesa. No começo da semana, quando estava saindo da loja, Alex perguntou se poderia levar uma garrafa de vinho. Assim, Katie colocou duas taças na mesa. No centro, ela colocou uma vela e, quando deu um passo para trás para admirar a mesa que havia posto, ouviu o som de um motor que se aproximava. Ela percebeu pelo relógio que Alex chegara bem no horário.

Katie respirou fundo, tentando acalmar seus nervos. Assim, depois de atravessar a sala e abrir a porta, saiu para a varanda. Vestido com uma calça jeans e uma camisa azul com as mangas dobradas até os cotovelos, Alex estava em pé ao lado da porta do seu carro, inclinado para dentro do veículo, tentando alcançar alguma coisa ali dentro. Seu cabelo ainda estava um pouco molhado perto do pescoço.

Alex tirou duas garrafas de vinho e se virou. Quando a viu, ele sentiu-se como se estivesse paralisado, com uma expressão de pura descrença no rosto. Em pé, ela estava cercada pelos últimos raios do pôr do sol, perfeitamente radiante. E, por um momento, tudo o que ele fez foi olhar fixamente para ela.

O assombro de Alex era óbvio e Katie deixou que aquilo tomasse conta de si, sabendo que ela queria que aquela sensação durasse para sempre.

— Você veio — disse ela.

O som da voz de Katie foi o suficiente para quebrar o transe, mas Alex continuou a olhar para ela. Ele sabia que deveria dizer algo inteligente ou bem-humorado para quebrar a tensão. Entretanto, ele se apanhou pensando: "Estou encrencado. Muito encrencado".

Ele não sabia exatamente o momento em que aquilo havia acontecido. Ou mesmo quando havia começado. Talvez fosse na manhã em que ele vira Kristen nos braços de Katie depois que Josh havia caído no rio, ou na tarde chuvosa em que ele a havia trazido para casa, ou até mesmo durante o domingo que passaram na praia. Tudo o que Alex sabia com certeza era que, aqui e agora, ele estava se apaixonando perdidamente por aquela mulher e que esperava que ela sentisse o mesmo em relação a ele.

Após alguns momentos, ele finalmente conseguiu limpar sua garganta. — É... Acho que sim.

16

O céu do início da noite era um prisma de cores enquanto Katie conduzia Alex pela modesta sala de estar em direção à cozinha.

— Não sei o que você acha, mas eu gostaria muito de abrir o vinho agora — disse ela.

— É uma boa ideia. Eu não sabia o que você iria preparar, então trouxe uma garrafa de *sauvignon blanc* e também um *zinfandel*[4]. Você tem preferência por algum deles?

— Vou deixar que você escolha — disse ela.

Na cozinha, ela se apoiou contra o balcão, deixando uma perna por cima da outra, enquanto Alex preparava o saca-rolhas para abrir a garrafa. Pela primeira vez, ele parecia estar mais nervoso do que ela. Com uma série de movimentos rápidos, ele abriu a garrafa de *sauvignon blanc*. Katie colocou as taças no balcão ao lado dele, percebendo o quão próximos eles estavam.

— Eu devia ter dito isso assim que cheguei aqui. Você está linda.

— Obrigada — respondeu ela.

Ele serviu um pouco do vinho, colocou a garrafa sobre o balcão e entregou o copo a Katie. Quando ela o pegou, Alex sentiu o cheiro do creme para o corpo com aroma de coco que ela havia usado.

[4] Espécie de uva de coloração vermelha cultivada no estado da Califórnia. Essa denominação também é usada para os vinhos tintos feitos com essa variedade de uva. (N.T.)

— Acho que você vai gostar do vinho. Pelo menos, é o que eu espero.

— Tenho certeza de que vou adorar — disse ela, levantando o copo.

— Vamos brindar — propôs Katie, tocando a taça de Alex com a sua.

Ela tomou um gole, sentindo-se extraordinariamente feliz com tudo: com sua própria aparência, o sabor do vinho, o aroma suave do molho de framboesas que ainda perfumava o ar, a maneira como Alex olhava para ela, esforçando-se para não parecer indiscreto.

— Gostaria de se sentar na varanda? — sugeriu ela.

Ele assentiu. Ao saírem pela porta, cada um se sentou em uma das cadeiras de balanço. No ar que esfriava lentamente, os grilos começaram a cantar, dando as boas-vindas para a noite que chegava.

Katie saboreou o vinho, apreciando o toque frutado que a bebida deixava em sua língua. — E como estão Kristen e Josh?

— Eles estão bem. Eu os levei para assistir a um filme.

— Mas o dia estava tão bonito hoje, perfeito para alguma atividade ao ar livre.

— Eu sei. Mas com o feriado do Dia do Soldado[5] na segunda-feira, acho que ainda poderemos fazer alguma coisa ao ar livre nos próximos dias.

— A loja vai abrir no Dia do Soldado?

— Claro que sim. É um dos dias mais movimentados do ano, pois todo mundo pretende passar o feriado na praia. Provavelmente vou trabalhar até a 1 hora da tarde.

— É uma pena. Mas também vou ter que trabalhar no feriado.

— Talvez eu e as crianças possamos aparecer no restaurante para te incomodar.

— Vocês não me incomodaram nem um pouco quando estiveram lá — disse Katie, olhando para Alex por cima de sua taça de vinho. — Bem, as crianças não me incomodaram, na verdade. Mas eu me lembro de você ter reclamado da qualidade do serviço.

[5] *Memorial Day*, celebrado nos Estados Unidos no dia 30 de maio, em honra aos soldados americanos mortos em combate. (N.T.)

— Gente velha só sabe reclamar mesmo — retrucou ele.

Ela riu antes de se balançar em sua cadeira. — Quando não estou trabalhando, gosto de me sentar aqui e ler. O lugar é muito tranquilo, sabia? Às vezes parece que sou a única pessoa num raio de alguns quilômetros.

— Mas você é a única pessoa por aqui. Você vive praticamente no meio do mato — ironizou Alex.

Katie lhe deu um tapa amistoso no ombro. — Veja lá como fala. Gosto bastante da minha casinha.

— E tem razão. Ela está melhor do que imaginei que estaria. É bem aconchegante.

— Ainda não está como eu quero, mas estou chegando lá. É um trabalho em progresso. E o melhor de tudo é que ela é minha e ninguém irá tirá-la de mim.

Foi a vez de Alex olhar para ela. Katie estava com o olhar perdido, olhando para além da via de cascalhos, em direção ao campo gramado que havia adiante.

— Está tudo bem? — perguntou ele.

Ela levou algum tempo para responder. — Estava apenas pensando que estou muito feliz por você estar aqui. Você nem me conhece...

— Acho que a conheço bem o bastante.

Katie não disse nada. Alex observou-a quando ela baixou os olhos.

— Você acha que me conhece — disse ela, num sussurro. — Mas, na verdade, não conhece.

Alex sentiu que Katie estava com medo de dizer mais. Em meio ao silêncio, ele ouviu as tábuas do piso da varanda rangendo enquanto ele se movimentava para frente e para trás na cadeira de balanço.

— Que tal se eu lhe disser o que acho que sei a seu respeito e você me diz se estou certo ou errado? Podemos fazer assim?

Ela acenou positivamente com a cabeça, apertando os lábios. Quando Alex prosseguiu, sua voz era suave.

— Eu acho que você é inteligente e charmosa, e que você é uma pessoa de bom coração. Eu sei que, quando quer, você sabe se preparar para ficar ainda mais linda do que qualquer pessoa que eu já tenha conhecido. Você é independente, tem um bom senso de humor e demonstra uma paciência incrível para lidar com crianças. Você tem razão quando diz que não conheço detalhes específicos sobre seu passado, mas não imagino que eles sejam importantes, a menos que você queira me contar a respeito deles. Todo mundo tem um passado, mas ele se limita a ser apenas o passado. Você pode aprender com ele, mas não pode mudá-lo. A pessoa que eu conheço é aquela que eu quero conhecer ainda melhor.

Enquanto ele falava, Katie abriu um sorriso frágil. — Você fala como se tudo fosse muito simples.

— Pode ser tão simples quanto você quiser que seja.

Ela girou a taça entre os dedos, segurando-a pela haste, enquanto considerava aquelas palavras. — E se o passado não for realmente passado? E se ainda estiver acontecendo?

Alex continuou a encará-la. — Você tem medo de que ele a encontre.

Katie titubeou. — O que você disse?

— Você ouviu o que eu disse — continuou Alex. Ele manteve a voz firme e tranquila, em um tom quase conversacional, algo que havia aprendido enquanto trabalhava no DIC. — Eu imagino que você já foi casada. E que talvez seu ex-marido esteja tentando descobrir onde você está.

Katie se sentiu paralisar e seus olhos se arregalaram. Repentinamente, sentiu dificuldade para respirar e se levantou da cadeira em um salto, derramando o que restava do seu vinho. Ela recuou um passo, afastando-se dele, olhando-o fixamente e sentindo seu rosto empalidecer.

— Como você sabe tudo isso sobre mim? Quem lhe contou? — perguntou ela, com a mente trabalhando em alta velocidade, tentando descobrir o que havia acontecido. Alex não poderia saber de tudo aquilo. Não era possível. Ela não havia contado a ninguém.

Com exceção de Jo.

Perceber aquilo foi o bastante para lhe tirar o fôlego e ela olhou para a casa que ficava ao lado da sua. Sua vizinha havia lhe traído a confiança, pensou ela. Sua *amiga* havia lhe traído.

Tão rapidamente quanto os pensamentos que corriam pela mente de Katie, a mente de Alex também estava trabalhando freneticamente. Ele percebeu o medo na expressão dela, mas ele já havia visto aquilo antes. Inúmeras vezes. E ele sabia que era hora de parar com os jogos e as dissimulações se quisessem que a situação deles avançasse.

— Ninguém me contou nada — garantiu Alex. — Mas sua reação mostra que estou certo. De qualquer forma, isso não tem importância. Não conheço essa pessoa, Katie. Se você quiser me contar sobre seu passado, estou disposto a escutá-la e ajudar de qualquer maneira que esteja ao meu alcance, mas não vou lhe perguntar nada a respeito. E, se você não quiser me contar, também não há problema algum. Como lhe disse, não conheço essa pessoa. Você deve ter bons motivos para querer guardar segredo, o que significa que eu também não vou contar nada a ninguém. Não importa o que aconteça entre nós. Se você quiser inventar um novo passado para você, vá em frente. Darei meu respaldo total e confirmarei cada palavra que você disser. Pode confiar em mim.

Katie olhou para Alex enquanto ele falava, sentindo-se confusa, amedrontada e enraivecida, mas ouvindo atentamente cada palavra.

— Mas... como?

— Aprendi a perceber coisas que outras pessoas deixam passar. Houve uma época na minha vida em que isso era tudo que eu fazia. E você não é a primeira mulher nessa situação que conheci.

Katie continuou olhando para ele, ainda imersa em pensamentos. — Quando você estava no exército — concluiu ela.

Ele assentiu, sem desviar o olhar. Finalmente, ele se levantou da cadeira e deu um passo cauteloso em direção a ela. — Posso lhe servir mais um copo de vinho?

Ainda envolvida em um turbilhão de emoções, ela não conseguiu responder, mas quando Alex estendeu a mão para pegar seu copo, deixou que ele o tomasse. A porta da varanda se abriu com um rangido e se fechou por trás dele, deixando-a sozinha.

Katie andou até o parapeito, lutando contra o caos que dominava seus pensamentos. Ela resistiu ao instinto de fazer as malas, pegar a lata de café cheia de dinheiro e sair da cidade assim que pudesse.

Mas o que faria? Se Alex conseguira descobrir a verdade simplesmente observando, então seria possível que outra pessoa conseguisse fazer o mesmo. E, por uma obra qualquer do destino, talvez essa outra pessoa não fosse gentil como Alex.

Por trás dela, Katie ouviu a porta se abrir de novo. Alex saiu para a varanda e foi até o parapeito, colocando a taça em sua frente.

— Já terminou de pensar?

— No quê?

— Se você vai fugir para algum lugar desconhecido assim que puder?

Katie se virou para ele, com uma expressão chocada no rosto.

Alex levantou as mãos, mostrando-lhe as palmas. — No que mais você estaria pensando? Mas, apenas para que você saiba, estou curioso apenas porque estou começando a sentir fome. Seria horrível se você saísse correndo antes do nosso jantar.

Ela demorou alguns segundos para perceber que ele estava brincando. Embora não acreditasse que fosse possível, considerando os últimos minutos de sua conversa com Alex, Katie percebeu que estava sorrindo aliviada.

— Ainda vamos jantar, não se preocupe — disse ela.

— E amanhã?

Em vez de responder, ela pegou a taça de vinho. — Quero que você me conte como descobriu isso.

— Não foi apenas uma coisa — disse Alex, mencionando em seguida algumas das coisas que havia percebido no decorrer dos dias. — A maioria das pessoas não conseguiria juntar as peças.

Katie olhava para o fundo do seu copo. — Mas você conseguiu.

— Não tive como evitar. É automático para mim.

Ela pensou naquela resposta. — Isso significa que você já sabia disso há algum tempo. Ou que, pelo menos, desconfiava.

— Sim — admitiu ele.

— E foi por isso que você nunca perguntou sobre meu passado.

— Isso mesmo — completou ele.

— E mesmo assim você queria sair comigo.

A expressão no rosto de Alex era séria. — Eu quero sair com você desde o dia em que a vi pela primeira vez. Simplesmente tive que esperar até que você estivesse pronta.

Com os últimos raios do sol desaparecendo no horizonte e o crepúsculo se aproximando, o céu azul e sem nuvens ganhava tons de um violeta pálido. Eles estavam em frente ao parapeito da varanda e Alex observou a brisa gentil que vinha do sul agitar alguns fios do cabelo de Katie. A pele dela ganhou tons de dourado e laranja, como um pêssego; ele viu o levantar e o abaixar suave do seu peito enquanto ela respirava. O olhar dela estava perdido na distância, sua expressão ilegível; Alex sentiu sua garganta se apertar ao imaginar no que ela estaria pensando.

— Você não respondeu à minha pergunta — disse ele, finalmente quebrando o silêncio.

Ela permaneceu quieta por alguns momentos, antes de deixar um sorriso tímido se formar em seu rosto.

— Acho que vou continuar em Southport por mais algum tempo, se é isso que você quer saber — respondeu ela.

Alex inspirou o perfume que emanava dela. — Você sabe que pode confiar em mim.

Katie se inclinou e apoiou a cabeça no peito de Alex, sentindo a força daquele homem enquanto ele colocava seu braço ao redor do corpo dela. — Acho que não tenho escolha, não é?

•◆•

Eles voltaram para a cozinha alguns minutos depois. Katie deixou sua taça de vinho sobre o balcão e se ocupou com os afazeres do jantar, colocando os aperitivos e os pimentões recheados no forno. Ainda se recuperando do choque que sentira quando Alex revelou detalhes tão exatos sobre seu passado, ela ficou feliz por ter algo com que se ocupar. Era difícil aceitar que ele ainda quisesse desfrutar de sua companhia naquela noite. E, mais importante, que ela quisesse passar a noite com ele. No fundo do seu coração, não tinha certeza de que merecia ser feliz e também não acreditava que fosse digna de ter alguém que parecia tão... normal.

Aquele era o segredo sujo associado ao seu passado. Não o fato de ter sofrido com a violência — de alguma forma, ela achava que merecia o que lhe acontecera, simplesmente por ter deixado que tudo aquilo acontecesse. Mesmo agora, ela ainda se envergonhava. Havia momentos em que se sentia incrivelmente feia, como se as cicatrizes do passado ficassem visíveis para todos.

Mas, nesse momento e nesse lugar, seu passado importava menos do que antigamente, porque, de algum modo, Katie suspeitava que Alex entendia a vergonha que ela sentia. E aceitava aquele sentimento também.

Ela tirou da geladeira a calda de framboesas que havia feito durante a tarde e começou a despejá-la com uma colher em uma pequena frigideira que já estava quente no fogão. Não demorou muito e, depois de deixá-la de lado, tirou os pedaços de queijo *brie* enrolados com *bacon* do forno, cobriu-os com a calda e trouxe-os para a mesa. Lembrando-se do vinho que ainda estava sobre o balcão, ela pegou a garrafa e veio se sentar à mesa com Alex.

— Isso é só para começar. Os pimentões ainda vão demorar um pouco.

Ele se inclinou em direção à bandeja. — O cheiro é maravilhoso.

Alex se serviu de um dos pedaços de queijo e o levou à boca. — Que delícia — disse ele.

— É bom, não é? — disse Katie, sorrindo.

— Maravilhoso. Onde você aprendeu a cozinhar assim?

— Eu tinha um amigo que era cozinheiro. Ele me disse que esse aperitivo consegue encantar qualquer pessoa.

Alex cortou outro pedaço com seu garfo. — Fico feliz por você ter decidido ficar em Southport. Acho que consigo me imaginar comendo este queijo com calda de framboesas regularmente, mesmo que tenha que trocar as mercadorias da minha loja por um prato como este.

— A receita não é complicada.

— Você nunca me viu cozinhar. Sou muito bom para fazer pratos que as crianças gostam, mas, se for necessário preparar algo mais elaborado, simplesmente não consigo.

Alex pegou seu copo de vinho e tomou mais um gole. — Acho que o queijo vai combinar mais com o vinho tinto. Você se importa se eu abrir a outra garrafa?

— De modo algum.

Ele se levantou e foi até o balcão da cozinha. Alex abriu o *zinfandel* enquanto Katie foi até o armário e tirou mais duas taças. Alex encheu as duas e entregou uma delas a Katie. Os dois estavam perto o bastante para que seus corpos quase se tocassem, e Alex teve que lutar contra o desejo de puxá-la para si e abraçá-la. Em vez disso, ele limpou a garganta.

— Eu queria lhe dizer uma coisa, mas não quero que você me entenda mal.

Ela hesitou. — Por que é que tenho a impressão de que não vou gostar do que você vai dizer?

— Eu só queria lhe dizer o quanto estava ansioso para que esta noite chegasse. Sabe, passei a semana inteira pensando nisso.

— Por que você achou que eu entenderia mal?

— Não sei. Talvez por você ser mulher? Porque isso faz com que eu pareça estar desesperado, e porque nenhuma mulher gosta de homens desesperados?

Pela primeira vez naquela noite, ela riu de forma tranquila, sem nervosismo. — Eu não acho que você seja um desesperado. Tenho a impressão de que, às vezes, você fica sobrecarregado por conta das crianças e da loja. Mas você não é do tipo que fica me ligando todos os dias.

— Eu só não faço isso porque você não tem telefone. Mas, mesmo assim, eu queria que você soubesse que tudo isso significa muito para mim. Não tenho muita experiência com esse tipo de coisa.

— Jantares?

— Não. Encontros românticos. Já faz um bom tempo.

"Bem-vindo ao clube", pensou ela consigo mesma. Mas aquilo fez com que ela se sentisse bem, de qualquer maneira. — Vamos comer — disse ela, convidando-o a voltar à mesa. — É melhor comê-los enquanto ainda estão quentes.

Quando o aperitivo estava terminado, Katie se levantou da mesa e foi até o forno, dando uma rápida olhada nos pimentões antes de lavar a frigideira que havia usado antes. Ela juntou os ingredientes para o molho do prato principal e começou a prepará-lo, enquanto salteava os camarões em outra panela. Quando os camarões ficaram prontos, o molho também já estava finalizado. Katie colocou um pimentão em cada prato e acrescentou os camarões. Depois de deixar a cozinha à meia-luz, ela acendeu a vela que havia deixado no centro da mesa. O aroma de manteiga e alho e a luz que tremeluzia contra a parede fizeram com que a cozinha parecesse quase nova e com que o ar se enchesse de expectativas.

Alex e Katie jantaram e conversaram. Do lado de fora da casa, as estrelas saíam de seus esconderijos. Alex elogiou a refeição mais de uma vez, dizendo que nunca havia provado nada melhor. Conforme a vela queimava e a garrafa de vinho se esvaziava, Katie revelou alguns fragmentos e detalhes de seu passado, como a vida que teve em Altoona enquanto crescia. Embora não tivesse revelado todos os detalhes sobre seus pais a Jo, ela contou tudo a Alex, sem quaisquer reservas: as constantes mudanças, o alcoolismo de seus pais e o fato de que teve que sobreviver sozinha desde os 18 anos. Alex ficou em silêncio durante todo o relato, escutando sem julgá-la. Mesmo assim, ela não tinha certeza sobre o que ele achava de seu passado. Quando ela finalmente parou de falar, começou a imaginar se não teria dito coisas demais sobre si mesma. Mas foi nesse momento que ele colocou sua mão sobre a dela. Embora não conseguisse olhar nos olhos de Alex, os dois se deram as mãos sobre a mesa. Nenhum dos dois se sentia disposto a quebrar a magia daquele toque, como se fossem as duas únicas pessoas que restavam no mundo.

— Acho que é melhor eu começar a limpar a cozinha — disse Katie, após algum tempo, finalmente quebrando o encanto. Ela se afastou da mesa. Alex ouviu os pés da cadeira de Katie se arrastando no chão e percebeu que aquele momento havia chegado ao fim. Tudo o que ele queria era poder senti-lo novamente.

— Eu quero que você saiba que esta noite foi maravilhosa para mim — começou ele.

— Alex... eu...

Ele balançou a cabeça. — Você não precisa dizer nada que...

Katie não o deixou concluir a frase. — Mas eu quero dizer algo, está bem?

Ela estava ao lado da mesa, com os olhos brilhando por conta de uma emoção desconhecida. — Eu também tive uma noite maravilhosa. E sei para onde isso vai nos levar e não quero que você fique magoado — disse ela, exalando o ar e se preparando para as palavras que teria que dizer a seguir. — Não posso fazer promessas. Não posso lhe dizer onde estarei amanhã, ou mesmo daqui a um ano. Quando fugi pela primeira vez, pensei que conseguiria deixar tudo para trás e começar minha vida do zero, entende? Eu viveria minha vida e simplesmente fingiria que nada havia me acontecido. Mas como posso fazer isso? Você acha que me conhece, mas não tenho certeza nem mesmo se eu me conheço. E por mais que você saiba algumas coisas sobre mim, há muitas outras que você não sabe.

Alex sentiu algo desmoronar dentro de si. — Quer dizer que você não quer mais me ver?

— Não — disse ela, balançando a cabeça com firmeza. — Estou dizendo tudo isso porque eu quero vê-lo outras vezes, sim. E isso me assusta, porque, no fundo do meu coração, sei que você merece alguém melhor. Você merece alguém em quem possa confiar. Alguém com quem seus filhos possam contar. Como eu disse, há certas coisas sobre mim que você não sabe.

— Essas coisas não me interessam — insistiu Alex.

— Como você pode dizer uma coisa dessas?

No silêncio que se seguiu àquela pergunta, Alex ouviu o ruído baixo do motor da geladeira. Pela janela, a lua havia aparecido no céu e agora iluminava o alto das copas das árvores.

— Porque eu conheço a mim mesmo — disse ele, finalmente percebendo que estava apaixonado por ela. Amava a Katie que conhecia e também amava a Katie que ele não tivera a oportunidade de conhecer. Ele levantou da cadeira e se aproximou dela.

— Alex... isso não pode...

— Katie — sussurrou ele e, por um momento, nenhum dos dois se moveu. Alex finalmente pousou sua mão no quadril de Katie e a trouxe para perto de si. Katie soltou o ar, como se estivesse se livrando de um fardo que trazia há muito tempo sobre os ombros. E, quando ela conseguiu olhar nos olhos dele, foi como se repentinamente se tornasse fácil para Katie imaginar que seus medos fossem insignificantes. Que Alex a amaria independentemente do que ela dissesse. Que ele era o tipo de homem que já a amava e que a amaria para sempre.

E foi naquele momento que ela percebeu que também o amava.

Assim, Katie se permitiu tocá-lo e apoiar seu rosto no peito dele. Ela sentiu os dois corpos se tocarem e sentiu quando Alex acariciou seu cabelo com uma das mãos. O toque era suave e gentil, diferente de tudo o que ela havia sentido anteriormente, e ela observou, encantada, enquanto ele fechava os olhos. Alex inclinou a cabeça e seus rostos se aproximaram.

Quando seus lábios finalmente se encontraram, ela sentiu o gosto do vinho na língua dele. Katie se entregou a Alex, permitindo que ele beijasse sua face e seu pescoço, arqueando as costas para trás e deliciando-se com a sensação. Ela sentia a umidade dos lábios dele conforme eles lhe tocavam a pele, e colocou os braços ao redor do pescoço dele.

"Essa era a verdadeira sensação de amar alguém", pensou ela, e de ter esse mesmo amor retribuído. Katie começou a sentir as lágrimas se formando em seus olhos. Ela piscou, tentando não derramá-las, mas era impossível fazer aquilo. Katie o amava e o queria. Mais do que isso, queria que Alex amasse a verdadeira Katie, com todos os seus defeitos e segredos. Ela queria que ele soubesse toda a verdade.

Eles se beijaram por muito tempo na cozinha, envolvidos em abraços apertados. As mãos de Alex deslizavam pelas costas e os cabelos de Katie. Ela se arrepiou ao sentir a barba por fazer no rosto de Alex. Quando ele deslizou seus dedos pela pele do braço de Katie, ela sentiu uma torrente de calor líquido queimar seu corpo por dentro.

— Eu quero muito estar com você, mas não posso — sussurrou ela, finalmente, esperando que aquilo não o enervasse.

— Está tudo bem — sussurrou ele. — Eu duvido que esta noite possa ficar mais maravilhosa do que foi até aqui.

— Mas você está decepcionado.

Alex afastou uma mecha do cabelo que caía sobre o rosto de Katie.

— Não acho que seja possível você me causar qualquer tipo de decepção.

Ela engoliu em seco, tentando afastar seus temores.

— Tem algo que você precisa saber sobre mim — sussurrou ela.

— Seja lá o que for, tenho certeza de que posso entender.

Ela voltou a se apoiar nele.

— Não posso passar a noite com você. É o mesmo motivo pelo qual nunca poderemos nos casar — disse ela, em voz baixa. — Já sou casada.

— Eu sei — sussurrou ele.

— E você não se importa?

— Não é uma situação perfeita. Mas confie em mim, também não sou uma pessoa perfeita. Assim, talvez seja melhor deixarmos as coisas acontecerem, um dia após o outro. E quando você estiver pronta, quando realmente se sentir à vontade, estarei esperando.

Alex tocou o rosto de Katie com um dedo. — Eu amo você, Katie. Talvez você não esteja preparada para dizer essas palavras agora. Talvez nunca esteja. Mas isso não muda o que sinto por você.

— Alex...

— Você não precisa dizer nada, Katie.

— Posso explicar? — perguntou ela, finalmente se afastando.

Ele não fez questão de esconder sua curiosidade.

— Eu quero lhe contar algo. Quero lhe contar minha história.

17

Três dias antes que Katie saísse da região da Nova Inglaterra, uma brisa gelada, típica do início de janeiro, fez com que os flocos de neve congelassem, e ela teve que baixar a cabeça enquanto caminhava em direção ao salão de cabeleireiros. Seus longos cabelos loiros esvoaçavam com o vento, fazendo com que sentisse as agulhadas do gelo conforme os flocos se chocavam contra seu rosto. Ela estava usando sapatos de salto alto, não botas, e seus pés já estavam congelando. Atrás dela, Kevin estava no carro, sentado ao volante, observando-a. Embora ela não tivesse se virado para olhá-lo, ela ouvia o barulho do motor e sabia que os lábios dele formavam uma fina linha horizontal, com os músculos tensionados.

A multidão que enchia aquela região da cidade durante o Natal já não ocupava mais as ruas. De um dos lados do salão havia a loja Radio Shack, especializada em produtos eletrônicos, e do outro, um *pet shop*. As duas lojas estavam vazias. Quando Katie ia entrar no salão, o vento fez com que a porta se abrisse violentamente, e ela teve que se esforçar para fechá-la. O ar gelado a seguiu para dentro do recinto e os ombros de sua jaqueta estavam cobertos por uma fina camada de neve. Tirou suas luvas e a jaqueta, virando-se ao fazer aquilo. Ela acenou para Kevin em despedida e sorriu. Ele gostava quando ela lhe lançava um sorriso.

Ela tinha um horário marcado para as 2 horas com uma mulher chamada Rachel. A maioria das cadeiras já estava ocupada e Katie não sabia para onde devia ir. Era a primeira vez que ela vinha até este salão e sentia um certo desconforto com aquilo. Nenhuma das cabeleireiras parecia ter mais de 30 anos e a maioria delas tinha penteados arrojados, com mechas ou tinturas azuis e vermelhas. Logo depois, ela foi abordada por uma garota com cerca de 25 anos, bronzeada e com alguns *piercings*, além de uma tatuagem no pescoço.

— Você está agendada para as 2 horas? Corte e tintura?

Katie fez que sim com a cabeça.

— Meu nome é Rachel. Venha comigo.

Rachel deu uma olhada por cima do ombro. — Está bem frio lá fora, não é? Eu quase morri no caminho entre meu carro e a entrada do salão. Eles nos obrigam a deixar o carro na parte mais distante do estacionamento. Detesto isso, mas não há nada que eu possa fazer.

— Está bem frio — concordou Katie.

Rachel a levou para uma cadeira perto do canto do salão. Era uma cadeira forrada com vinil roxo e o piso do salão era de azulejos pretos. "Um lugar para pessoas mais jovens", pensou Katie. Mulheres solteiras que queriam se destacar. Não para mulheres casadas com cabelos loiros. Katie estava inquieta, sentindo-se agitada à medida que Rachel cobria suas roupas com uma bata. Ela agitava os dedos dos pés, tentando aquecê-los.

— Você é nova na cidade? — perguntou Rachel.

— Eu moro em Dorchester — respondeu ela.

— Fica um pouco longe. Alguém lhe indicou o salão?

Katie havia passado em frente ao salão há duas semanas, quando Kevin a levara às compras, mas não chegou a dizer aquilo. Em vez disso, ela simplesmente negou com um aceno de cabeça.

— Bem, acho que foi sorte eu ter atendido ao telefone, então — disse Rachel, com um sorriso. — Que tipo de tintura você quer?

Katie detestava olhar para si mesma no espelho, mas não tinha escolha. Ela tinha que conseguir fazer aquilo e da maneira certa. Era sua única chance. Havia uma fotografia colada no espelho à sua frente, mostrando Rachel e um rapaz que Katie presumiu ser o namorado dela. Ele tinha mais *piercings* do que ela e também tinha o cabelo cortado em estilo moicano. Por baixo da bata, Katie apertou as mãos.

— Eu quero algo que pareça natural, como umas luzes escuras, que combinem com o inverno. E cuide das raízes também, para que não fiquem muito destoantes.

Rachel assentiu, olhando para o reflexo de Katie no espelho. — Quer que o tom geral fique da mesma cor? Mais claro ou mais escuro? O cabclo, não as luzcs.

— Mais ou menos a mesma cor.

— Podemos usar a touca metálica?

— Sim — respondeu Katie.

— Vai ser moleza, então — disse Rachel. — Me dê alguns minutos para preparar minhas coisas. Eu volto já.

Katie assentiu. Ao seu lado, ela viu uma mulher recostada em um lavatório e outra cabeleireira ao seu lado. Ela ouviu a água correr e o murmúrio geral das conversas que vinha das outras cadeiras do salão. Uma música suave vinha pelos alto-falantes.

Rachel voltou com a touca metálica e a tintura. Perto da cadeira ela misturou os produtos, certificando-se de que a consistência estava correta.

— Há quanto tempo você mora em Dorchester?

— Quatro anos.

— E onde você morava antes?

— Na Pensilvânia — respondeu Katie. — Eu morava em Atlantic City antes de me mudar para cá.

— Aquele homem que te trouxe até aqui é seu marido?

— Sim.

— Ele tem um belo carro. Vi quando você acenou para ele. Qual é o modelo? Um Mustang?

Katie assentiu mais uma vez, mas não respondeu. Rachel trabalhou por algum tempo em silêncio, aplicando a tintura e ajustando a touca.

— Há quanto tempo vocês são casados? — perguntou Rachel, conforme aplicava a tintura e envolvia com a touca uma mecha mais rebelde do cabelo de Katie.

— Quatro anos.

— Foi por isso que você se mudou para Dorchester, não é?

— Sim.

Rachel continuou com sua conversa. — E o que você faz? Com o que trabalha?

Katie olhou para frente, tentando não enxergar a si mesma no espelho. Desejando ser outra pessoa. Ela poderia ficar ali por uma hora e meia antes que Kevin voltasse para buscá-la e rezava para que ele não chegasse mais cedo.

— Eu não trabalho — respondeu Katie.

— Acho que ficaria louca se não tivesse um emprego. Não que seja fácil manter um, é claro. E o que você fazia antes de se casar?

— Eu era garçonete e trabalhava servindo coquetéis.

— Em um dos cassinos?

Katie fez que sim com a cabeça.

— Foi lá que você conheceu seu marido?

Sim respondeu Katie.

— E o que ele está fazendo agora? Enquanto você está aqui embelezando o cabelo?

"Provavelmente está em algum bar", pensou Katie. — Não sei.

— E por que você não veio até aqui dirigindo? Como eu disse, Dorchester fica um pouco longe daqui.

— Eu não tenho habilitação. Meu marido me leva sempre que eu preciso ir a algum lugar.

— Eu não sei o que faria sem meu carro. Não é nada de especial, mas vou aonde preciso com ele. Detestaria ter que depender de outra pessoa para ir de um lugar a outro.

Katie podia sentir o perfume no ar. O radiador sob o balcão começou a fazer barulho. — Nunca aprendi a dirigir.

Rachel deu de ombros enquanto ajustava outro pedaço da touca metálica no cabelo de Katie. — Não é difícil. Treine um pouco, faça o teste e você logo estará guiando pelas ruas.

Katie olhou para Rachel no espelho. Rachel parecia saber o que estava fazendo, mas ela ainda era jovem e estava começando sua vida, e enquanto a olhava, Katie desejava que ela fosse mais velha e mais experiente. E aquilo lhe pareceu estranho, porque ela provavelmente era somente alguns anos mais velha do que Rachel. Mas Katie sentia-se velha.

— Você tem filhos?

— Não.

Talvez a garota tivesse percebido que dissera algo errado, pois trabalhou em silêncio durante os minutos seguintes. Os pedaços da touca metálica faziam Katie parecer como se tivesse antenas na cabeça, como um alienígena, até que Rachel finalmente a conduziu para outra cadeira. Ela ligou uma das lâmpadas de calor.

— Já volto para ver como você está em alguns minutos, certo?

Rachel se afastou, indo em direção a outra cabeleireira. Elas começaram a conversar, mas o murmúrio generalizado no salão fazia com que fosse impossível compreender o que elas estavam dizendo. Katie olhou para o relógio na parede. Kevin voltaria em menos de uma hora. O tempo estava passando rápido. Rápido demais.

Ao voltar, Rachel verificou seu cabelo. — Mais um pouco — comentou ela e voltou a conversar com sua colega, gesticulando com as mãos. Animada. Jovem e despreocupada. Feliz.

Mais alguns minutos se passaram. Uma dúzia deles. Katie tentou não olhar fixamente para o relógio. Finalmente, a hora chegou e Rachel removeu a touca metálica antes de levar Katie até o lavatório. Katie se sentou e se recostou contra a pia, sentindo a toalha ao redor da pele do pescoço. Rachel ligou a torneira e Katie sentiu um jato de água fria bater em seu rosto. A jovem cabeleireira massageou seu cabelo com o xampu e o enxaguou; posteriormente, aplicou o condicionador e voltou a enxaguar.

— Vamos dar um belo corte agora.

Voltando para a cadeira, Katie pensou que seu cabelo estava bom, mas era difícil saber com certeza porque estava molhado. Tinha que estar exatamente como ela queria, ou Kevin perceberia. Rachel penteou o cabelo de Katie, desembaraçando os fios. Ainda faltavam quarenta minutos.

— Quanto você quer que eu corte?

— Cuidado para não cortar demais — disse Katie. — Só tire as pontas. Meu marido gosta dele longo.

— Você vai querer algum penteado diferente? Tenho uma revista de penteados se você quiser tentar algo novo.

— Eu gostaria do mesmo penteado que eu estava usando quando cheguei.

— Sem problemas.

Katie observou enquanto Rachel lhe penteava o cabelo, fazendo suas mechas lhe correrem por entre os dedos para depois os cortar com a tesoura. Primeiro atrás, depois nas laterais. E, finalmente, na parte de cima da cabeça. Rachel pegou um chiclete em algum lugar e começou a mascá-lo, com seu queixo se movendo para cima e para baixo enquanto trabalhava.

— Está bom assim?

— Sim, acho que já é o bastante.

Rachel pegou o secador de cabelos e uma escova cilíndrica. Ela deslizou a escova pelos cabelos de Katie, que ouvia o ruído do secador alto em seus ouvidos.

— De quanto em quanto tempo você trata o cabelo? — perguntou Rachel, tentando puxar assunto.

— Uma vez por mês — respondeu Katie. — Mas às vezes eu só peço um corte.

— Seu cabelo é muito bonito.

— Obrigada — disse Katie.

Rachel continuou a trabalhar. Katie pediu que ela lhe fizesse alguns cachos e Rachel pegou a escova modeladora. Levou alguns minutos até que o aparelho esquentasse. Ainda havia cerca de vinte minutos.

Rachel cacheou e escovou os cabelos de Katie até que estivesse satisfeita e estudou sua cliente no espelho.

— Está bom assim?

Katie examinou a cor e o penteado. — Está perfeito.

— Dê uma olhada na parte de trás — disse Rachel. Ela girou a cadeira de Katie e lhe entregou um espelho. Katie olhou para o reflexo duplo e acenou afirmativamente com a cabeça.

— Acho que está feito, então — disse Rachel.

— Quanto lhe devo?

Rachel lhe disse o valor e Katie tirou o dinheiro de sua bolsa, incluindo a gorjeta. — Pode me dar um recibo?

— É claro. Venha comigo até o caixa.

A garota preparou o recibo e o entregou a Katie. Kevin iria verificá-lo e pediria o troco quando ela voltasse para o carro, e Katie pediu a Rachel que incluísse a gorjeta no recibo. Ela olhou para o relógio. Doze minutos.

Kevin ainda não havia retornado e o coração de Katie estava batendo rapidamente enquanto vestia sua jaqueta e calçava as luvas. Ela saiu do salão enquanto Rachel ainda conversava com ela. Na loja ao lado, a Radio Shack, ela pediu que o balconista lhe mostrasse um telefone celular descartável e um cartão que lhe desse vinte horas de serviço. Ela sentiu uma forte vertigem ao dizer aquelas palavras, sabendo que, depois daquilo, não seria possível voltar atrás.

O balconista lhe mostrou um que estava debaixo do balcão e começou a lhe dar os detalhes do aparelho à medida que explicava seu funcionamento. Ela tinha mais dinheiro em sua bolsa, escondido em um pacote de absorventes, pois sabia que Kevin nunca iria procurar nada ali. Katie pegou o dinheiro e colocou as notas amarrotadas sobre o balcão. O relógio continuava a contar os segundos e novamente ela olhou para o estacionamento. Ela estava começando a sentir um pouco de tontura e sua boca estava seca.

O rapaz da loja demorou uma eternidade para conseguir ligar para o celular novo de Katie. Embora fosse pagar o aparelho em dinheiro vivo, o balconista pediu que ela lhe desse seu nome, endereço e código postal. Não havia qualquer motivo para aquilo. Era ridículo. Ela queria pagar e sair logo dali. Contou até dez e o rapaz ainda estava digitando seus dados. Na rua, o semáforo acendeu a luz vermelha. Havia carros esperando. Imaginou que Kevin poderia estar ali, pronto para passar em frente à loja. Ela não sabia se ele conseguiria vê-la saindo da loja de produtos eletrônicos. Sentia dificuldade até para respirar.

Ela tentou abrir a embalagem plástica, mas foi impossível. Grande demais para caber na bolsa que trazia, grande demais para caber no bolso de sua jaqueta. Pediu ao balconista que lhe emprestasse uma tesoura e ele gastou um minuto precioso procurando por uma. Ela queria gritar, mandar que ele se apressasse, porque Kevin chegaria a qualquer momento. Em vez disso, ela se virou para olhar pela janela.

Quando conseguiu tirar o celular da embalagem, o enfiou no bolso da jaqueta, com o cartão pré-pago. O rapaz perguntou se ela queria uma sacola, mas Katie já havia saído pela porta sem responder. O telefone parecia pesar como um bloco de chumbo dentro do bolso de sua jaqueta, e a neve e o gelo na calçada faziam com que fosse difícil manter o equilíbrio.

Katie abriu a porta do salão de beleza e entrou. Ela tirou a jaqueta e as luvas e esperou ao lado do caixa. Trinta segundos depois, viu o carro de Kevin se aproximar pela rua, até chegar perto do salão.

Removeu rapidamente a neve que havia se acumulado em sua jaqueta, enquanto Rachel vinha em sua direção. Ela sentiu uma onda de pânico ao imaginar que Kevin poderia ter percebido. Concentrou-se, tentando manter o controle, agir naturalmente.

— Você esqueceu alguma coisa? — perguntou Rachel.

Katie soltou a respiração. — Eu ia esperar do lado de fora, mas está muito frio. E percebi também que não peguei seu cartão.

O rosto de Rachel pareceu se iluminar. — Oh, é claro. Espere um pouco — disse ela, indo até sua cadeira e tirando um cartão de uma das gavetas do balcão. Katie sabia que Kevin a observava do carro, mas fingiu não notá-lo.

Rachel voltou e entregou seu cartão para Katie. — Geralmente não trabalho aos domingos e às segundas-feiras — disse ela.

Katie assentiu. — Ligo quando precisar dos seus serviços.

Por trás dela, ouviu a porta do salão se abrir e Kevin estava esperando por ela sob o batente. Ele geralmente não entrava nestes lugares e ela sentiu seu coração acelerar. Ela voltou a vestir a jaqueta, tentando controlar o tremor nas mãos. Até que, finalmente, se virou e sorriu.

18

A NEVE CAÍA MAIS FORTE quando Kevin Tierney estacionou o carro em frente à sua casa. Havia sacolas de compras no banco de trás e Kevin pegou três delas antes de caminhar até a porta. Ele não havia dito nada no percurso do salão até o supermercado e falou pouco com Katie durante as compras. Em vez disso, ele andou ao lado dela conforme a esposa examinava as prateleiras em busca de promoções e tentava esquecer o telefone que trazia no bolso. Eles não tinham muito dinheiro e Kevin ficaria irritado se ela gastasse demais. As prestações da hipoteca da casa custavam quase metade do seu salário e as despesas do cartão de crédito lhe tiravam mais uma boa porção. Na maioria das vezes eles precisavam comer em casa, mas Kevin gostava de refeições como as que eram servidas em restaurantes, com um prato principal e duas guarnições, ocasionalmente acompanhados por uma salada. Ele se recusava a comer sobras de refeições anteriores e era difícil adequar a renda às suas exigências. Ela tinha que planejar os cardápios diários com cuidado, além de recortar cupons promocionais que apareciam no jornal. Quando Kevin pagou pelas compras, ela lhe entregou o troco do salão de cabeleireiros e também o recibo. Ele contou o dinheiro para se certificar de que tudo estava em ordem.

Em casa, ela esfregou os braços para se manter aquecida. A casa era velha e o ar frio entrava pelas frestas das janelas e pelo vão embaixo da porta da frente. O piso do banheiro era tão frio que fazia seus pés doerem, mas Kevin reclamava do custo do óleo usado para aquecer a casa e nunca deixava que Katie ajustasse o termostato para uma temperatura mais agradável. Quando ele estava trabalhando, ela usava uma blusa de moletom e chinelos; entretanto, quando Kevin estava em casa, ele queria que ela se vestisse de forma sensual.

Kevin deixou as sacolas de compras sobre a mesa da cozinha. Katie deixou suas sacolas ao lado das que ele havia colocado ali e Kevin foi até a geladeira. Abrindo o congelador, ele tirou uma garrafa de vodca e alguns cubos de gelo. Colocou o gelo em um copo e despejou a vodca. Ele só parou de derramar a bebida quando seu copo estava quase cheio. Deixando-a sozinha, ele foi até a sala de estar e Katie ouviu os sons da televisão, ligada no canal ESPN[6]. O comentarista esportivo estava falando sobre o time dos Patriots[7] e as finais do campeonato de futebol americano e as chances que a equipe tinha de conquistar mais um título do Super Bowl[8]. No ano passado, Kevin fora até o estádio assistir a um jogo dos Patriots. Ele era fã do time desde criança.

Katie tirou sua jaqueta e enfiou a mão no bolso. Ela imaginava que teria alguns minutos e esperava que fossem suficientes. Depois de espiar a sala para ver o que Kevin estava fazendo, ela se apressou a voltar para a cozinha. No armário debaixo da pia havia uma caixa de esponjas para lavar louça. Ela escondeu o telefone no fundo da caixa e o cobriu com as esponjas. Katie fechou cuidadosamente a porta do armário antes de pegar sua jaqueta, esperando que seu rosto não estivesse pálido, rezando para que ele não a tivesse visto. Respirando fundo para se fortalecer, colocou o casaco sobre o braço e atravessou a sala de estar para colocá-lo no armário que havia ali. A sala pareceu se esticar conforme ela andava, como um quarto visto pelos reflexos de uma casa de espe-

[6] Canal da televisão americana especializado na transmissão de eventos esportivos. (N.T.)
[7] New England Patriots, time tradicional de futebol americano que compete pela NFL (National Football League). (N.T.)
[8] Nome dado ao jogo final do campeonato de futebol americano, um dos eventos esportivos mais assistidos em todo o planeta. (N.T.)

lhos em um parque de diversões, mas ela tentou ignorar aquela sensação. Katie sabia que Kevin era capaz de olhar através dela, de ler sua mente e perceber o que ela havia feito, mas ele não desviou sua atenção da televisão. Ela só sentiu a respiração voltar ao normal quando retornou à cozinha.

Ela começou a guardar as compras, ainda sentindo-se um pouco zonza, mas sabendo que tinha que agir normalmente. Kevin gostava que sua casa estivesse limpa e arrumada, especialmente a cozinha e os banheiros. Katie guardou o queijo e os ovos em seus respectivos compartimentos na geladeira. Tirou os legumes velhos da gaveta e a limpou com um pano antes de colocar os novos. Depois, pegou algumas vagens e uma dúzia de batatas de casca vermelha de uma cesta no chão da despensa. Deixou um pepino no balcão, com um pé de alface americana e um tomate para fazer uma salada. Para o prato principal do jantar daquela noite, prepararia filés marinados.

Katie havia deixado os filés marinando no molho no dia anterior: vinho tinto, suco de laranja, suco de *grapefruit*, sal e pimenta. A acidez dos sucos servia para amaciar a carne e lhe dava mais sabor. Estava em uma caçarola na parte de baixo da geladeira.

Ela guardou o restante das compras, trazendo os produtos mais antigos para a frente e dobrou as sacolas plásticas, colocando-as sob a pia. Retirou uma faca de uma gaveta. A tábua de cortar carnes estava debaixo da torradeira e Katie a colocou ao lado do fogão. Cortou as batatas ao meio, apenas o bastante para o jantar dos dois. A seguir, untou uma assadeira com óleo, ligou o forno e temperou as batatas com salsa, sal, pimenta e alho. Aqueles ingredientes iriam ao forno antes dos filés e Katie teria que requentá-los mais tarde. A carne tinha que ser grelhada.

Kevin gostava que os ingredientes da sua salada fossem cortados em pedaços bem pequenos, com pedaços de queijo gorgonzola, *croutons* e molho italiano. Ela cortou o tomate ao meio e um quarto do pepino antes de envolver o resto em filme plástico e guardá-los novamente na geladeira. Ao abrir a porta, ela percebeu que Kevin estava na cozinha por trás dela, apoiado contra o batente da porta que levava à sala de jantar. Ele tomou um longo gole, terminando sua vodca e continuando a observá-la, quase onipresente.

Ele não sabia que ela havia saído do salão, Katie fez questão de se lembrar. Não sabia que ela havia comprado um telefone celular. Ele teria dito alguma coisa. Teria feito alguma coisa.

— Vamos ter filé para o jantar?

Katie fechou a porta da geladeira e continuou a se mover pela cozinha, tentando parecer ocupada e tentando ficar à frente de seus medos.

— Sim. Acabei de ligar o forno, então ainda vai demorar alguns minutos. Preciso colocar as batatas para assar antes.

Kevin a olhava fixamente. — Seu cabelo está bonito.

— Obrigada. A cabeleireira trabalhou bem.

Katie voltou para a tábua de corte. Começou a cortar o tomate, tirando uma longa fatia.

— Nada de pedaços grandes — disse ele, meneando a cabeça na direção dela.

— Eu sei — respondeu Katie. Ela sorriu quando ele foi até o congelador novamente. Katie ouviu o tinir dos cubos de gelo em seu copo.

— Sobre o que você conversou enquanto estava no salão de beleza?

— Nada de mais. As coisas de sempre. Você sabe como as cabeleireiras são. Elas sempre tentam puxar assunto.

Ele balançou o copo. Ela podia ouvir os cubos de gelo batendo contra o vidro. — Você falou a meu respeito?

— Não — disse ela.

Ela sabia que Kevin não gostaria daquilo e ele fez que sim com a cabeça. Ele tirou a garrafa de vodca do congelador outra vez e a deixou ao lado do seu copo, sobre a mesa antes de ir atrás dela. Em pé, ele observou por cima do ombro de Katie enquanto ela picava os tomates. Pedaços pequenos, nada que fosse maior do que uma ervilha. Ela sentia a respiração de Kevin em sua nuca e tentou não gemer quando ele colocou as mãos nos seus quadris. Sabendo o que deveria fazer, ela pousou a faca sobre o balcão e se virou na direção dele, colocando seus braços ao redor do pescoço do marido. Ela o beijou, colocando sua língua na boca dele, sabendo que era isso o que ele queria, e não percebeu o tapa até que sentiu o ardor no seu rosto. Queimava. Quente e vermelho. Estalado. Como ferroadas de abelha.

— Você me fez desperdiçar a tarde inteira! — gritou ele, agarrando-lhe os braços com força, apertando-os. Sua boca estava contorcida e os olhos estavam vermelhos, injetados. Ela sentia o cheiro da bebida em seu hálito e algumas gotas de saliva lhe atingiram o rosto. — Era meu único dia de folga e você escolheu logo hoje para ir cortar o cabelo bem no meio da cidade! E depois quis ir ao supermercado!

Ela tentou se desvencilhar, tentou se afastar dele, até que Kevin finalmente a largou. Ele balançou a cabeça. O músculo do seu queixo pulsava. — Você, por acaso, chegou a pensar que a única coisa que eu queria fazer hoje seria relaxar um pouco? Aproveitar para descansar no meu único dia de folga?

— Me desculpe — disse ela, com a mão no rosto. Ela não disse que havia lhe perguntado duas vezes antes, naquela mesma semana, se haveria algum problema com aqueles planos. Ou que fora Kevin que a obrigara a ir para outro salão de beleza porque não queria que ela fizesse amizade com alguém. Não queria que ninguém soubesse da vida que eles tinham.

— Me desculpe — disse ele, no mesmo tom de voz de Katie. Ele olhou para ela antes de balançar a cabeça novamente. — Por Deus, Todo-Poderoso. Será que é tão difícil pensar em alguma outra pessoa que não seja em você mesma?

Kevin estendeu o braço, tentando agarrá-la, e ela se virou, tentando correr. Ele estava preparado para aquela reação e não havia para onde ir. O golpe foi rápido e com força, o punho se movendo como um pistão, atacando a região lombar das costas de Katie. Ela arfou, sentindo sua visão escurecer, sentindo-se como se tivesse sido esfaqueada.

Desabando no chão, sentiu seus rins arderem, a dor se irradiando pelas pernas e pela coluna. O mundo estava girando e quando ela tentou se levantar, seu movimento piorou a sensação.

— Você é egoísta demais, o tempo todo! — disse ele, curvando-se por cima dela.

Ela não disse nada. Não conseguia dizer nada. Não conseguia nem respirar. Ela mordeu seu lábio para não gritar e imaginou se iria urinar sangue no dia seguinte. A dor era como uma lâmina, dilacerando seus nervos, mas ela não iria chorar. Aquilo só serviria para deixar Kevin ainda mais furioso.

Ele continuou em pé ao lado dela e depois suspirou, com uma expressão de puro desprezo. Foi até a mesa, pegou seu copo vazio e a garrafa de vodca antes de sair da cozinha.

Katie levou quase um minuto para reunir a força necessária para se levantar. Quando começou a cortar os legumes novamente, suas mãos estavam tremendo. A cozinha estava gelada e a dor em suas costas era muito intensa, latejando com cada batida do seu coração. Na semana anterior, ele a havia golpeado com tanta força no estômago que ela tinha passado o resto da noite vomitando. Katie caiu no chão e Kevin a agarrou pelo pulso para fazer com que se levantasse novamente. Os hematomas em seu pulso tinham o formato dos dedos dele. Vestígios do inferno.

Lágrimas lhe escorriam pelo rosto e ela tinha dificuldade para se manter em pé, apoiando seu peso ora em uma perna, ora em outra, para tentar afastar a dor enquanto terminava de picar o tomate. Ela fez o mesmo com o pepino. Pedaços pequenos. O alface, também, cortado e picado. Do jeito que ele queria. Katie enxugou as lágrimas com as costas da mão e foi lentamente até a geladeira. De lá, tirou uma embalagem de queijo gorgonzola e depois pegou os *croutons* em outro armário.

Na sala de estar, ele havia aumentado o volume da televisão outra vez.

O forno estava na temperatura certa. Katie colocou a assadeira dentro do forno e ajustou o cronômetro. Quando o calor lhe atingiu o rosto, ela percebeu que sua pele ainda ardia, mas duvidava que o tapa houvesse deixado qualquer marca. Ele sabia exatamente a força que precisava usar. Ela se perguntava onde ele havia aprendido aquilo, se era algo que todos os homens sabiam, ou mesmo se havia aulas secretas, com instrutores especializados em ensinar essas coisas. Ou, ainda, se aquilo era apenas uma característica de Kevin.

A dor em suas costas havia finalmente começado a diminuir de intensidade. Ela já conseguia respirar normalmente. O vento soprava pelas frestas da janela e o céu havia assumido uma cor cinzenta e escura. A neve batia suavemente no vidro. Katie olhou discretamente em direção à sala, viu Kevin sentado no sofá e se apoiou no balcão. Tirou um dos sapatos de salto e esfregou os dedos dos pés, tentando fazer o sangue fluir, tentando aquecê-los. Fez o mesmo com o outro pé antes de voltar a calçar os sapatos.

Ela lavou e cortou as vagens e colocou um pouco de azeite de oliva na frigideira. Começaria a refogar as vagens quando os filés estivessem na grelha. E tentou não pensar no telefone que estava sob a pia.

Estava tirando a assadeira do forno quando Kevin voltou para a cozinha. Ele estava com o copo na mão e já havia bebido metade do conteúdo. Seus olhos estavam desfocados. Havia bebido quatro ou cinco doses. Ela não sabia ao certo. Katie colocou a assadeira sobre o fogão.

— Só mais um pouco — disse ela, falando num tom neutro, fingindo que nada havia acontecido. Ela havia aprendido que, se demonstrasse irritação ou mágoa, aquilo serviria apenas para enfurecê-lo. — Tenho que terminar de preparar os filés e o jantar logo vai ficar pronto.

— Olhe, me desculpe — disse ele. Ele cambaleava um pouco.

Ela sorriu. — Está tudo bem. Sei que as últimas semanas foram difíceis. Você tem trabalhado demais.

— Seu jeans é novo? — as palavras saíram arrastadas pela boca dele.

— Não. Faz algum tempo que não uso esta calça.

— É bonita.

— Obrigada — respondeu ela.

Kevin deu um passo em direção a ela. — Você é linda. Você sabe que eu a amo, não sabe?

— Sei, sim.

— Eu não gosto de bater em você. Mas, às vezes, você não pensa nas coisas que faz.

Ela assentiu, desviando o olhar, tentando pensar em algo para fazer, precisando se ocupar com algo, até se lembrar que precisava colocar os pratos e os talheres na mesa. Aproveitou e foi até o armário que ficava ao lado da pia.

Kevin se aproximou por trás dela enquanto Katie buscava os pratos e fez com que ela se virasse em sua direção, puxando-a para perto de si. Ela inalou antes de dar um suspiro de felicidade, porque sabia que Kevin queria que ela respondesse aos seus carinhos com aqueles sons.

— Você tem que dizer que me ama também — sussurrou ele. Kevin beijou-lhe o rosto e ela colocou seus braços ao redor dele. Katie sentia-o pressionar contra seu corpo, sabia o que ele queria.

— Eu amo você — disse ela.

A mão de Kevin deslizou-se até o seio. Ela esperou que ele o apertasse, mas aquilo não aconteceu. Em vez disso, ele a acariciou suavemente. Apesar de tudo o que havia acontecido, seu mamilo começou a ficar intumescido e ela detestava quando aquilo acontecia. Mas não conseguia evitar. O hálito de Kevin estava quente. E com cheiro de bebida.

— Meu Deus, você é linda. Você sempre foi linda, desde a primeira vez que eu a vi — disse ele, pressionando seu corpo contra o dela, e ela conseguia sentir sua excitação. — Vamos deixar os filés para depois. O jantar pode esperar um pouco.

— Achei que você estivesse com fome — disse Katie, tentando fazer com que aquilo parecesse uma leve provocação.

— Estou com fome de outra coisa agora — sussurrou Kevin. Ele desabotoou a blusa que ela usava e a abriu, antes de levar as mãos para o botão do jeans.

— Aqui não — disse ela, afastando o rosto do dele, mas deixando que ele continuasse a beijá-la. — Vamos para o quarto.

— Que tal fazermos na mesa? Ou no balcão?

— Por favor, meu bem — murmurou ela, com a cabeça arqueada para trás enquanto ele a beijava no pescoço. — Não é nada romântico.

— Mas é gostoso — disse ele.

— E se alguém nos vir pela janela?

— Você não sabe se divertir — disse ele.

— Por favor, vamos — disse ela, novamente. — Não quer fazer isso por mim? Você sabe que me excita muito mais fazer na cama.

Ele a beijou mais uma vez, com as mãos indo até seu sutiã. Ele abriu o botão que prendia a peça na parte da frente. Kevin não gostava de sutiãs com o fecho na parte de trás. Ela sentiu o ar frio da cozinha em seus seios; viu o desejo no rosto de Kevin enquanto ele os olhava. Ele lambeu os lábios antes de levá-la até o quarto.

Ele foi tomado por uma energia animalesca logo que chegaram lá, puxando o jeans de Katie até os seus quadris e depois até os tornozelos. Ele lhe apertou os seios com força e ela mordeu o lábio para não gritar antes que eles estivessem na cama. Ela gemeu e arfou, gritando o nome de Kevin, sabendo que era isso o que ele queria, porque não queria que ele ficasse irritado, não queria ser estapeada, socada ou chutada, porque não queria que Kevin descobrisse o telefone celular. Katie ainda sentia a dor lancinante em seus rins e transformou seus gritos em gemidos, dizendo as coisas que ele queria que ela dissesse, excitando-o até que seu corpo começasse a se mover em espasmos. Quando tudo terminou, ela se levantou da cama, vestiu-se e o beijou antes de voltar à cozinha para terminar de preparar o jantar.

Kevin voltou para a sala de estar e bebeu mais vodca antes de vir até a mesa. Ele lhe falou sobre seu trabalho e depois foi até a sala para ver um pouco mais de televisão enquanto ela limpava a cozinha. Depois, ele quis que ela se sentasse ao seu lado para assistir à televisão, até que finalmente chegou a hora de ir dormir.

No quarto, depois de poucos minutos, ele já estava roncando, sem perceber as lágrimas silenciosas de Katie, sem perceber o ódio que ela sentia por ele, ou o ódio que sentia de si mesma. Sem saber sobre o dinheiro que ela vinha guardando há quase um ano, ou sobre a tintura de cabelo que ela havia colocado discretamente no carrinho de supermercado há um mês e que havia escondido atrás do armário, sem fazer a menor ideia sobre o telefone celular escondido no armário sob a pia da cozinha. Sem imaginar que, dentro de alguns dias, se tudo acontecesse como ela esperava, ele nunca mais voltaria a vê-la ou agredi-la.

19

Katie estava sentada ao lado de Alex na varanda e o céu acima dos dois era uma imensidão negra cravejada de pontos brilhantes. Durante meses ela vinha tentando bloquear as memórias mais específicas, tentando se concentrar apenas no medo que havia deixado para trás. Não queria se lembrar de Kevin, não queria pensar nele. Queria apagá-lo totalmente de sua vida, fingir que ele nunca existira. Mas ele sempre estaria lá.

Alex ficou em silêncio durante todo o relato, com sua cadeira formando um ângulo com a de Katie. Ela contou a história em meio às lágrimas, embora ele duvidasse que ela soubesse que estava chorando. Katie lhe contou tudo sem qualquer emoção, quase em um estado de transe, como se os eventos tivessem acontecido com outra pessoa. Ele sentiu seu estômago se revirar quando Katie parou de falar.

À medida que falava, não conseguia olhar nos olhos de Alex. Ele havia ouvido versões da mesma história antes, mas desta vez era diferente. Katie não era simplesmente uma vítima, era sua amiga, a mulher por quem ele havia se apaixonado. Alex afastou uma mecha do cabelo que caía por cima do rosto dela.

Quando a tocou, ela se moveu em um reflexo involuntário antes de relaxar. Ele a ouviu suspirar, cansada. Cansada de falar. Cansada do passado.

— Você fez a coisa certa ao sair de onde estava — disse ele. O tom de sua voz era suave e compreensivo.

Ela demorou um momento para responder. — Eu sei — disse ela.

— Você não tem culpa de nada.

Katie olhou em direção à escuridão. — Tenho, sim. Eu o escolhi, lembra-se? Eu me casei com ele. Deixei isso acontecer uma vez e outra vez depois disso. Ainda cozinhava para ele e limpava a casa. Dormia com ele sempre que ele queria e fazia tudo o que ele queria. Fiz com que ele pensasse que eu adorava aquela vida.

— Você fez o que tinha que fazer para sobreviver — disse ele, com a voz firme.

Ela voltou a ficar em silêncio. Os grilos estavam cantando e os gafanhotos zuniam entre as árvores. — Nunca pensei que uma coisa dessas pudesse acontecer. Meu pai era um alcoólatra, mas não era violento. Eu era tão... fraca. Não sei por que deixei isso acontecer.

Alex falou com voz suave. — Porque houve um tempo em que você o amava. Porque você acreditou no seu marido quando ele prometeu que aquilo não voltaria a acontecer. Porque ele ficou cada vez mais violento e controlador, de uma maneira muito lenta, fazendo-a pensar que mudaria, até que você finalmente percebeu que isso nunca aconteceria.

Com aquelas palavras, ela respirou fundo e baixou a cabeça, com os ombros se movendo para cima e para baixo. O som daquela angústia fazia a garganta de Alex se apertar pela raiva em relação à vida que ela havia vivido e pela tristeza ao saber que ela ainda vivia com aquilo dentro de si. Ele sentiu vontade de abraçá-la, mas sabia que, neste momento, estava fazendo tudo o que ela queria. Ela estava frágil e vulnerável. Havia chegado ao seu limite.

Demorou alguns minutos até que Katie finalmente conseguisse parar de chorar. Seus olhos estavam vermelhos e inchados. — Desculpe-me por ter lhe contado tudo isso. Eu não deveria — disse, com a voz ainda embargada.

— Fico feliz por ter contado.

— A única razão para eu ter feito isso é porque você já sabia.

— Eu entendo.

— Mas você não precisava saber dos detalhes sobre as coisas que tive que fazer.

— Não se preocupe com isso.

— Eu o odeio — disse ela. — Mas eu odeio a mim mesma também. Tentei lhe dizer que é melhor eu ficar sozinha. Não sou a pessoa que você pensa que sou. Não sou a mulher que você acha que conhece.

Ela estava a ponto de começar a chorar de novo, até que ele finalmente se levantou. Puxando-lhe a mão, ele indicou que queria que ela se levantasse. Katie o fez, mas não conseguia olhá-lo no rosto. Alex se esforçou para suprimir a raiva que sentia do marido dela e manteve a voz num tom suave.

— Ouça o que tenho a dizer — sussurrou Alex. Ele colocou um dedo sob o queixo de Katie para levantá-lo. Ela resistiu, a princípio, até que finalmente cedeu e o olhou nos olhos. Ele prosseguiu. — Não há nada que você possa me dizer que vá mudar o que sinto por você. Nada. Porque você não é assim. Você nunca foi assim. Você é a mulher que eu conheço. É a mulher que eu amo.

Katie o estudou, querendo acreditar nele, sabendo que, de algum modo, ele estava dizendo a verdade. E sentiu algo ceder dentro de si. Mesmo assim...

— Mas...

— Nada de "mas", porque nada disso é importante. Você se enxerga como alguém que não conseguiu fugir do que o destino lhe reservou. Eu vejo uma mulher corajosa que escapou. Você se enxerga como alguém que deveria se sentir envergonhada ou culpada por ter permitido que aquilo lhe acontecesse. Eu vejo uma mulher bonita e gentil, que deveria sentir orgulho por ter impedido que aquilo voltasse a acontecer. Nem todas as mulheres têm a força para fazer o que você fez. É isso o que eu vejo agora e é isso que eu sempre vi quando olhava para você.

Ela sorriu. — Acho que você precisa usar óculos.

— Não deixe que os cabelos grisalhos a enganem. Meus olhos ainda estão perfeitos.

Ele se inclinou em direção a ela, cautelosamente, certificando-se de que tudo estava bem antes de beijá-la. Foi um beijo curto e suave. Carinhoso. — Apenas me sinto triste por você ter enfrentado tudo isso.

— Eu ainda estou enfrentando.

— Você acha que ele está procurando por você?

— Eu sei que ele está procurando por mim. E ele nunca vai parar — disse ela, antes de fazer uma pausa. — Tem algo errado com ele. Ele é... insano.

Alex pensou naquele comentário. — Eu sei que não deveria fazer essa pergunta, mas você já pensou em avisar a polícia?

Ela baixou os ombros. — Sim. Eu liguei uma vez.

— E eles não fizeram nada a respeito?

— Eles vieram até minha casa e conversaram comigo. E me convenceram de que seria melhor não prestar queixa.

Alex considerou aquilo. — Isso não faz sentido.

— Fazia bastante sentido para mim — disse ela, dando de ombros. — Kevin me avisou que não seria bom chamar a polícia.

— Como ele sabia?

Ela suspirou, pensando que era melhor contar tudo de uma vez. — Porque ele é a polícia — disse ela, finalmente. Ela o olhou nos olhos. — Ele é um investigador no departamento de polícia de Boston. E ele não me chamava de Katie.

Seus olhos demonstravam seu desespero. — Ele me chamava de Erin.

20

No feriado do Dia do Soldado, a centenas de quilômetros ao norte, Kevin Tierney estava no quintal de uma casa em Dorchester, vestindo bermudas e uma camisa em estilo havaiano que havia comprado quando ele e Erin foram visitar Oahu[9] durante a lua de mel.

— Erin viajou para Manchester — disse ele.

Bill Robinson, seu capitão na divisão de investigação da polícia, estava cuidando dos hambúrgueres que assavam na churrasqueira. — De novo?

— Eu lhe disse que uma amiga dela está com câncer, não se lembra? Ela acha que precisa estar lá para cuidar dessa amiga.

— Esse câncer é uma doença horrível — disse Bill. — E como Erin está encarando a situação?

— Está tudo bem. Mas eu percebo que ela está cansada. É difícil se acostumar com essa rotina de viagens.

— Eu imagino que seja assim mesmo. Emily teve que fazer algo parecido quando sua irmã contraiu lúpus. Passou dois meses em Burlington, no meio do inverno, enfurnada em um apartamento pequeno.

[9] Terceira maior ilha do arquipélago do Havaí, onde se localiza Honolulu, a capital do estado. Tem atrações como a praia de Waikiki e a base militar de Pearl Harbor. (N.T.)

As duas ficaram loucas. No final, a irmã fez as malas de Emily e as colocou em frente à porta do apartamento, dizendo que ficaria melhor sozinha. Não que eu a culpe por isso, é claro.

Kevin tomou um gole de sua cerveja e, como era aquilo que se esperava que ele fizesse, sorriu. Emily era a esposa de Bill e eles eram casados há quase trinta anos. Bill gostava de dizer às pessoas que já tivera o tempo mais feliz de sua vida. Todos os policiais e funcionários da delegacia haviam ouvido aquela piada cerca de cinquenta vezes nos últimos oito anos e a maior parte daquelas pessoas estava lá no momento. Bill oferecia um churrasco todos os anos no Dia do Soldado, não apenas por considerar aquilo uma obrigação, mas também porque seu irmão trabalhava em uma distribuidora de cerveja e uma grande parte do estoque era consumida nestas ocasiões. Maridos, esposas, namorados, namoradas e crianças estavam reunidos em grupos. Alguns na cozinha, outros no terraço. Quatro investigadores estavam tentando acertar ferraduras em um pino de metal fincado no chão e a areia estava voando ao redor do alvo.

— Da próxima vez que ela voltar à cidade, por que não a traz até aqui para jantar? Emily perguntou sobre ela. A menos, é claro, que vocês queiram recuperar o tempo perdido — acrescentou Bill, piscando o olho.

Kevin começou a se perguntar se aquela oferta seria genuína. Em dias como aquele, Bill gostava de fingir que ele era apenas um cara comum, em vez do capitão. Mas ele era afiado como uma navalha. Inteligente. Mais político do que policial.

— Vou conversar com ela a respeito.

— Quando ela viajou?

— Hoje pela manhã. Já deve ter chegado lá.

Bill pressionou um dos hambúrgueres com a espátula, fazendo com que o suco da carne escorresse. "Ele não sabe nada sobre fazer churrasco", pensou Kevin. Sem o suco, o hambúrguer teria o mesmo sabor de uma pedra — seco, insípido e duro. Impossível de comer.

— Eu estava pensando no caso de Ashley Henderson — disse Bill, mudando de assunto. — Acho que finalmente conseguiremos uma acusação formal. Você trabalhou bem.

— Já estava na hora. Achei que eles já estavam fartos daquela situação há algum tempo — disse Kevin.

— Eu também. Mas não faço parte da promotoria — disse Bill, pressionando outro hambúrguer, arruinando-o. — Também quero falar com você a respeito de Terry.

Terry Canton fora o parceiro de Kevin durante os últimos três anos, mas ele havia sofrido um ataque cardíaco em dezembro e estava afastado do trabalho desde então. Kevin vinha trabalhando sozinho naquele período.

— O que aconteceu?

— Ele não vai voltar. Fiquei sabendo hoje pela manhã. Os médicos que o tratam recomendaram que ele se aposentasse e ele decidiu seguir o conselho. Decidiu que vinte anos já foram o bastante, e a pensão do seguro social está esperando por ele.

— E o que isso significa para mim?

Bill deu de ombros. — Vamos lhe arranjar um novo parceiro, mas não podemos fazer isso imediatamente já que a cidade está com as verbas congeladas. Talvez quando o novo orçamento municipal for aprovado.

— "Talvez" ou "provavelmente"?

— Você vai ganhar um novo parceiro. Mas provavelmente não antes de julho. Lamento por isso. Sei que isso significa que você vai ter que trabalhar mais, mas não há nada que eu possa fazer. Vou tentar manter sua carga de trabalho num nível suportável.

— Obrigado.

Um grupo de crianças corria pelo terraço, com seus rostos sujos. Duas mulheres saíram da casa trazendo tigelas de salgadinhos, provavelmente fofocando. Kevin detestava fofocas. Bill apontou com sua espátula para uma mesa sobre o deck. — Traga aquela bandeja, por favor. Acho que estes já estão quase prontos.

Kevin pegou a bandeja. Era a mesma que havia sido usada para trazer os hambúrgueres crus para a grelha e ele percebeu as manchas de gordura e os pedaços de carne crua. Era nojento. Erin teria trazido uma bandeja limpa, uma que não tivesse restos de carne crua ou gordura. Kevin colocou a bandeja ao lado da grelha.

— Preciso de outra cerveja — disse Kevin, levantando sua garrafa. — Você vai querer uma também?

Bill balançou a cabeça negativamente e estragou mais um hambúrguer. — Ainda não acabei de tomar a minha. Mesmo assim, obrigado.

Kevin foi em direção à casa, sentindo a gordura da bandeja em seus dedos. Entranhando-se neles.

— Ei — gritou Bill, por trás dele. Kevin se virou.

— A caixa térmica com as cervejas está do outro lado, esqueceu? — disse Bill, apontando para um dos cantos do deck.

— Eu sei. Mas quero lavar as mãos antes do jantar.

— Ande logo. Quando eu colocar a bandeja na mesa, vai ser cada um por si.

Kevin parou antes de chegar à porta dos fundos para limpar os pés no capacho. Na cozinha, deu a volta ao redor de um grupo de esposas que conversavam animadamente até chegar à pia. Ele lavou suas mãos duas vezes, usando bastante sabão. Pela janela, viu quando Bill colocou a bandeja de salsichas e hambúrgueres na mesa de piquenique, ao lado dos pães, condimentos e tigelas de salgadinhos. Não demorou muito para que as moscas sentissem o cheiro e se amontoassem por cima da bandeja, zumbindo sobre a comida e pousando nos hambúrgueres. As pessoas pareciam não se importar, pois formaram uma fila ensandecida. Elas simplesmente espantavam as moscas e colocavam os hambúrgueres em seus pratos, fingindo que as moscas não estavam se acumulando ali.

Hambúrgueres malfeitos e um enxame de moscas.

Ele e Erin fariam tudo de um jeito diferente. Ele não pressionaria os hambúrgueres com a espátula e Erin teria deixado os condimentos, salgadinhos e picles na cozinha para que as pessoas pudessem se servir ali, onde era limpo. Moscas eram animais asquerosos, os hambúrgueres estavam duros como pedras e ele não iria comê-los. Pensar naquilo lhe dava náuseas.

Ele esperou até que a bandeja estivesse vazia para voltar para a churrasqueira e foi até a mesa, fingindo estar decepcionado.

— Eu avisei que eles sumiriam bem rápido — disse Bill. — Mas Emily deixou outra bandeja na geladeira, então não vai demorar muito para a segunda rodada. Por que não me traz uma cerveja enquanto eu vou até lá buscar os hambúrgueres?

— É claro — disse Kevin.

Quando o próximo lote de hambúrgueres estava pronto, Kevin colocou comida em um prato e elogiou Bill, dizendo-lhe que pareciam estar fantásticos. Havia um enxame de moscas à sua volta, os hambúrgueres estavam novamente ressecados e, quando Bill se virou, Kevin jogou a comida na lata de lixo que ficava ao lado da casa. Ele disse a Bill que os hambúrgueres estavam deliciosos.

Ele ficou ali por mais algumas horas. Aproveitou para conversar com Coffey e Ramirez. Eles eram investigadores como ele, exceto pelo fato de que comiam os hambúrgueres sem se importar com as moscas que se amontoavam. Kevin não queria ser o primeiro a ir embora, nem mesmo o segundo. O capitão queria fingir que era um dos rapazes e ele não queria ofender seu capitão. Ele não gostava de Coffey nem de Ramirez. Às vezes, quando Kevin estava por perto, Coffey e Ramirez paravam de conversar. Kevin sabia que era o assunto da conversa deles, que eles falavam a seu respeito às escondidas. Fofoqueiros.

Mas Kevin era um bom investigador e sabia disso. Bill também sabia, assim como Coffey e Ramirez. Ele trabalhava na divisão de homicídios e sabia como conversar com testemunhas e suspeitos. Sabia o momento de fazer perguntas e o momento de escutar; sabia quando as pessoas mentiam e ele colocava assassinos atrás das grades simplesmente porque a Bíblia dizia: *Não matarás*. Kevin acreditava em Deus e estava fazendo o trabalho do Senhor ao colocar os culpados na cadeia.

Ao voltar para casa, Kevin caminhou pela sala de estar. Ele resistiu ao desejo de chamar pelo nome de Erin. Se Erin estivesse ali, ela já teria tirado o pó da mesa de centro, organizado as revistas na mesinha ao lado do sofá e tirado a garrafa vazia de vodca do sofá. Se Erin estivesse ali, as cortinas estariam abertas, os pratos estariam lavados e guardados e o jantar estaria esperando por ele na mesa. E ela teria sorrido para ele e perguntado como fora seu dia. Depois eles fariam amor, porque ele a amava e ela o amava também.

No andar de cima, em seu quarto, ele abriu a porta do armário. Ainda conseguia sentir um resquício do perfume que ela usava, o mesmo que ele havia dado de presente no Natal. Ele a vira levantar uma aba de papel com uma amostra do perfume que viera em uma de suas revistas e viu quando ela sorriu ao cheirar o perfume. Quando Erin foi para a cama, Kevin rasgou a página da revista e guardou-a em sua carteira, para que soubesse exatamente qual perfume deveria comprar. Ele se lembrava da maneira carinhosa como ela tinha aplicado um pouco atrás de cada orelha e nos pulsos quando ele a levara para jantar na noite do *réveillon* e o quanto ela estava bonita com o vestido de coquetel que usava. No restaurante, Kevin havia percebido que outros homens, mesmo os que estavam acompanhados, haviam olhado para ela enquanto ele e Erin andavam pelo salão até chegarem à sua mesa. Depois, voltaram para casa e fizeram amor enquanto o ano-novo chegava.

O vestido ainda estava lá, pendurado no mesmo lugar, trazendo de volta aquelas memórias. Há uma semana ele havia tirado o vestido do cabide e chorado enquanto o segurava, sentado na beirada da cama.

Do lado de fora da casa, o som constante dos grilos não o acalmava. Embora o feriado fosse um dia em que ele poderia relaxar, estava cansado. Não tinha vontade de ir ao churrasco, não queria responder às perguntas sobre Erin, não queria ter mentido. Não porque as mentiras o incomodassem, mas porque era difícil manter a ilusão de que Erin não o havia abandonado. Ele havia inventado uma história e a repetia há meses: que Erin lhe telefonava todas as noites; que ela havia voltado para casa por alguns dias, mas que logo retornara a New Hampshire; que a amiga estava passando por uma quimioterapia e precisava da ajuda dela. Ele sabia que não conseguiria manter aquela história para sempre e que não tardaria para que a desculpa de ajudar uma amiga começasse a ficar repetitiva e as pessoas começassem a se perguntar por que nunca viam Erin na igreja, no supermercado ou mesmo no bairro em que morava. Iriam perguntar também por quanto tempo mais ela iria ficar ao lado da amiga. As pessoas começariam a falar às escondidas e a dizer coisas como: "Erin deve ter abandonado Kevin", ou "acho que o casamento deles não era tão perfeito como parecia". Pensar naquilo fez seu estômago se apertar, lembrando-o que ele não havia comido.

Não havia muita coisa na geladeira. Erin sempre deixava a geladeira estocada com peru, presunto, mostarda Dijon e pão de centeio fresco, mas sua única escolha agora era requentar o filé à moda mongol que comprara no restaurante chinês há alguns dias. Na prateleira inferior, viu manchas de comida e sentiu vontade de chorar outra vez, porque aquilo fez com que pensasse nos gritos de Erin e no barulho que a cabeça dela havia feito ao bater na quina da mesa quando ele a empurrara pela cozinha. Ele a havia estapeado e chutado porque encontrara manchas de comida na geladeira e se perguntava agora por que uma coisa tão pequena como aquela o deixara tão furioso.

Kevin foi para a cama e se deitou. Quando percebeu, já era meia-noite e o bairro que via pela janela do quarto estava tranquilo. Do outro lado da rua, viu uma luz acesa na casa dos Feldman. Ele não gostava dos Feldman. Diferente dos outros vizinhos, Larry Feldman nunca lhe cumprimentava se os dois estivessem em seus jardins. Se Gladys, a esposa dele, o visse na rua, ela se virava e voltava a entrar na casa. Eles já tinham mais de 60 anos e eram o tipo de pessoa que corria para fora para esbravejar com alguma criança que pisasse em seu gramado para recuperar um *frisbee* que tivesse caído ali. E, embora fossem judeus, eles decoravam sua casa com luzes de natal, e colocavam o menorá[10] na janela, durante o período de festas. As atitudes deles o deixavam desconcertado e Kevin não os considerava bons vizinhos.

Kevin voltou para a cama, mas não conseguiu dormir. Quando a manhã chegou, com a luz do sol entrando pela janela, sabia que nada havia mudado na vida de ninguém. Apenas sua vida estava diferente. Seu irmão, Michael, e sua esposa, Nadine, estariam preparando seus filhos para irem à escola, antes de saírem para seus próprios empregos no Boston College. Seu pai e sua mãe provavelmente estariam lendo a edição do *Boston Globe* enquanto tomavam o café da manhã. Crimes haviam sido cometidos e as testemunhas estariam na delegacia. Coffey e Ramirez estariam fazendo fofoca sobre ele.

Ele tomou um banho e, para o café da manhã, comeu uma torrada acompanhada por um copo de vodca. Na delegacia, foi chamado para investigar um assassinato. O corpo de uma mulher de 20 e poucos anos, provavelmente uma prostituta, havia sido encontrado em uma lixeira. Ela havia sido esfaqueada até morrer. Kevin passara a manhã conversando com pessoas que estavam por perto, quando o corpo foi encontrado, enquanto as evidências eram coletadas. Quando terminou as entrevistas, ele voltou à delegacia para elaborar seu relatório conforme as informações ainda estavam claras em sua mente. Ele era um bom investigador.

A delegacia estava bem movimentada, era o primeiro dia da semana após um feriado prolongado. O mundo havia enlouquecido. Os investigadores conversavam ao telefone, redigindo relatórios em suas mesas, conversando com testemunhas e escutando as vítimas falando sobre sua condição. Barulho. Atividade. Pessoas indo e vindo. Telefones tocando. Kevin foi até sua escrivaninha, uma das quatro que ficavam no meio da sala. Pela porta aberta, Bill acenou, mas não saiu do seu escritório. Ramirez e Coffey estavam em suas mesas, sentados de frente para ele.

10 Candelabro judaico de sete velas usado durante o período de festas. Cada uma das velas simboliza um dos dias da criação do universo. (N.T.)

— Está tudo bem com você? — perguntou Coffey. Coffey já passava dos 40 anos, estava com excesso de peso e era calvo. — Você está com uma aparência horrível.

— Não dormi muito bem — disse Kevin.

— Eu também não durmo bem sem Janet. Quando Erin vai voltar?

Kevin manteve sua expressão neutra.

— No próximo fim de semana. Tenho alguns dias de folga para tirar e decidimos ir para Cape Cod. Faz alguns anos que não vamos para lá.

— É mesmo? Minha mãe mora lá. E para que lugar de Cape Cod vocês irão?

— Provincetown.

— É onde ela mora. Vocês vão adorar o lugar. Sempre vou para lá. E onde vocês vão ficar?

Kevin estranhou o fato de Coffey fazer tantas perguntas. — Não sei ainda — respondeu ele, finalmente. — Erin está cuidando dos preparativos e das reservas.

Kevin foi até a cafeteira e se serviu de uma xícara, embora não quisesse realmente beber café. Teria que descobrir o nome de um hotel e de alguns restaurantes. Se Coffey perguntasse a respeito, ele saberia o que dizer.

Seus dias seguiam a mesma rotina. Ele trabalhava, conversava com as testemunhas e finalmente voltava para casa. Seu trabalho era estressante e ele queria descansar depois do expediente, mas tudo estava diferente em sua casa, e o trabalho continuava em sua rotina extenuante. Certa vez, chegou até mesmo a acreditar que se acostumaria a ver vítimas de assassinato, mas seus rostos lívidos e sem vida ficavam gravados em sua memória. E, às vezes, as vítimas o visitavam durante o sono.

Kevin não gostava de voltar para casa. Quando terminava o expediente, não havia mais uma bela esposa para recebê-lo na porta. Erin havia saído de casa em janeiro. Agora, sua casa estava suja e desorganizada e ele tinha que lavar as próprias roupas. Entre outras coisas, não sabia como usar a máquina de lavar e, na primeira vez que tentou fazê-lo, colocou sabão em pó em excesso e as roupas ficaram manchadas e endurecidas. Não havia mais jantares feitos em casa ou velas sobre a mesa. Em vez disso, ele comprava comida em algum restaurante antes de voltar para casa e comia no sofá. Às vezes, ligava a televisão. Erin gostava de assistir ao HGTV, o canal especializado em programas com dicas para a casa e jardim da TV a cabo. Assim, Kevin frequentemente assistia àquele canal, e quando o fazia, o vazio que sentia dentro de si era quase insuportável.

Depois de voltar do trabalho, não se importava mais em guardar sua arma no estojo que tinha no guarda-roupa. Dentro do estojo ele tinha uma outra Glock para seu uso pessoal. Erin tinha medo de armas, mesmo antes do dia em que ele lhe encostara a Glock na cabeça dela e ameaçara matá-la se voltasse a fugir. Ela gritou e chorou enquanto ele jurou que mataria qualquer homem com quem ela dormisse, qualquer homem com quem ela se importasse. Havia sido muito estúpida ao fazer aquilo e Kevin ficou tão furioso por ela ter fugido de casa que exigiu saber o nome do homem que a havia ajudado, para que pudesse matá-lo. Mas Erin gritou, chorou e implorou por sua vida, jurando que não havia nenhum homem envolvido. Kevin acreditou nela, pois Erin era sua esposa. Eles fizeram seus votos diante de Deus e da família, e a Bíblia diz: *Não cometerás adultério.* Mesmo naquela época, ele não havia acreditado que Erin fora infiel. Nunca acreditou que outro homem estivesse envolvido. Quando estavam casados, fazia questão de se certificar daquilo. Ligava para casa algumas vezes durante o dia, sempre em horários diferentes e nunca a deixava ir ao supermercado, ao salão de beleza ou à biblioteca sozinha. Ela não tinha um carro, nem mesmo uma carteira de habilitação e Kevin passava em frente à sua casa sempre que estivesse por perto, apenas para ter certeza de que ela estava em casa. Erin não o havia abandonado porque queria cometer adultério. Ela saiu de casa porque estava cansada de ser chutada, socada e empurrada pela escada que levava ao porão. Kevin sabia que não deveria ter feito aquelas coisas. Sempre se sentira culpado por aquilo e sempre se desculpara. Mesmo assim, ela não dera importância.

Não era motivo para Erin ter fugido de casa. Tudo aquilo deixava seu coração em pedaços, porque ele a amava mais do que tudo no mundo e sempre havia cuidado bem dela. Comprou-lhe uma casa, uma geladeira, uma lava-louças, uma secadora de roupas e móveis novos. A casa costumava estar sempre limpa, mas agora a pia estava cheia de pratos sujos e o cesto de roupas estava transbordando.

Ele sabia que devia limpar a casa, mas não conseguia reunir a energia necessária para fazer aquilo. Em vez disso, foi até a cozinha e tirou uma garrafa de vodca do congelador. Ainda havia quatro garrafas; há uma semana, havia doze. Sabia que estava bebendo demais. Sabia que deveria se alimentar melhor e parar de beber, mas tudo o que ele queria fazer era abrir a garrafa, sentar-se no sofá e beber. Kevin gostava de vodca porque ela não o deixava com mau hálito pela manhã e ninguém saberia que ele estava de ressaca no dia seguinte.

Kevin encheu um copo de vodca, bebeu-o e depois se serviu novamente antes de caminhar pela casa vazia. Seu coração doía porque Erin não estava ali e, se de repente ela aparecesse na porta da casa, ele sabia que iria pedir desculpas por ter batido nela. Eles resolveriam seus problemas e depois fariam amor no quarto. Ele queria abraçá-la e sussurrar o quanto a adorava, mas sabia que ela não ia voltar. Mesmo que a amasse tanto assim, às vezes Erin o deixava muito irritado. Não era certo uma esposa simplesmente abandonar a casa onde morava. Uma esposa não deixava seu casamento para trás. Ele queria espancá-la, chutar, estapear e puxar-lhe os cabelos por fazer algo tão cruel. Por ser tão egoísta. Queria mostrar a ela que era inútil tentar fugir.

Ele bebeu o terceiro e o quarto copos de vodca. A casa estava uma bagunça. Havia uma caixa de pizza vazia no chão da sala e o batente da porta do banheiro estava rachado, com farpas de madeira à mostra. A porta não fechava mais direito. Ele chutou a porta depois que ela se trancou no banheiro, tentando fugir dele. Ele a segurava pelos cabelos enquanto lhe socava na cozinha. Ela correu para o banheiro. Ele a perseguiu pela casa e meteu o pé na porta. Mas, agora, mal conseguia se lembrar do motivo pelo qual eles tinham brigado.

Kevin não conseguia se lembrar muito bem do que tinha acontecido naquela noite. Ele não se lembrava de ter quebrado dois dedos da mão dela, embora fosse óbvio que aquilo havia sido obra sua. Mas não a deixou ir para o hospital por uma semana inteira, não até que os hematomas no rosto dela pudessem ser disfarçados pela maquiagem. Erin passou a semana tendo que cozinhar e limpar a casa usando apenas uma das mãos. Ele lhe trouxe flores, desculpou-se e prometeu a ela que nada daquilo voltaria a acontecer. Quando a tala de gesso foi retirada, Kevin a levou a Boston para jantar no restaurante Petroni's. Custou caro e ele sorriu para ela quando estavam sentados à mesa. Depois do jantar, eles foram ao cinema e, no caminho para casa, pensou no quanto a amava e no quanto era feliz por ter uma pessoa como Erin por sua esposa.

21

Alex ficou com Katie até depois da meia-noite, escutando-a enquanto ela contava a história de sua vida. Quando ela estava cansada demais para continuar a falar, ele colocou seus braços ao redor dela e se despediu com um beijo de boa-noite. No caminho de volta para casa, ele pensou consigo mesmo que nunca havia conhecido ninguém que fosse tão corajosa, tão forte e tão engenhosa.

Os dois passaram uma boa parte das duas semanas seguintes juntos tanto tempo quanto podiam. Considerando as horas de trabalho de Alex na loja e os turnos de Katie no Ivan's, aquilo se resumia a algumas poucas horas por dia, mas ele ansiava pelas visitas que fazia à casa dela com uma expectativa que não sentia há anos. Às vezes, Kristen e Josh o acompanhavam até a casa de Katie. Outras vezes, Joyce o arrastava pela porta da loja afora com uma piscadela, pedindo-lhe que se divertisse antes que Alex se pusesse a caminho.

Katie raramente ia à casa de Alex e, quando o fazia, era apenas para visitas curtas. Em sua mente, ele queria acreditar que aquilo acontecia por causa das crianças, ou porque ela não queria apressar as coisas. Entretanto, uma parte dele percebeu que aquilo acontecia por causa de Carly. Embora ele soubesse que amava Katie — e a cada dia que passava estava mais seguro sobre aquilo — não tinha certeza de que realmente estivesse preparado. Katie parecia entender sua relutância e parecia não se importar. Até mesmo porque era mais confortável para os dois ficarem a sós na casa dela.

Mesmo assim, eles ainda não haviam feito amor. Embora ele sempre se apanhasse imaginando o quanto aquilo seria maravilhoso, especialmente nos momentos que antecediam o sono, ele sabia que Katie não estava preparada para isso. Os dois pareciam perceber que aquilo significaria uma mudança no relacionamento, um tipo de esperança perene. Por enquanto, era o bastante poder beijá-la, poder sentir os braços dela ao seu redor. Ele adorava o aroma do xampu de jasmim nos cabelos dela e o jeito que suas mãos se encaixavam perfeitamente; a maneira pela qual cada toque era carregado de uma expectativa deliciosa, como se um estivesse se guardando para o outro. Alex não havia dormido com ninguém desde que sua esposa morrera. Mesmo assim, se sentia como se, de algum modo, estivesse esperando por Katie durante todo esse tempo, mesmo sem saber.

Ele sentia prazer em mostrar as redondezas a ela. Eles caminhavam pela orla da praia, em frente às casas históricas, examinando a arquitetura. Durante um fim de semana, ele a levou para o Orton Plantation Gardens, onde andaram em meio a milhares de roseiras em flor. Depois, foram almoçar em um pequeno bistrô com vista para o mar em Caswell Beach, onde ficaram de mãos dadas sobre a mesa, como dois adolescentes.

Desde a noite em que jantaram na casa de Katie pela primeira vez, ela não havia mais falado sobre seu passado e Alex também não tocara no assunto. Ele sabia que ela ainda estava se esforçando para assimilar tudo aquilo em sua mente: o quanto ela já lhe contara e o quanto ainda havia por contar; saber se podia confiar nele ou não; não conhecer a real importância sobre ela ainda ser casada; e, acima de tudo, o que aconteceria se Kevin a descobrisse aqui. Quando Alex percebia que ela estava triste por pensar naquelas questões, ele a lembrava, gentilmente, de que, independentemente do que acontecesse, seu segredo estaria seguro com ele. Nunca contaria nada a ninguém.

Observando-a, Alex às vezes se sentia tomado por uma raiva quase incontrolável em relação a Kevin Tierney. Aqueles instintos masculinos de agredir e torturar uma mulher eram tão estranhos para ele quanto a capacidade de respirar debaixo d'água ou voar. Mais do que qualquer coisa, ele queria vingança. Queria justiça. Queria que Kevin passasse pela mesma angústia e pelo mesmo terror que tinha provocado em Katie, as infindáveis sessões de castigos físicos cruéis. Durante o tempo que passou no exército, ele havia matado um homem, um soldado que tomara uma dose excessiva de metanfetaminas e que estava com uma arma nas mãos, ameaçando um refém. O homem era perigoso e estava fora de controle. Quando a oportunidade surgiu, Alex puxou o gatilho sem hesitar. A morte dera um significado novo ao seu trabalho, e, em seu coração, ele entendera que havia momentos em que a violência era necessária para salvar vidas. Se Kevin algum dia aparecesse, Alex sabia que protegeria Katie a qualquer custo. No exército, ele percebera que havia pessoas que traziam o bem para o mundo e pessoas que viviam para destruí-lo. Em sua mente, a decisão de proteger uma mulher inocente como Katie de um psicopata como Kevin era tão clara como a diferença entre o preto e o branco — uma escolha simples.

Na maioria dos dias, o espectro da vida anterior de Katie não vinha assombrá-la e eles passavam os dias juntos, em uma intimidade descontraída e que crescia cada vez mais. Katie tinha um talento natural para lidar com crianças — fosse ajudando Kristen a alimentar os patos de uma lagoa próxima ou brincando de pega-pega com Josh, ela sempre parecia conseguir se entrosar com eles sem qualquer esforço, agindo de acordo com cada situação: brincando, confortando, fazendo barulho ou em silêncio. Agindo daquele jeito, se parecia muito com Carly e Alex imaginava que, de algum modo, Katie era o tipo de mulher que Carly mencionara certa vez.

Nas últimas semanas de vida de Carly, Alex se manteve em vigília ao lado da cama onde ela estava. Embora ela passasse a maior parte do tempo dormindo, ele tinha medo de perder os momentos em que ela estava consciente, mesmo que fossem apenas curtos espaços de tempo. Naquela época, o lado esquerdo do corpo de Carly estava quase totalmente paralisado, e ela tinha dificuldades para falar. Mas, certa vez, durante um breve período de lucidez logo antes do amanhecer, ela estendeu sua mão para tocá-lo.

— Quero que você faça uma coisa por mim — disse com um certo esforço, umedecendo seus lábios ressecados com a língua. Sua voz estava rouca pela falta de uso.

— Tudo o que você quiser.

— Eu quero... que você seja feliz.

Naquele momento, ele viu o fantasma do seu antigo sorriso. O sorriso confiante e cheio de vida que o havia cativado quando conversaram pela primeira vez.

— Eu sou feliz.

Ela balançou a cabeça levemente. — Estou falando sobre o futuro — disse Carly. Seus olhos brilhavam com a intensidade de carvões em brasa em meio ao rosto marcado pela luta contra a doença. — Nós dois sabemos do que estou falando.

— Não estou entendendo.

Ela ignorou aquela resposta. — Me casar com você... estar com você e ter filhos com você... foram as melhores coisas que eu já fiz. Você é o melhor homem que eu já conheci.

Ele sentiu sua garganta apertar. — Também me sinto assim em relação a você.

— Eu sei — respondeu ela. — E é por isso que é tão difícil para mim. Porque sei que falhei com você.

— Você não falhou — disse ele, interrompendo-a.

Carly tinha uma expressão triste no rosto. — Eu amo você, Alex, e amo nossos filhos — disse ela, sussurrando. — E eu ficaria muito triste se você nunca mais conseguisse ser feliz novamente.

— Carly, eu...

— Quero que você conheça outra mulher — disse ela, esforçando-se para tomar fôlego. Seu peito arfava com o esforço. — Quero que ela seja inteligente e gentil... E quero que você se apaixone por ela, porque você não merece passar o resto de sua vida sozinho.

Alex não conseguiu falar e mal conseguia enxergá-la em meio às lágrimas.

— As crianças vão precisar de uma mãe.

Aos ouvidos dele, parecia que Carly estava implorando. — Alguém que ame nossos filhos tanto quanto eu os amo, alguém que pense neles como se fossem seus.

— Por que você está falando essas coisas?

— Porque tenho que acreditar que é possível — disse ela, seus dedos magros agarrando-se ao braço de Alex com uma intensidade que beirava o desespero. — É a única coisa que me resta.

Agora, ao ver Katie correndo atrás de Josh e Kristen no gramado à margem da lagoa, ele sentia uma pontada que era ao mesmo tempo agradável e amarga, pensando que o último desejo de Carly poderia finalmente ser realizado.

Katie gostava demais de Alex. Mais do que poderia ser seguro. Ela sabia que estava trilhando um caminho perigoso. Contar a ele sobre seu passado pareceu-lhe a coisa certa a fazer e abrir seus segredos para ele, de alguma forma, a libertara daquele fardo esmagador. Mas, na manhã seguinte àquele primeiro jantar, ficou paralisada pela ansiedade em relação ao que tinha feito. Alex havia sido um investigador, afinal de contas; aquilo provavelmente significava que ele poderia dar um ou dois telefonemas, independente do que lhe dissesse. Ele conversaria com alguém, e essa pessoa conversaria com outra, até que, após algum tempo, Kevin ficaria sabendo de tudo. Ela não lhe dissera que Kevin tinha uma capacidade quase sobrenatural de ligar informações aparentemente desconexas; ela não havia mencionado que, quando um suspeito se tornava um fugitivo, Kevin quase sempre sabia onde encontrá-lo. O simples fato de pensar no que havia feito lhe embrulhava o estômago.

Entretanto, gradualmente, durante as duas semanas seguintes, ela sentiu seus medos desaparecerem. Em vez de fazer mais perguntas quando estavam sozinhos, Alex agia como se as revelações de Katie não estivessem diretamente ligadas às suas vidas em Southport. Os dias se passavam com uma espontaneidade tranquila, sem o incômodo causado pelas sombras de sua vida anterior. Katie não conseguia evitar aquele sentimento — ela confiava em Alex. Quando eles se beijavam, o que acontecia com uma frequência surpreendente, havia momentos em que ela sentia seus joelhos tremerem, e estava ficando cada vez mais difícil impedir o desejo de segurar na mão dele e arrastá-lo para o quarto.

No sábado, duas semanas depois do primeiro beijo, eles estavam na varanda da casa dela. Alex estava com os braços ao redor do corpo de Katie e seus lábios pressionados contra os dela. As crianças estavam participando de uma festa ao redor da piscina da casa de um dos colegas de classe de Josh. Mais tarde, Alex e Katie levariam os dois para um passeio e um churrasco na praia, mas, durante as próximas horas, eles estariam a sós.

Quando finalmente conseguiram se afastar, Katie suspirou. — Você realmente precisa parar de fazer isso.

— Parar de fazer o quê?

— Você sabe exatamente o que está fazendo.

— Não consigo evitar.

"Sei como é essa a sensação", pensou Katie. — Você sabe do que eu gosto em você?

— Do meu corpo?

— Sim. Gosto disso também — disse ela, rindo. — Mas há outra coisa. Você faz com que eu me sinta especial.

— Você é especial — disse ele.

— Estou falando sério — disse ela. — Mas isso me faz pensar por que você nunca encontrou outra pessoa depois que sua esposa faleceu.

— Eu não estava à procura. Mas, mesmo que houvesse outra pessoa, eu a teria dispensado para poder ficar com você.

— Isso é muito indelicado — disse ela, espetando-lhe as costelas com o dedo.

— Mas é verdade. Acredite ou não eu sou seletivo.

— Sim, eu imagino. Você só sai com mulheres que tenham traumas emocionais.

— Você não é do tipo traumatizada. Você é uma mulher corajosa. É uma sobrevivente. É algo bem sensual.

— Acho que você está tentando me elogiar, esperando que eu rasgue suas roupas aqui mesmo.

— Está funcionando?

— Está chegando perto — admitiu ela, e o som do riso de Alex a lembrou novamente do quanto ele a amava.

— Estou feliz por você ter vindo morar em Southport.

— Ah, sim...

Por um instante, ela pareceu desaparecer dentro de si mesma.

— O que foi? — perguntou Alex, estudando-lhe o rosto, repentinamente em estado de alerta.

Ela balançou a cabeça. — Foi por pouco... — suspirou Katie, colocando os braços ao redor do corpo ao se lembrar da ocasião. — Eu quase não consegui chegar até aqui.

22

A neve cobria os jardins de Dorchester, formando uma camada cintilante sobre o mundo do lado de fora da janela da casa onde ela morava. O céu de janeiro, cinza no dia anterior, havia se transformado em um azul gelado e a temperatura estava abaixo de zero.

Era a manhã de um domingo, o dia seguinte à sua ida ao salão de beleza. Ela olhou no vaso sanitário para ver se havia algum sinal de sangue, certa de que havia visto alguma coisa depois de urinar. Seu rim ainda latejava e a dor se irradiava dos ombros até as canelas. A dor a manteve acordada por várias horas enquanto Kevin roncava ao seu lado, mas, felizmente, não era tão sério quanto podia ter sido. Depois de fechar a porta do quarto por trás de si, Erin mancou até a cozinha, lembrando a si mesma de que, dentro de um ou dois dias, tudo aquilo estaria terminado. Mas ela precisava ter cuidado para não levantar as suspeitas de Kevin, tinha que fazer as coisas exatamente da maneira certa. Se ignorasse a surra que levara na noite anterior, ele ficaria desconfiado. Se ela se afastasse demais, ele também ficaria desconfiado. Depois de quatro anos naquele inferno, Erin havia aprendido as regras do jogo.

Kevin teria que ir para o trabalho ao meio-dia, independentemente de ser domingo, e ela sabia que ele não tardaria a acordar. A casa estava fria e ela vestiu uma blusa grossa de lã sobre seu pijama. Pela manhã, Kevin geralmente não se importava com aquilo, porque a ressaca o deixava letárgico demais para tomar qualquer atitude. Ela começou a fazer o café da manhã e colocou o leite e o açúcar na mesa, com a manteiga e a geleia. Colocou os talheres para ele na mesa e deixou um copo de água gelada ao lado do garfo. Depois, colocou duas fatias de pão de forma na torradeira, embora ainda não tivesse ligado o aparelho. Deixou três ovos sobre o balcão, onde poderia alcançá-los rapidamente. Em seguida, colocou seis fatias de *bacon* na frigideira. Elas já estavam crepitando e chiando em meio à fritura quando Kevin chegou à cozinha. Ele se sentou à mesa e bebeu água enquanto ela lhe trazia sua xícara de café.

— Eu dormi feito uma pedra na noite passada. A que horas fomos para a cama?

— Por volta das 10, eu acho — respondeu ela. Erin colocou o café ao lado do seu copo vazio. — Não estava tarde. Você tem trabalhado demais e eu sei que está cansado.

Os olhos de Kevin estavam vermelhos. — Desculpe pelo que fiz ontem à noite. Não queria ter feito aquilo. Estou trabalhando sob uma pressão muito forte ultimamente. Desde que Terry sofreu o ataque cardíaco estou tendo trabalhos em dobro, e o caso Preston começa esta semana.

— Está tudo bem — disse ela, ainda sentindo o cheiro do álcool no hálito de Kevin. — Seu café da manhã vai ficar pronto logo.

No fogão, ela virou as fatias de *bacon* com um garfo e a gordura quente respingou no seu braço, fazendo com que ela esquecesse temporariamente da dor que sentia nas costas.

Quando o *bacon* estava crocante, ela colocou quatro fatias no prato de Kevin e duas no seu próprio. Ela escorreu a gordura e a guardou em uma lata de sopa, enxugou a frigideira com uma toalha de papel e voltou a untá-la com óleo. Tinha que trabalhar rápido para que o *bacon* não esfriasse. Ligou a torradeira e quebrou os ovos. Kevin gostava que seus ovos estivessem fritos no ponto médio, com a gema intacta, e Erin havia aprendido a fazer aquilo com perfeição. A frigideira ainda estava quente e os ovos não demoraram a estar prontos. Ela os virou na frigideira uma vez antes de colocar dois no prato dele e um no prato onde iria comer.

Erin se sentou à frente de Kevin, pois ele gostava de tomar o café da manhã acompanhado. Ele passou manteiga em sua torrada e acrescentou a geleia de uva antes de usar seu garfo para partir os ovos. A gema escorreu pelo prato como sangue amarelado e ele esfregou a torrada nos ovos antes de comê-los.

— O que você vai fazer hoje? — perguntou ele. Kevin usou seu garfo para cortar mais um pedaço do ovo. Mastigando.

— Estava pensando em lavar as janelas e colocar as roupas na máquina de lavar — disse ela.

— Acho que os lençóis também precisam de uma boa lavagem, não é? Depois de termos nos divertido neles a noite passada — disse ele, agitando as sobrancelhas. Seu cabelo estava desalinhado, com fios apontando para todas as direções, e ele tinha um pedaço de ovo grudado no canto da boca.

Ela tentou não demonstrar o asco que sentia. Em vez disso, ela mudou o rumo da conversa.

— Você acha que vai conseguir prender os culpados no caso Preston?

Ele se inclinou para trás e agitou os ombros em um movimento circular antes de voltar a se curvar sobre seu prato.

— Vai depender da promotoria. Higgins é bom nisso, mas nunca se sabe. Preston tem um advogado malandro e ele vai tentar distorcer todos os fatos a seu favor.

— Tenho certeza de que tudo vai dar certo. Você é mais inteligente do que ele.

— Veremos. Eu detesto o fato de que o julgamento vai acontecer em Marlborough. Higgins quer me preparar para o testemunho na noite de terça-feira, depois que o tribunal encerrar as atividades do dia.

Erin já sabia de tudo aquilo e acenou afirmativamente com a cabeça. O caso Preston teve uma ampla repercussão na mídia e o julgamento começaria na segunda-feira, em Marlborough, não em Boston. Lorraine

Preston havia supostamente contratado um homem para matar seu marido. Além de Douglas Preston ser um bilionário que gerenciava fundos de investimentos, sua esposa também era uma celebridade social, envolvida no apoio a instituições filantrópicas que iam desde museus de arte até a organização de orquestras sinfônicas em escolas de bairros carentes. A exposição do caso antes do julgamento havia sido impressionante. Todos os dias, sem exceção, um ou dois artigos eram publicados na primeira página dos jornais e longas reportagens eram exibidas nos noticiários da TV. Quantias imensas de dinheiro, práticas sexuais estranhas, drogas, traição, infidelidade, assassinatos e um filho ilegítimo. Por causa de toda a comoção ao redor do caso, o julgamento havia sido transferido para Marlborough. Kevin foi um dentre vários policiais destacados para a investigação e todos deveriam dar seu testemunho na quarta-feira. Como todas as pessoas, Erin estava acompanhando as notícias, mas, ocasionalmente, ela perguntava alguns detalhes a Kevin sobre o desenrolar do caso.

— Sabe do que você vai precisar quando sair do tribunal? — perguntou ela. — De um passeio à noite para relaxar. Nós poderíamos sair para jantar. Você estará de folga na sexta-feira, não é?

— Nós fizemos isso no ano-novo — resmungou Kevin, esfregando novamente uma fatia de torrada na gema que estava espalhada em seu prato. Havia restos de geleia em seus dedos.

— Se você não quiser sair, eu posso preparar algo especial aqui em casa mesmo. Qualquer coisa que você queira. Podemos tomar um vinho e talvez acender a lareira, e eu posso vestir algo bem sensual para você. Podemos fazer algo bem romântico.

Ele levantou os olhos do seu prato enquanto ela falava. — A questão é a seguinte: estou aberta a tudo o que você quiser — disse ela, com uma voz doce. — Você precisa de uma folga. Não gosto quando você trabalha tanto assim. É como se eles esperassem que você solucionasse todos os casos que existem na cidade.

Ele tamborilou com seu garfo no prato, estudando-a. — Por que você está agindo assim, toda meiga e carinhosa? O que está acontecendo?

Dizendo a si mesma para continuar com a encenação, ela se levantou da mesa.

— Ah, quer saber? Esqueça.

Ela pegou seu prato e o garfo bateu contra ele, caindo sobre a mesa e depois no chão. — Estava tentando demonstrar meu apoio porque você vai ter que sair da cidade, mas, se você não gostou das minhas ideias, está tudo bem. Decida o que você quer fazer e depois me fale quando tiver tempo.

Erin andou rapidamente até a pia, pisando no chão com força, e abriu a torneira com força. Ela sabia que o havia surpreendido e podia senti-lo vacilando entre a raiva e a confusão. Esfregou as mãos sob o jato d'água e depois as levou ao rosto. Em seguida, inspirou o ar em golfadas rápidas, escondendo seu rosto e fazendo um som estrangulado. E levantou seus ombros com um pouco de esforço.

— Você está chorando? — perguntou ele. Ela o ouviu arrastar a cadeira para trás para se levantar. — Por que diabos você está chorando?

Ela falou com a voz propositalmente embargada, esforçando-se ao máximo para fazer pronunciá-las entre seus soluços.

— Eu não sei mais o que fazer. Não sei o que você quer. Eu sei o quanto este caso é grande e importante e toda a pressão que você está sentindo...

Erin estrangulou as últimas palavras, sentindo que ele se aproximava. Quando sentiu que ele a tocava, ela tremeu.

— Ei, está tudo bem — disse ele, a contragosto. — Não precisa chorar.

Ela se virou em direção a ele com os olhos fechados, encostando o rosto contra o peito de Kevin. — Eu só quero fazer você feliz — disse ela com a voz trêmula, antes de enxugar o rosto úmido na camisa dele.

— Vamos pensar em alguma coisa, certo? Teremos um ótimo fim de semana, eu lhe prometo. Para apagar o que aconteceu ontem à noite.

Erin colocou seus braços ao redor dele, abraçando-o e soluçando. Ela tomou fôlego mais uma vez, inalando profundamente. — Lamento muito por tudo isso. Sei que você não precisava ouvir isso logo hoje. Esse ataque de nervos que eu tive por causa de algo que não tem a menor importância. Você já tem muito com o que se preocupar.

— Vou conseguir dar conta de tudo — disse ele. Kevin inclinou a cabeça e Erin se ergueu para beijá-lo, ainda com os olhos fechados. Quando se afastou, ela enxugou o rosto com os dedos e o abraçou novamente. Quando ele a puxou para si, Erin sentiu que Kevin estava ficando excitado. Ela sabia que sua vulnerabilidade o excitava.

— Ainda temos algum tempo antes que eu tenha que sair para o trabalho — disse ele.

— Preciso limpar a cozinha antes.

— Você pode fazer isso depois — disse ele.

ALGUNS MINUTOS DEPOIS, com Kevin se movimentando em cima dela, Erin fez os sons que ele queria enquanto olhava pela janela do quarto e pensava em outras coisas.

Ela havia aprendido a odiar o inverno, com aquele frio insuportável e um jardim que ficava coberto por uma grossa camada de neve, porque não podia sair de casa. Kevin não gostava de deixá-la andar pelo bairro, mas deixava que ela cuidasse de seus canteiros de flores no quintal, pois havia uma cerca ao redor do terreno que lhe dava privacidade. Na primavera, Erin sempre plantava flores em vasos e legumes em um pequeno canteiro ao lado da garagem, onde o sol brilhava com força, longe da sombra das árvores. No outono, vestia um suéter e lia livros que pegava emprestado na biblioteca enquanto as folhas secas e quebradiças cobriam o quintal.

Entretanto, o inverno fazia com que sua vida se transformasse em uma prisão — fria, cinzenta e triste. Um tormento. Ela passava vários dias sem colocar os pés para fora de casa, porque nunca sabia quando Kevin apareceria de surpresa. Erin sabia o sobrenome de um único casal de vizinhos, os Feldmans, que viviam do outro lado da rua. Em seu primeiro ano de casamento, Kevin raramente a agredira e, algumas vezes, ela saíra para fazer caminhadas sem que ele a acompanhasse. Os Feldmans, um casal mais velho, gostavam de cuidar do jardim e, no primeiro ano em que ela morara ali, ela frequentemente parava para conversar com eles. Kevin tentou gradualmente acabar com aquelas visitas amigáveis. Agora, só visitava os Feldmans quando sabia que Kevin estava ocupado com o trabalho e quando sabia que não poderia lhe telefonar. Ela se certificava de que nenhum outro vizinho a estava observando antes de atravessar a rua correndo para bater na porta deles. Sentia-se como uma espiã quando os visitava. Eles lhe mostravam várias fotos de suas filhas, tiradas em diferentes épocas da vida. Uma havia morrido e a outra havia se mudado para longe, e Erin achava que eles eram tão solitários quanto ela. No verão, ela preparava tortas de mirtilos para os Feldmans e depois passava o resto da tarde limpando a farinha espalhada pela cozinha para que Kevin não desconfiasse.

Depois que Kevin saiu para o trabalho, ela limpou as janelas e colocou lençóis limpos na cama. Ela passou o aspirador de pó e limpou a cozinha. Enquanto trabalhava, aproveitou para experimentar disfarçar a voz, praticando para falar com um tom mais grave, de modo que pudesse soar como se fosse a voz de um homem. Tentou não pensar no telefone celular que havia deixado para carregar durante a noite e escondido debaixo da pia. Mesmo sabendo que poderia nunca mais ter uma chance tão boa, ainda estava aterrorizada, pois havia muitas coisas que podiam dar errado.

Ela preparou o café da manhã de Kevin na manhã de segunda-feira como sempre fizera. Quatro fatias de *bacon*, ovos fritos no ponto médio e duas fatias de torrada. Ele estava mal-humorado e distraído e leu o jornal sem conversar muito. Antes de sair de casa, vestiu um sobretudo por cima do paletó e ela lhe disse que tomaria um banho.

— Deve ser ótimo acordar todos os dias sabendo que você pode fazer tudo o que quiser, na hora que quiser.

— O que vai querer para o jantar? — perguntou ela, fingindo não ter ouvido o que ele disse.

Ele pensou na pergunta. — Lasanha e pão de alho. E uma salada para acompanhar — disse ele.

Quando Kevin saiu, ela ficou em frente à janela, observando o carro dele se afastar até chegar à esquina. Assim que ele virou, ela foi até o telefone, sentindo-se até mesmo um pouco tonta ao pensar no que iria acontecer a seguir.

Quando ligou para a companhia telefônica, ela foi transferida para o departamento de atendimento ao cliente. Cinco, seis minutos se passaram. Kevin demoraria vinte minutos para chegar ao trabalho e, sem dúvida, ligaria para casa assim que chegasse. Ela ainda tinha tempo. Finalmente, um atendente começou a falar com ela e lhe perguntou seus dados. Nome, endereço e o nome de solteira da mãe de Kevin. A conta do telefone estava em nome de Kevin e ela recitou as informações na voz grave que havia praticado anteriormente. Aquela voz não era parecida com a de Kevin, talvez nem mesmo soasse masculina, mas o atendente estava com pressa e não percebeu.

— Eu gostaria de contratar um serviço de transferência de chamadas nesta linha telefônica. Seria possível? — perguntou ela.

— Existe uma taxa extra para a contratação do serviço, mas o serviço inclui chamadas em espera e correio de voz. Custa apenas...

— Está ótimo — disse ela, interrompendo o atendente. Mas seria possível ativar o serviço hoje?

— Sim — disse o homem. Ela o ouviu digitar algo no computador. Demorou um bom tempo até que ele voltasse a falar. Ele lhe disse que a taxa extra apareceria na próxima fatura, que seria enviada na semana seguinte, mas que o valor mensal total seria cobrado, embora ela estivesse contratando o serviço hoje. Erin lhe disse que não haveria problemas. Ele pediu mais algumas informações e disse que ela poderia começar a usar o serviço imediatamente. Toda a transação havia levado dezoito minutos para ser concluída.

Kevin lhe telefonou da delegacia três minutos depois.

•◆•

Logo depois do telefonema de Kevin, ela ligou para o Super Shuttle, um serviço de *vans* especializado em levar pessoas para o aeroporto e para a rodoviária. Fez uma reserva para o dia seguinte. Depois, com o telefone celular nas mãos, finalmente o ativou. Ela ligou para um cinema da cidade que repetia uma mensagem gravada com a programação dos filmes, para ter certeza de que o aparelho estava funcionando. A seguir, ativou o serviço de transferência de chamadas no telefone fixo, programando-o para que quaisquer chamadas fossem transferidas para o número do cinema. Para testar o esquema, usou o celular para ligar para o telefone fixo. Seu coração estava aos pulos quando o aparelho tocou. No segundo toque, a chamada foi transferida e ela ouviu a gravação com a programação do cinema. Ela sentiu algo se libertar dentro do peito e suas mãos estavam tremendo enquanto desligava o aparelho celular e o recolocava na caixa de esponjas para a pia. Ela desprogramou o serviço de transferência de chamadas e o telefone fixo voltou a funcionar como antes.

Quarenta minutos depois, Kevin voltou a ligar.

Erin passou o restante da tarde em um estado de torpor, trabalhando sem parar para que sua cabeça não tivesse tempo de se preocupar. Ela passou duas das camisas de Kevin e trouxe a bolsa para proteger o paletó e a mala que estavam guardados na garagem. A seguir, escolheu um par de meias limpas e engraxou um par de sapatos pretos dele. Passou a escova para tirar fiapos de seu paletó e das calças pretas, o terno que sempre usava quando tinha que comparecer ao tribunal, e pegou três gravatas para que ele escolhesse qual iria querer usar. Ela esfregou o chão do banheiro e os rodapés com vinagre até que eles estivessem brilhando. Depois, tirou com cuidado a poeira de cada peça de louça no armário onde guardava suas porcelanas e começou a preparar a lasanha. Ferveu a massa e fez um molho à bolonhesa, alternando as camadas com fatias de queijo. Pincelou quatro fatias de pão italiano com manteiga, alho e orégano e picou todos os ingredientes de que precisava para a salada. Por fim, ela tomou um banho e se vestiu de maneira sensual. Às 5 horas, Erin colocou a lasanha no forno.

Quando Kevin chegou em casa, o jantar estava pronto. Ele comeu a lasanha e falou sobre como tinha sido seu dia. Quando ele pediu para repetir o prato, ela se levantou da mesa e lhe trouxe uma segunda porção. Depois do jantar, ele bebeu vodca enquanto assistia a reprises de *Seinfeld* e *O rei do bairro*. Depois, assistiu ao jogo de basquete entre o Boston Celtics e o Minesotta Timberwolves e ela se sentou ao seu lado. Ele adormeceu em frente à televisão e ela caminhou até o quarto. Erin se deitou na cama, olhando para o teto, até que Kevin acordou e veio cambaleando para o quarto, desabando sobre o colchão. Ele adormeceu imediatamente, com um braço por cima dela, e o barulho dos seus roncos soava como um aviso.

Como de costume, Erin preparou o café da manhã de Kevin na manhã de terça-feira. Ele guardou suas roupas e artigos de higiene pessoal na mala e estava pronto para ir para Marlborough. Depois, levou suas coisas para o carro e voltou para a porta da frente, onde ela estava. E a beijou.

— Estarei de volta amanhã à noite — disse ele.

— Vou sentir saudades — disse ela, encostando a cabeça em seu ombro e colocando os braços ao redor do pescoço dele.

— Acho que devo chegar por volta das 8.

— Vou fazer algo que eu possa requentar quando você chegar em casa. Que tal um *chili*[11]?

— Acho que vou comer antes de voltar para casa.

— Tem certeza? Você vai mesmo querer comer em alguma lanchonete? Faz muito mal para você.

— Veremos — disse ele.

[11] Prato típico da culinária mexicana que, em sua forma mais básica, é feito com carne moída, feijões e pimenta. (N.T.)

— Eu vou preparar o *chili* mesmo assim. Caso você mude de ideia.

Kevin a beijou enquanto ela o abraçava. — Eu lhe telefono mais tarde — disse ele, deslizando as mãos pelas costas dela. Acariciando-a.

— Eu sei — respondeu Erin.

•◆•

No banheiro, Erin se despiu e colocou suas roupas sobre o vaso sanitário e depois enrolou o tapete. Ela havia forrado a pia com um saco de lixo e, nua, se olhou no espelho. Deslizou os dedos pelos hematomas que tinha nas costelas e no pulso. Suas costelas estavam marcadas contra a pele e as olheiras davam ao seu rosto uma compleição quase cadavérica. Foi tomada por uma onda de fúria misturada com tristeza, à medida que imaginava como Kevin chamaria seu nome quando entrasse pela porta da frente, ao voltar da viagem. Ele a chamaria pelo nome e iria até a cozinha. Ele procuraria por ela no quarto. Verificaria também a garagem, a varanda dos fundos e o porão. "Onde você está?", perguntaria ele. "O que temos para o jantar?"

Com a tesoura, ela começou a cortar seu próprio cabelo com selvageria. Dez centímetros de cabelo loiro caíram no saco de lixo. Ela pegou outra mecha, usando os dedos para puxar os fios, dizendo a si mesma para medir o comprimento, e cortou novamente. Sentiu um forte aperto no peito.

— Eu odeio você! — sibilou ela, com a voz trêmula. — O tempo todo me agredindo e humilhando!

Cortou mais mechas do cabelo, seus olhos se enchendo com as lágrimas da fúria. — Me bateu porque eu tive que fazer compras!

Mais cabelos caíram na pia. Tentou se conter para igualar as pontas. — Fez com que eu roubasse dinheiro de sua carteira e me chutou porque estava bêbado!

Estava tremendo agora. Suas mãos não conseguiam se firmar no trabalho. Mechas de tamanhos diferentes se acumulavam a seus pés.

— Fez com que eu tivesse que me esconder! Bateu em mim com tanta força que eu vomitei!

Cortou novamente com a tesoura. — Eu amava você! — disse ela, entre soluços. — Você prometeu que nunca mais me bateria e eu acreditei em você! Eu quis acreditar em você!

Erin cortava os cabelos e chorava. Quando seu cabelo já estava com um comprimento uniforme, ela tirou a tintura que havia escondido atrás da pia. Castanho-escuro. Em seguida, entrou no *box* e molhou os cabelos. Virou o frasco e começou a aplicar a tintura no couro cabeludo. Ficou em pé em frente ao espelho e chorou incontrolavelmente enquanto a nova cor se fixava nos cabelos. Ao final do processo, entrou novamente no *box* e enxaguou os cabelos. Ela os lavou com xampu e condicionador, e postou-se novamente em frente ao espelho. Cuidadosamente, aplicou o delineador nas sobrancelhas, escurecendo-as. Aplicou também creme bronzeador em sua pele, escurecendo-a. Vestiu-se com uma calça jeans e um suéter e olhou para si mesma no espelho.

Uma mulher estranha, morena e de cabelos curtos olhou de volta para Erin.

Ela limpou o banheiro com bastante cuidado, certificando-se de que nenhum fio de cabelo ficasse no piso do *box* ou no chão do banheiro. Outras mechas foram parar no saco de lixo, com a embalagem da tintura para cabelos. Esfregou a pia e o balcão do banheiro e amarrou a boca do saco de lixo. Finalmente, pingou colírio nos olhos, tentando apagar a evidência de suas lágrimas.

Erin tinha que correr agora. Guardou suas coisas em uma bolsa de viagem. Três calças jeans, dois suéteres, camisas. Calcinhas e sutiãs. Meias. Escova e pasta de dentes. Uma escova para o cabelo. Delineador para suas sobrancelhas. As poucas joias que possuía. Queijo, biscoitos, nozes e uvas-passas. Um garfo e uma faca. Ela foi para a varanda dos fundos e pegou o dinheiro que deixara escondido debaixo do vaso de flores. Pegou também o telefone celular que estava na cozinha. E, finalmente, a identificação que precisava para começar uma nova vida — documentos que havia roubado de pessoas que confiavam nela. Sentiu ódio de si mesma por haver roubado e sabia que aquilo era errado, mas não teve outra escolha. Rezou e pediu a Deus que a perdoasse, pois já era tarde demais para voltar atrás.

Ela havia ensaiado a situação em sua cabeça milhares de vezes e andou rapidamente. A maioria dos vizinhos já havia saído para o trabalho. Não queria que ninguém a visse saindo de casa, não queria que ninguém a reconhecesse.

Erin colocou um chapéu e vestiu sua jaqueta, com um cachecol e luvas. Depois, enfiou sua bolsa de viagem embaixo da blusa que vestia, apertando-a e enrolando-a até que assumisse um formato arredondado. Até que ela parecesse estar grávida. Vestiu também seu sobretudo por cima das roupas. A peça era grande o bastante para cobrir a barriga falsa.

Olhou-se mais uma vez no espelho. Cabelo curto e escuro. Pele cor de cobre. Grávida. Ela colocou um par de óculos escuros e, ao sair pela porta, ligou seu telefone celular e programou o telefone fixo da casa para transferir as chamadas. Erin saiu de casa pelo portão lateral, andando por entre sua casa e a do vizinho, seguindo a cerca, e colocou o saco de lixo na lixeira da casa ao lado. Sabia que o casal que morava ali havia saído para trabalhar e que não havia ninguém em casa. Com os vizinhos de trás a rotina era a mesma. Então atravessou o quintal de seus vizinhos e saiu pela lateral, finalmente chegando à calçada da rua, que estava coberta por uma fina camada de gelo.

A neve havia voltado a cair. Sabia que, no dia seguinte suas pegadas já teriam desaparecido.

Precisaria caminhar por seis quarteirões, mas sabia que conseguiria fazê-lo. Manteve a cabeça baixa enquanto andava, tentando ignorar o vento cortante, sentindo-se estonteada, livre e aterrorizada, tudo ao mesmo tempo. Sabia que, amanhã à noite, Kevin andaria pela casa, chamando seu nome, e não a encontraria porque ela não estaria mais lá. E, amanhã à noite mesmo, ele já começaria sua caçada.

***

Flocos de neve riscavam o ar enquanto Katie esperava no cruzamento, em frente à porta de um restaurante. Ao longe, ela viu a *van* azul do Super Shuttle dobrar a esquina e seu coração bateu mais forte no peito. Bem naquele momento, ela ouviu o telefone celular tocar.

Erin empalideceu. Os carros passavam em alta velocidade à sua frente, com os pneus fazendo barulho enquanto esmagavam a neve acumulada na rua. Ao longe, a *van* mudou de faixa, se aproximando do lado da rua onde ela estava. Ela tinha que atender; não havia outra escolha além de atender o telefone. Mas a *van* estava se aproximando e havia muito ruído na rua. Se atendesse agora, Kevin saberia que ela estava fora de casa. Ele perceberia que ela o havia abandonado.

O telefone tocou pela terceira vez. A *van* azul parou em um sinal vermelho. A um quarteirão de distância.

Ela se virou, entrando no restaurante. Os sons estavam abafados, mas ainda eram perceptíveis — uma sinfonia de pratos batendo uns contra os outros e pessoas conversando. Logo à frente estava o púlpito da recepcionista, onde um homem pedia que ela o levasse a uma mesa. Erin sentiu seu estômago embrulhar. Ela cobriu o bocal do telefone com uma das mãos e olhou pela janela, rezando silenciosamente para que ele não conseguisse ouvir a comoção que havia à sua volta. Sentiu suas pernas tremerem enquanto pressionava o botão e atendia à ligação.

— Por que demorou tanto para responder? — perguntou Kevin.

— Eu estava no chuveiro. O que houve?

— Ainda faltam dez minutos para me chamarem no tribunal. E você, como está?

— Estou bem — respondeu ela.

Ele hesitou. — Sua voz está estranha. Tem alguma coisa errada com o telefone?

A um quarteirão de distância, o semáforo acendeu a luz verde. A *van* do Super Shuttle se aproximou da calçada, com a luz da seta acesa, indicando que iria estacionar. Atrás dela, as pessoas do restaurante haviam ficado surpreendentemente silenciosas.

— Não sei. Mas estou ouvindo você muito bem — disse ela. — Provavelmente o sinal de celular é ruim no lugar onde você está. Como foi a viagem?

— Não foi ruim depois que saí da cidade. Mas ainda há gelo cobrindo a pista em alguns lugares.

— Isso não parece ser muito bom. Tenha cuidado.

— Estou bem — disse ele.

— Eu sei — disse ela. A *van* estava estacionando ao lado da calçada e o motorista estava esticando o pescoço, procurando por ela. — Detesto ter que fazer isso, mas você não quer me ligar daqui a alguns minutos? Ainda estou com o cabelo cheio de condicionador e preciso enxaguá-lo.

— Tudo bem. Ligo de volta em alguns minutos — resmungou ele.

— Amo você.

— Eu também amo você.

Ela deixou que ele desligasse antes de pressionar o botão para encerrar a ligação no celular. Em seguida, ela saiu do restaurante e correu para a *van*.

Ao chegar à rodoviária, comprou uma passagem para a Filadélfia, detestando a atitude do homem que lhe vendeu a passagem que insistia em puxar assunto para conversar.

Em vez de esperar no terminal, ela atravessou a rua para tomar café da manhã. O dinheiro para a *van* e para a passagem de ônibus haviam levado mais da metade do que ela guardara durante o ano, mas ela sentia fome. Pediu panquecas, salsicha e leite. Alguém havia esquecido um jornal sobre a mesa e ela se forçou a lê-lo. Kevin ligou para Erin enquanto ela comia. Quando ele mencionou outra vez que a voz dela estava estranha, ela disse que poderia ser por causa da nevasca.

Vinte minutos depois, ela embarcou no ônibus. Uma senhora idosa apontou para a barriga falsa enquanto ela passava pelo corredor.

— Quanto tempo até o parto?

— Mais um mês.

— É o primeiro?

— Sim — respondeu ela, mas sua boca estava tão seca que era difícil manter a conversa. Ela continuou andando pelo corredor do ônibus e sentou-se em uma das últimas poltronas. Havia pessoas sentadas à sua frente e também atrás. Do outro lado havia um jovem casal. Adolescentes, um deitado por cima do outro, escutando música. Suas cabeças balançavam para cima e para baixo.

Erin olhou pela janela enquanto o ônibus saía da rodoviária, sentindo-se como se estivesse sonhando. Na autoestrada, Boston começou a ficar cada vez menor na distância, cinzenta e fria. Suas costas doíam conforme o ônibus avançava, correndo por quilômetros e quilômetros. A neve continuou a cair e os pneus dos carros continuavam espalhando a neve suja conforme passavam pelo ônibus.

Ela desejou poder conversar com alguém. Queria contar a alguém que estava fugindo porque seu marido lhe batia e que não podia chamar a polícia porque seu marido era a polícia. Queria contar a alguém que não tinha muito dinheiro e que nunca mais poderia usar seu próprio nome. Se fizesse aquilo, ele a encontraria e a arrastaria de volta para casa. E voltaria a bater nela, mas desta vez ele provavelmente não pararia. Queria contar a alguém que estava aterrorizada porque não sabia onde dormir naquela noite ou o que faria para conseguir comer quando seu dinheiro acabasse.

Erin sentiu o ar frio contra a janela conforme o ônibus passava por outras cidades. O trânsito na estrada diminuiu, mas pouco tempo depois a estrada voltou a ficar cheia. Ela não sabia o que fazer. Seus planos terminavam no ônibus e não havia ninguém a quem ela pudesse ligar para pedir ajuda. Estava sozinha e não tinha nada além das coisas que trazia consigo.

Uma hora antes de chegar à Filadélfia[12], o telefone celular tocou novamente. Ela cobriu o bocal com a mão e conversou com Kevin. Antes de desligar, ele prometeu ligar novamente antes de ir para a cama.

•◆•

Erin chegou à Filadélfia no final da tarde. Fazia frio, mas não estava nevando. Os passageiros desembarcaram do ônibus e ela se deixou ficar para trás, esperando que todos saíssem. No banheiro, tirou a bolsa de debaixo das roupas, foi para a sala de espera e sentou-se em um dos bancos. Seu estômago estava roncando. Pegou um pedaço do queijo e o comeu com alguns biscoitos. Sabia que teria que fazer aquela comida durar e guardou o restante de volta na mala, mesmo que ainda estivesse com fome. Finalmente, depois de comprar um mapa da cidade, saiu da rodoviária.

O terminal rodoviário não ficava em uma parte ruim da Filadélfia. Ela avistou o centro de convenções e o Trocadero Theater[13]. Aquilo a fez se sentir segura, mas também significava que nunca teria condições de pagar por um quarto de hotel naquela região. O mapa indicava que estava próxima do bairro de Chinatown e, sem um plano melhor, caminhou naquela direção.

Três horas mais tarde, finalmente encontrou um lugar para dormir. O lugar era sujo e cheirava a fumaça de cigarro, e seu quarto mal tinha espaço para a pequena cama que haviam enfiado ali dentro. Em vez de uma luminária havia apenas uma lâmpada incandescente pendurada no teto e todos os quartos compartilhavam o mesmo banheiro, no final do corredor. As paredes eram cinzentas e estavam manchadas pela umidade. Nos quartos vizinhos, dava para ouvir as pessoas conversando em um idioma que ela não conseguia entender. Mesmo assim, o

[12] A distância entre as cidades de Dorchester e Filadélfia, por via terrestre, é de aproximadamente 520 quilômetros. (N.T.)

[13] Teatro e casa de espetáculos construído em 1870 e ainda em operação nos dias de hoje. (N.T.)

dinheiro que ela tinha não lhe permitia ir para outro lugar. A quantia era suficiente para passar três noites ali, ou quatro, se ela conseguisse sobreviver com a pouca comida que havia trazido de casa.

Ela se sentou na beirada da cama, tremendo, com medo do lugar, com medo do futuro e com sua mente em um turbilhão. Tinha que ir ao banheiro, mas não queria sair do quarto. Tentou dizer a si mesma que seria uma aventura e que tudo ficaria bem. Por mais estranho que parecesse, Erin começou a se perguntar se sair de casa teria sido um erro. Tentou não pensar na sua cozinha, no seu quarto e em todas as coisas que havia deixado para trás. Sabia que podia comprar uma passagem de volta para Boston e chegar em casa antes que Kevin percebesse que fugira. Mas seu cabelo agora estava curto e castanho e isso ela não teria como explicar.

Do lado de fora, o sol já havia desaparecido, mas as luzes da rua iluminavam o quarto através da janela suja. Ela ouviu o som de buzinas e olhou para a rua. Na rua, todas as fachadas tinham nomes escritos com caracteres chineses e algumas das lojas ainda estavam abertas. Dava para ouvir algumas das conversas que vinham dos cantos mais escuros e havia sacos plásticos cheios de lixo empilhados nas calçadas. Estava em uma cidade que não conhecia, cercada por estranhos. Pensou que talvez não conseguisse se libertar, afinal. Que não era forte o bastante. Em três dias, ela não teria um lugar para dormir a menos que conseguisse encontrar um emprego. Se vendesse suas joias talvez pudesse pagar por mais uma noite no hotel, mas e depois? O que faria?

Ela se sentia muito cansada e suas costas ainda latejavam. Deitou-se e o sono veio quase imediatamente. Kevin telefonou mais tarde e o toque do telefone a despertou. Precisou de toda sua energia e concentração para falar com a voz firme, para evitar que ele descobrisse sua fuga. Mesmo assim, fez parecer como se estivesse tão cansada quanto realmente estava, fazendo com que Kevin acreditasse que ela estava na cama do casal. Depois que ele desligou, adormeceu em poucos minutos.

Pela manhã, ouviu pessoas andando pelo corredor, indo em direção ao banheiro. Duas mulheres chinesas estavam em frente às pias. O revestimento da parede estava coberto por um bolor verde e havia papel higiênico molhado no chão. A porta da cabine não tinha uma tranca e ela teve que segurá-la com a mão.

De volta ao quarto, Erin tomou um café da manhã composto por queijo e biscoitos. Ela pensou em tomar um banho, mas percebeu que havia se esquecido de trazer xampu e sabonete, então não haveria como fazer aquilo. Trocou de roupa e escovou seus dentes e cabelo. Em seguida, guardou suas roupas novamente na bolsa de viagem, pois não queria deixá-la no quarto, e passou a alça por sobre o ombro. Desceu pelas escadas e viu que o mesmo funcionário que havia lhe entregado a chave do quarto continuava atrás do balcão da recepção. Imaginou que ele nunca saía de trás do balcão. Pagou por mais uma noite e pediu-lhe que deixasse o quarto reservado.

Do lado de fora, o céu estava azul e as ruas, secas. Ela percebeu que a dor em suas costas havia quase desaparecido. Fazia frio, mas não tanto frio como em Boston e, apesar de seus medos, ela percebeu que estava sorrindo. Fez questão de lembrar a si mesma que havia conseguido. Kevin estava a centenas de quilômetros de distância e não sabia onde ela estava. Ele ligaria mais uma ou duas vezes. Depois, jogaria o telefone fora e nunca mais teria que voltar a conversar com ele.

Erin levantou a cabeça e respirou o ar gelado. Sentia que o dia era revigorante, cheio de possibilidades. Hoje, iria encontrar um emprego. Hoje, decidiu Erin, ela começaria a viver o resto de sua vida.

•◆•

Ela havia fugido duas vezes antes e gostaria de ter aprendido com seus erros. A primeira vez aconteceu pouco antes de completar um ano de casamento, depois que Kevin lhe bateu enquanto ela se agachava em um canto do quarto. As contas da casa haviam chegado e Kevin ficou irritado porque ela ajustara o termostato para deixar a casa mais quente. Quando finalmente parou de agredi-la, ele pegou as chaves do carro e saiu de casa para comprar mais bebida. Sem pensar no que estava fazendo, ela pegou sua jaqueta e saiu de casa, mancando pelas ruas. Horas depois, com o granizo caindo e sem qualquer lugar para ir, ela lhe telefonou e ele foi buscá-la.

Na ocasião seguinte, Erin chegou a ir até Atlantic City antes que ele a encontrasse. Ela havia tirado dinheiro da carteira de Kevin e comprado uma passagem de ônibus, mas ele a encontrou menos de uma hora depois de Erin chegar ao seu destino. Kevin dirigiu em alta velocidade pela estrada, sabendo que ela correria para o único lugar onde ainda tinha amigos. Ele a algemou no banco de trás do carro antes de voltar para casa. No caminho, ele parou o carro ao lado de um prédio de escritórios abandonado e bateu nela novamente. Mais tarde, naquela noite, a arma surgiu.

Depois daquele episódio, ele criou mais obstáculos para ela. Deixava seu dinheiro guardado em uma caixa com um cadeado e começou a rastrear seu paradeiro de forma obsessiva. Ela sabia que ele tomaria atitudes extremas para encontrá-la. Por mais que fosse louco, Kevin era persistente e metódico e seus instintos raramente falhavam. Ele descobriria que ela estava na Filadélfia e iria encontrá-la. Erin estava em vantagem por enquanto, mas, sem dinheiro para recomeçar a vida em algum outro lugar, tudo o que podia fazer era olhar por cima dos ombros, mas apenas por um breve período. O tempo que passaria na Filadélfia seria curto.

Erin encontrou um emprego como garçonete para servir coquetéis no seu terceiro dia. Inventou um nome e um número de seguro social. Os dados seriam verificados depois de algum tempo, mas ela já teria ido embora quando aquilo acontecesse. Ela encontrou outro quarto para alugar na parte mais distante de Chinatown. Assim, trabalhou durante duas semanas, acumulando o dinheiro das gorjetas enquanto procurava por outro emprego. Quando encontrou, deixou o emprego de garçonete sem nem se incomodar em pegar seu salário. Não havia razão para aquilo. Sem uma identidade válida, não conseguiria descontar o cheque. Trabalhou por mais três semanas em um pequeno restaurante e se mudou para um outro hotel, que ela alugava por semana. Embora estivesse em uma parte mais perigosa da cidade, o quarto era mais caro, mas tinha um banheiro privativo com chuveiro quente. Valia a pena, mesmo que fosse apenas para ter um pouco de privacidade e um lugar onde pudesse deixar suas coisas. Erin havia juntado algumas centenas de dólares em gorjetas, mais do que tinha quando saiu de Dorchester, mas ainda não era o bastante para recomeçar sua vida. Novamente, ela saiu do emprego sem pegar seu salário, sem nem mesmo se incomodar em pedir demissão. Encontrou outro emprego alguns dias depois, novamente trabalhando em um restaurante. No novo emprego, disse ao gerente que seu nome era Érica.

As constantes mudanças de emprego e de hotel fizeram com que ela continuasse vigilante e foi lá, apenas quatro dias depois de começar, que ela virou uma esquina a caminho do trabalho e viu um carro que, de algum modo, lhe pareceu estranho. Ela parou.

Mesmo depois de muito tempo, ainda não sabia como pôde perceber alguma coisa só porque o carro estava limpo o bastante para refletir os raios do sol da manhã. Enquanto olhava para o carro, ela viu que havia movimento no banco do motorista. O motor não estava ligado e lhe pareceu estranho perceber que havia alguém dentro de um veículo sem o dispositivo de aquecimento em uma manhã fria. Ela sabia que as únicas pessoas que faziam aquilo eram aquelas que estavam esperando por alguém.

Ou que estavam à procura de alguém.

Kevin.

Erin sabia que era ele. Sabia com uma certeza que a surpreendia. Deu meia-volta e virou a esquina de novo, voltando pelo mesmo caminho por onde viera, rezando para que ele não a tivesse visto pelo espelho retrovisor. Assim que o carro estava fora do seu campo de visão, ela começou a correr de volta para o hotel, com o coração aos pulos. Não corria tão rápido assim há anos, mas todas as caminhadas que vinha fazendo nas últimas semanas haviam fortalecido suas pernas e ela andou rapidamente. Um quarteirão. Dois. Três. Olhava constantemente por cima do ombro, mas Kevin não a seguia.

Aquilo não importava. Ele sabia que ela estava ali. Ele sabia onde ela trabalhava. Ele saberia de tudo se ela não aparecesse para trabalhar. Dentro de poucas horas, ele descobriria o lugar onde ela estava morando.

De volta ao quarto, jogou suas coisas na bolsa de viagem e saiu pela porta em poucos minutos. Começou a andar rumo à rodoviária. Mesmo assim, levaria um tempo enorme para chegar até lá. Uma hora de caminhada, talvez mais. E ela não tinha tempo. Aquele seria o primeiro lugar onde ele iria quando percebesse que ela não estava no restaurante. Dando meia-volta, voltou para o hotel e pediu ao recepcionista para lhe chamar um táxi. O veículo chegou dez minutos depois. Os dez minutos mais longos de sua vida.

Na rodoviária, examinou freneticamente os horários dos ônibus e escolheu um que iria para Nova York e que sairia dali a meia hora. Ela se escondeu no banheiro feminino até a hora de embarcar. Quando subiu no ônibus, se deixou afundar em sua poltrona. O ônibus não demorou a chegar em Nova York. Novamente, examinou os horários e comprou uma passagem que a levaria até Omaha[14].

No início da noite, ela desembarcou do ônibus em algum lugar do estado de Ohio. Ela dormiu na rodoviária e na manhã seguinte caminhou até um posto de gasolina à beira da estrada onde conheceu um homem que faria uma entrega em Wilmington, na Carolina do Norte.

Alguns dias mais tarde, depois de vender suas joias, ela chegou até Southport e encontrou a cabana. Depois de pagar o primeiro mês de aluguel, não tinha mais dinheiro para comprar comida.

[14] As distâncias entre as cidades, por via terrestre, são as seguintes: Da Filadélfia a Nova York, cerca de 155 quilômetros; de Nova York a Omaha, cerca de 2.000 quilômetros. (N.T.)

23

Em meados de junho, Katie estava saindo do Ivan's após uma noite movimentada quando percebeu uma figura familiar perto da porta.

— Olá — disse Jo, acenando. Ela estava embaixo do poste onde Katie havia prendido sua bicicleta.

— Oi! O que veio fazer aqui? — perguntou Katie, inclinando-se para abraçar a amiga. Ela nunca havia encontrado Jo na região central da cidade antes e vê-la longe de casa, por algum motivo, lhe pareceu um pouco estranho.

— Vim procurar por você. Você sumiu.

— Eu poderia dizer o mesmo a seu respeito.

— Eu estive perto o bastante para saber que você e Alex estão saindo juntos há algumas semanas — disse ela, piscando. — Mas, como amiga, nunca achei que seria correto me intrometer na sua vida. Imaginei que vocês dois precisariam de algum tempo a sós.

Katie sentiu seu rosto corar. — E como você sabia que eu estava aqui?

— Eu não sabia. Mas as luzes da sua casa estão apagadas e eu resolvi arriscar — disse Jo, dando de ombros. Ela apontou por cima dos ombros. — Você vai fazer alguma coisa agora? Gostaria de tomar alguma coisa antes de voltar para casa?

Quando percebeu a hesitação de Katie, ela prosseguiu. — Sei que está tarde. Só um drinque, eu prometo. Depois a deixarei dormir em paz.

— Um drinque, então — concordou Katie.

Alguns minutos depois, elas entraram em um *pub*, um dos lugares favoritos das pessoas que moravam em Southport. As paredes eram revestidas com madeira escura, marcada pelas décadas de uso, com um longo espelho atrás do balcão do bar. O lugar estava tranquilo naquela noite. Apenas algumas mesas estavam ocupadas e as duas mulheres se sentaram em uma mesa no fundo do salão. Como aparentemente não havia garçons, Katie pediu dois copos de vinho no balcão e os trouxe para a mesa.

— Obrigada — disse Jo, pegando o copo. — Da próxima vez, eu pago a conta — disse ela, recostando-se no assento. — Quer dizer que você e Alex estão juntos, então?

— Você realmente quer que eu fale sobre isso? — perguntou Katie.

— Bem, como minha vida amorosa está em farrapos, tenho que me contentar em perceber que você está feliz com a sua. Parece mesmo que as coisas estão indo bem para você. Ele esteve na sua casa... quantas vezes? Duas ou três vezes na semana passada? E a mesma quantidade de vezes na semana anterior?

"Na verdade, foram mais vezes", pensou Katie. — Algo assim.

Jo segurou sua taça pela haste e a fez girar entre os dedos. — Entendo.

— Entende o quê?

— Se eu não a conhecesse, pensaria que seu relacionamento está ficando sério — disse ela, levantando uma sobrancelha.

— Nós ainda estamos nos conhecendo — arriscou Katie, sem saber onde Jo queria chegar com aquelas perguntas.

— É assim que todos os relacionamentos começam. Ele gosta de você, você gosta dele. E, a partir daí, as coisas evoluem naturalmente.

— Foi por isso que você veio me esperar na porta do trabalho? Para saber de todos os detalhes? — Katie tentou não parecer desesperada.

— Não *todos* os detalhes. Apenas os mais importantes.

Katie revirou os olhos. — Em vez disso, que tal falarmos sobre sua vida amorosa?

— Por quê? Você está querendo ficar deprimida?

— Quando foi a última vez que você saiu com alguém?

— Um encontro dos bons? Ou um encontro sem nada de mais?

— Um dos bons.

Jo hesitou. — Eu diria que faz pelo menos uns dois anos.

— E o que aconteceu?

Jo molhou a ponta do dedo no vinho e depois deslizou-a pela borda da taça, fazendo-a emitir um som suave. Finalmente, levantou os olhos. — É difícil encontrar um homem bom e gentil — disse ela, suspirando. — Nem todo mundo tem a sorte que você teve.

Katie não soube como responder àquela frase. Assim, ela simplesmente tocou a mão de Jo com a sua. — O que está acontecendo realmente? — perguntou ela, gentilmente. — Por que você quis vir até aqui para conversar comigo?

Jo olhou ao redor do bar, que estava praticamente vazio, como se estivesse tentando encontrar inspiração no ambiente ao redor. — Você já teve a sensação de se sentar e começar a imaginar qual o sentido que existe em tudo isso? Se a vida é sempre assim, ou se há algo maior lá fora? Ou se você estava destinado a ter algo melhor?

— Eu acho que todo mundo já teve essa sensação — respondeu Katie, com a curiosidade aumentando.

— Quando eu era criança, costumava fazer de conta que era uma princesa. Uma princesa boa, que sempre faz a coisa certa e que tem o poder de melhorar a vida das pessoas para que, no fim, elas vivam felizes para sempre.

Katie movimentou a cabeça levemente. Ela se lembrava de imaginar a mesma coisa quando era criança, mas ainda não sabia aonde Jo chegaria com aquela conversa. Assim, permaneceu em silêncio.

— Acho que é por isso que tenho meu emprego atual. Quando comecei queria apenas poder ajudar. Eu via as pessoas que estavam lutando contra a perda de alguém que amavam — um pai, um filho, um amigo — e meu coração transbordava com a compaixão. Tentei fazer tudo o que estava ao meu alcance para melhorar a situação daquelas pessoas. Mas, conforme o tempo passou, comecei a perceber que só conseguiria ajudar até um certo ponto. E também que, a partir desse ponto, as pessoas que estavam sofrendo precisariam *querer* dar um passo adiante. O primeiro passo, aquela fagulha motivadora, tem que vir de dentro delas. E, quando isso acontece, é como se uma porta para o inesperado se abrisse.

Katie respirou fundo, tentando entender o sentido das palavras de Jo. — Não estou entendendo o que você quer me dizer.

Jo girou o copo, estudando o pequeno redemoinho que se formara no vinho.

Pela primeira vez, ela assumiu um tom muito sério. — Estou falando sobre você e Alex.

Katie não conseguiu esconder sua surpresa. — Eu e Alex?

— Sim — disse ela, assentindo. — Ele lhe falou sobre a perda da esposa, não é? Sobre o quanto foi difícil para que ele e para as crianças superarem aquela perda?

Katie olhou fixamente para Jo, repentinamente se sentindo desconfortável. — Sim... — começou ela.

— Então tenha cuidado com eles. — disse Jo, com a voz séria. — Com todos eles. Cuidado para não magoá-los.

No silêncio desconfortável que seguiu aquelas palavras, Katie se lembrou da primeira conversa que as duas tiveram a respeito de Alex.

"Vocês dois já se encontraram alguma vez?", ela se lembrava de ter perguntado a Jo.

"Sim, mas talvez não da maneira que você esteja imaginando", respondeu ela. "E para que as coisas fiquem bem claras: aconteceu há um bom tempo e todos prosseguiram com suas vidas".

Quando tiveram aquela conversa, ela presumiu que aquilo significava que ela e Alex haviam se envolvido no passado. Mas agora...

Ela estava chocada pela obviedade da conclusão. A psicóloga que Alex havia mencionado, a pessoa que ajudou as crianças e que o aconselhou depois da morte de Carly fora Jo. Katie endireitou-se em seu assento.

— Você trabalhou com Alex e as crianças, não foi? Depois que Carly morreu?

— Eu prefiro não falar sobre isso — respondeu Jo. Seu tom de voz era calmo e calculado. Exatamente como o de uma psicóloga. — O que eu posso lhe dizer é que... todos eles são muito importantes para mim. E, se você não estiver pensando seriamente em compartilhar seu futuro com eles, acho que seria melhor terminar com tudo agora. Antes que seja tarde demais.

Katie sentiu seu rosto empalidecer. Parecia inapropriado — talvez até mesmo presunçoso — que Jo tocasse naquele assunto. — Não acho que isso seja realmente um assunto que lhe diga respeito — disse ela, com a voz estrangulada.

Jo reconheceu que Katie tinha razão com um leve meneio de cabeça. — Você está certa. Isso não me diz respeito e eu estou passando de certos limites com essa conversa. Mas realmente acho que eles passaram por um período muito difícil e que sofreram demais. E a última coisa que eu quero para eles é que se apeguem a alguém que não tenha a intenção de continuar a morar em Southport. Talvez eu esteja me preocupando com a possibilidade de que o passado nem sempre seja o passado e que você possa decidir partir, independentemente de quanta tristeza deixe para trás.

Katie estava sem palavras. Aquela conversa era totalmente inesperada, totalmente desconfortável. E as palavras de Jo haviam jogado suas emoções em um turbilhão.

Mesmo ao perceber o desconforto de Katie, Jo prosseguiu.

— O amor não significa nada se você não estiver disposta a assumir um compromisso e você não pode pensar apenas no que quer. Você tem que pensar também no que ele quer. Não apenas agora, mas também no futuro.

Ela continuou a olhar fixamente para Katie, à sua frente. — Você está preparada para ser uma esposa para Alex e uma mãe para os filhos dele? Porque é isso que Alex quer. Talvez não agora, mas ele irá querer isso no futuro. E se você não estiver disposta a se comprometer, se você pretende apenas brincar com os sentimentos dele e os das crianças, então você não é a pessoa que ele precisa ter ao seu lado.

Antes que Katie pudesse dizer qualquer coisa, Jo se levantou da mesa enquanto continuava a falar. — Pode ter sido errado da minha parte dizer tudo isso e talvez nós não possamos mais ser amigas. Mas não me sentiria bem comigo mesma se não dissesse tudo isso abertamente. Como disse desde o começo, ele é um bom homem. Um homem raro. Ele ama profundamente e nunca deixa de amar.

Ela deixou que Katie absorvesse aquelas palavras antes que sua expressão repentinamente se suavizasse. — Acho que você é igual a ele. Mesmo assim, queria lembrá-la de que, se você se importa com ele, você tem que estar disposta a se comprometer. Independente do que possa acontecer no futuro. Independente de qualquer medo que você tenha.

Em seguida, ela se virou e saiu do bar, deixando Katie sentada à mesa, em um silêncio estupefato. Foi somente quando se levantou para sair que ela percebeu que Jo não havia tomado um único gole do seu vinho.

24

Kevin Tierney não foi até Provincetown naquele final de semana como havia dito a Coffey e Ramirez. Em vez disso, ele ficou em casa com as cortinas fechadas, pensando no quanto esteve perto de encontrá-la na Filadélfia.

Ele não teria conseguido rastreá-la até tão longe se não fosse por um erro que cometera durante a fuga, ao ir até a rodoviária. Ele sabia que aquele era o único meio de transporte que ela poderia usar. As passagens eram baratas e não era necessário se identificar e, embora não tivesse certeza de quanto dinheiro ela havia lhe roubado, ele sabia que a quantidade não poderia ter sido tão grande. Desde o dia em que se casaram, ele controlava o dinheiro. Ele sempre a obrigava a guardar todos os recibos e lhe devolver o troco de qualquer coisa que comprasse. Entretanto, depois que ela fugiu pela segunda vez, ele também começou a trancar sua carteira no estojo onde guardava suas armas antes de dormir. Mesmo assim, às vezes ele dormia no sofá e imaginou que, nessas ocasiões, ela tirasse a carteira do seu bolso e lhe roubasse o dinheiro. Ele a imaginou rindo em silêncio quando fazia aquilo e como, pela manhã, lhe preparava o café e fingia que não ter feito nada de errado. Ela sorria e o beijava, mas, por dentro, estava rindo. Rindo *dele*. Ela havia lhe roubado e ele sabia que aquilo era errado, pois a Bíblia diz: *Não roubarás.*

No escuro, ele mordia os lábios, lembrando-se da esperança que tivera nos primeiros dias, imaginando que ela fosse voltar. Estava nevando e ela não poderia ter ido para longe. Na primeira vez que Erin fugira a noite também estava impiedosamente fria e ela lhe telefonara depois de algumas horas, pedindo-lhe que fosse buscá-la, pois não tinha nenhum lugar para onde pudesse ir. Quando chegou em casa, ela se desculpou pelo que havia feito e Kevin lhe preparou uma xícara de chocolate quente enquanto ela estava sentada no sofá, tremendo de frio. Trouxe-lhe um cobertor e a observou enquanto ela se cobria, tentando se aquecer. Ela sorriu para ele e ele retribuiu o sorriso. Quando ela parou de tremer, ele atravessou a sala e lhe estapeou até ouvi-la chorar. Ao acordar para trabalhar de manhã, Erin já havia limpado o chocolate quente que havia derramado no piso, embora ainda houvesse uma mancha no carpete, que ela nunca conseguiu remover completamente. E, vez por outra, enxergar aquela mancha o irritava.

Na noite em que ele percebera que ela havia desaparecido, em janeiro passado, Kevin bebera dois copos de vodca enquanto esperava que ela voltasse, mas o telefone não tocou e a porta da frente continuou fechada. Ele sabia que ela não havia desaparecido há muito tempo. Eles haviam conversado há menos de uma hora e ela lhe disse que estava preparando o jantar. Mas não havia nenhum jantar no fogão. Nenhum sinal dela na casa, no porão ou na garagem. Ele foi até a varanda e procurou por pegadas na neve, mas era óbvio que Erin não havia saído pela porta da frente. A neve no quintal também não tinha qualquer pegada ou sinal suspeito, então ela não havia saído por aquela porta também. Era como se ela tivesse simplesmente flutuado para longe, ou desaparecido no ar. E aquilo significava que ela devia estar em casa... exceto pelo fato de que não estava.

Dois copos de vodca e meia hora depois Kevin já estava tomado pela fúria. Foi quando abriu um buraco na porta do quarto com um soco. Saiu da casa e bateu com força na porta dos vizinhos, perguntando se eles tinham percebido quando ela saíra, mas nenhum deles tinha a resposta. Ele entrou no carro e dirigiu freneticamente pelas ruas do bairro, buscando por rastros que ela pudesse ter deixado, tentando entender como ela havia conseguido sair da casa sem deixar qualquer pista. Imaginou que ela talvez tivesse duas horas de vantagem, mas, como estaria a pé, e com a neve caindo, não poderia ter ido tão longe. A menos que alguém tivesse vindo buscá-la. Alguém com quem ela se importasse. Um homem.

Ele socou o volante, seu rosto contorcido pela fúria. O distrito comercial ficava a seis quarteirões de distância. Ele foi até as lojas, mostrando uma foto de Erin que tinha na carteira e perguntando às pessoas se a haviam visto. Ninguém respondeu afirmativamente. Ele disse que ela poderia estar acompanhada por um homem, mas, mesmo assim, as respostas negativas continuaram. Os homens que ele abordou foram incisivos. "Uma loira bonita desse jeito? Eu a teria percebido. Especialmente em uma noite como esta", diziam.

Kevin voltou para o carro e andou por cada uma das ruas e estradas num raio de oito quilômetros de sua casa, duas ou três vezes, antes de finalmente desistir. Eram 3 horas da manhã e a casa estava vazia. Depois de mais uma vodca, ele começou a chorar e não parou até adormecer.

Pela manhã, quando acordou, ele teve um novo acesso de fúria. Com um martelo destruiu os vasos de flores que Erin tinha no quintal. Bufando, ligou para a delegacia e disse que não poderia ir trabalhar, pois estava doente. Depois, sentou-se no sofá e tentou desvendar de que maneira ela havia fugido. Era certo que ela tivera ajuda. Alguém devia tê-la levado para algum lugar. Alguém que ela conhecia. Algum amigo de Atlantic City? Altoona? Era possível, supôs ele, embora verificasse cuidadosamente as contas de telefone todos os meses. Ela nunca fizera nenhuma ligação interurbana. Alguém que morava em Dorchester, então. Mas quem? Ela nunca ia a lugar nenhum e nunca conversava com ninguém. Ele nunca permitiu.

Ele foi para a cozinha e estava se servindo de mais um copo de vodca quando ouviu o telefone tocar. Saiu em disparada para atendê-

-lo, esperando que fosse Erin. Entretanto, estranhamente, o telefone tocou somente uma vez e, quando ele pegou o fone, ouviu um tom de discagem. Ele olhou para o aparelho, tentando entender o que estava acontecendo antes de desligar.

Como ela conseguira escapar? Havia alguma coisa que ele não tinha percebido. Mesmo se alguém que morasse na cidade a tivesse ajudado, como ela teria chegado até a estrada sem deixar pegadas na neve? Ele olhou pela janela, tentando reconstruir a sequência de eventos. Havia algo que não se encaixava ali, embora não conseguisse identificar o que era. Deu as costas para a janela e percebeu que estava se concentrando no telefone. Foi então que as peças finalmente se encaixaram e ele pegou seu celular. Ligou para o telefone fixo e o ouviu tocar uma vez. O telefone celular continuou chamando. Quando pegou o fone do aparelho fixo, ouviu um tom de discagem e percebeu que ela havia transferido as chamadas para outro aparelho celular. E aquilo significava que ela não estava em casa quando ele lhe telefonara na noite anterior, além de explicar por que a ligação estava ruim nos dois dias anteriores. E, é claro, a falta de pegadas na neve. Kevin agora sabia que ela não estava em casa desde a manhã de terça-feira.

Na rodoviária, ela cometeu um erro, mesmo que não tivesse como evitar. Ela devia ter comprado sua passagem com uma balconista do sexo feminino, em vez de tê-lo feito com um homem. Erin era bonita e homens sempre se lembram de mulheres bonitas. Não importava se tinham o cabelo longo e loiro ou curto e castanho. Também não importava se ela fingisse estar grávida ou não.

Ele foi até a rodoviária. Mostrou seu distintivo e uma foto maior da esposa. Nas primeiras duas vezes em que ele estivera lá, nenhum dos vendedores de passagens a reconhecera. Na terceira vez, entretanto, um deles hesitou e disse que poderia ter sido ela, exceto pelo fato de que seu cabelo estava curto e castanho e também por estar grávida. Voltando para casa, Kevin encontrou uma fotografia de Erin no computador e usou o Photoshop para alterar a cor do seu cabelo, de loiro para castanho. Depois, ele o encurtou. Ele telefonou novamente para a delegacia na sexta e disse que estava doente.

"É ela", confirmou o vendedor de passagens, e Kevin sentiu uma onda de energia tomar conta de si. Erin pensou que era mais esperta que ele, mas, na verdade, era imbecil e descuidada, e havia cometido um erro. Ele tirou alguns dias de folga na semana seguinte e continuou a rondar a rodoviária, mostrando a nova fotografia para os motoristas de ônibus. Ele chegava pela manhã e saía bem tarde, pois os motoristas chegavam e saíam a toda hora. Havia duas garrafas de vodca no carro. Ele se servia em um copo de isopor e bebia com um canudinho.

No sábado, onze dias depois de Erin sair de casa, ele encontrou o motorista. Ele a levara até a Filadélfia e disse que se lembrava dela porque a mulher era bonita e estava grávida e também porque não levava nenhuma bagagem.

•◆•

Filadélfia. Ela já podia ter saído de lá e ido para outro lugar, mas era a única pista que Kevin tinha. Além disso, ele sabia que ela não tinha muito dinheiro.

Ele colocou algumas roupas em uma mala e viajou de carro até a Filadélfia. Estacionou na rodoviária e tentou pensar como Erin. Ele era um bom investigador e sabia que, se conseguisse pensar como ela, conseguiria encontrá-la. Kevin havia aprendido que as pessoas são previsíveis.

O ônibus havia chegado alguns minutos antes das quatro da tarde e ele estava na rodoviária, olhando de um lado para o outro. Ela havia estado naquele mesmo lugar há alguns dias, pensou ele, e imaginou o que ela faria em uma cidade estranha, sem qualquer dinheiro, sem amigos e sem ter para onde ir. Moedas e notas de um dólar não a levariam longe, especialmente depois de comprar uma passagem de ônibus.

Ele se lembrou de que o tempo estava frio e que logo escureceria. Ela não ia querer andar até muito longe e precisaria de um lugar para ficar. Um lugar que aceitasse pagamento em dinheiro. Mas onde? Não aqui, neste bairro. Era caro demais. Para onde ela iria? Ela não se arriscaria se perder ou andar na direção errada. Aquilo significava que ela provavelmente teria consultado uma lista telefônica. Ele voltou para o terminal e pesquisou os hotéis que apareciam na lista telefônica. Páginas e mais páginas, ele percebeu. Ela devia ter escolhido um, mas e depois? Teria que andar até lá. E, para fazer aquilo, precisaria de um mapa.

Ele foi até a loja de conveniência da rodoviária e comprou um mapa também. Ele mostrou a fotografia para o balconista, mas ele acenou negativamente com a cabeça. Disse que não estava trabalhando naquela terça. Mas Kevin sentia que estava na pista certa. Ele sabia que Erin havia feito o mesmo. Desdobrou o mapa e localizou a rodoviária. Ficava bem próximo a Chinatown e ele imaginou que ela teria andado naquela direção.

Kevin voltou para o carro e dirigiu pelas ruas de Chinatown e, novamente, seus instintos lhe disseram que ele estava certo. Bebeu sua vodca e caminhou pelas ruas, começando pelas lojas mais próximas da rodoviária, e mostrou a foto dela para várias pessoas. Ninguém sabia de nada, mas ele percebia que algumas delas estavam mentindo. Ele encontrou quartos baratos, lugares onde ele nunca a levaria, lugares sujos com lençóis sujos, gerenciados por homens que não falavam inglês muito bem e que aceitavam apenas dinheiro como meio de pagamento. Kevin deixava implícito que Erin correria perigo caso ele não conseguisse encontrá-la. Ele achou o primeiro lugar em que ela se hospedou, mas o proprietário não sabia para onde ela havia ido depois. Kevin encostou o cano de sua arma na cabeça do proprietário, mas, mesmo chorando, o homem não conseguiu lhe dar nenhuma outra informação.

Tendo que voltar ao trabalho na segunda-feira seguinte, ficou furioso por Erin haver conseguido ludibriá-lo. Mas, no outro fim de semana, ele estava de volta na Filadélfia. E no próximo. Ele expandiu sua busca, mas esbarrava no problema de que havia muitos lugares onde procurar e ele era apenas uma pessoa. Nem todo mundo confiava em um policial de fora da cidade.

Mas ele era paciente e metódico e continuou fazendo as viagens até a Filadélfia e tirando dias de folga. Outro fim de semana passou. Ele ampliou sua busca, sabendo que ela precisaria de dinheiro vivo. Procurou em bares, restaurantes e lanchonetes. Investigaria cada um daqueles estabelecimentos, na cidade inteira, se fosse preciso. Finalmente, uma semana depois do dia dos namorados, conversou com uma garçonete chamada Tracy, que lhe disse que Erin estava trabalhando naquele restaurante, mas que disse se chamar Érica. O nome dela constava na escala do dia seguinte. A garçonete confiou nele porque Kevin era um investigador e chegou até mesmo a flertar um pouco, dando-lhe seu número de telefone antes que ele saísse.

Kevin alugou um carro e esperou a um quarteirão do restaurante na manhã seguinte, antes do nascer do sol. Os funcionários entravam no restaurante por uma porta lateral, que dava para um beco. Ele bebeu a vodca que estava no seu copo de isopor e ficou sentado no carro, vigiando a rua enquanto esperava por ela. Após algum tempo, ele viu o dono do restaurante, Tracy e outra mulher entrarem no beco. Entretanto, Erin não apareceu naquele dia e também não foi trabalhar no dia seguinte. Ninguém sabia onde ela morava. Ela não chegou nem mesmo a voltar para pegar seu salário.

Ele descobriu onde ela estava morando algumas horas depois. Ficava perto do restaurante, um hotel vagabundo. O proprietário, que só aceitava pagamento em dinheiro, não sabia de nada, exceto que Erin havia saído no dia anterior e que depois havia voltado e saído mais uma vez, apressadamente. Kevin revistou o quarto dela, mas não encontrou nada e, quando finalmente correu para a rodoviária, havia apenas mulheres trabalhando nos balcões de venda de passagem. Nenhuma delas se lembrava de Erin. Os ônibus que partiram nas duas últimas horas saíram em direção ao norte, sul, leste e oeste, indo para todos os cantos do país.

Ela havia desaparecido de novo. Dentro do carro, Kevin gritou e bateu os punhos contra o volante até que eles estivessem inchados e roxos com hematomas.

•◆•

Nos meses seguintes ao desaparecimento de Erin, a dor que ele sentia cresceu e ficou mais insidiosa e devastadora, espalhando-se como um câncer a cada dia. Ele havia voltado à Filadélfia e interrogado os motoristas de ônibus no decorrer das semanas seguintes, mas não conseguira muito mais informações. Chegou a descobrir que ela havia partido para Nova York, mas, depois daquilo, o rastro dela desaparecera. Muitos ônibus, muitos motoristas, muitos passageiros; muitos dias já haviam passado. Muitas opções. Erin poderia estar em qualquer lugar e a ideia de que ela poderia ter desaparecido o atormentava. Ele tinha acessos de fúria e quebrava coisas. Chorava antes de dormir. Estava tomado pelo desespero e às vezes achava que estava enlouquecendo.

Não era justo. Ele a amara desde quando conversaram pela primeira vez em Atlantic City. E eles eram felizes, não é mesmo? Logo depois de se casarem, ela cantarolava sozinha enquanto aplicava sua maquiagem. Ele costumava levá-la até a biblioteca e ela saía de lá com oito ou dez livros. Às vezes, Erin lia alguns trechos em voz alta para ele, e ele ouvia aquela voz e observava a maneira como ela se apoiava no balcão e pensava consigo mesmo que era a mulher mais bonita do mundo.

Ele era um bom marido. Comprara a casa que ela escolhera, as cortinas e a mobília que ela quisera, mesmo que mal tivesse condições de pagar por tudo aquilo. Depois que se casaram, ele frequentemente comprava flores na rua quando voltava para casa e Erin as colocava em um vaso sobre a mesa com algumas velas e eles jantavam em clima de romance. Às vezes, eles chegavam até mesmo a fazer amor na cozinha, com as costas dela pressionadas contra o balcão.

Ele nunca a obrigou a trabalhar e ela nunca percebeu a vida confortável que tinha. Ela não entendia os sacrifícios que ele fazia pelo casal. Erin era uma mulher mimada e egoísta e aquilo o deixava muito irritado, pois ela não compreendia o quanto sua vida era fácil. Apenas limpar a casa e preparar uma refeição e depois ela podia passar o resto do dia lendo os livros idiotas que pegava na biblioteca, assistindo à televisão ou dormindo, sem nunca ter que se preocupar com uma conta, com as prestações da hipoteca ou com pessoas que falavam mal pelas costas. Nunca teve sequer que ver os rostos de pessoas que foram assassinadas. Ele não lhe falava nada daquilo porque a amava, mas nada daquilo fez a menor diferença. Nunca lhe falou sobre as crianças que eram queimadas com ferros de passar roupa ou jogadas de algum telhado; nunca falou sobre as mulheres esfaqueadas em becos e jogadas em alguma caçamba de lixo. Nunca disse a ela sobre as ocasiões em que teve que raspar o sangue dos sapatos antes de entrar no carro e que, quando olhava nos olhos dos assassinos, ele sabia que estava frente a frente com o mal, porque a Bíblia diz que *Matar uma pessoa é matar um ser vivo feito à imagem e semelhança de Deus*.

Ele a amava e ela o amava. Ela tinha que voltar para casa, porque ele não conseguia encontrá-la. Ela poderia viver sua vida feliz e despreocupada novamente e ele não iria lhe bater, socar, estapear ou chutar se ela entrasse pela porta da frente, porque sempre fora um bom marido. Ele a amava e ela o amava. Ele se lembrava de que, no dia em que a pedira em casamento, ela se lembrara da noite em que se encontraram do lado de fora do cassino, quando os homens a seguiram. Homens perigosos. Ele impediu que eles a machucassem naquela noite, e na manhã seguinte eles caminharam pela orla da praia. Ele a levou para uma cafeteria. Erin aceitou o pedido de casamento. Ela o amava, foi o que disse. Ele fazia com que ela se sentisse segura.

Segura. Aquela foi a palavra que ela usou. Segura.

25

A terceira semana de junho foi composta por uma série de dias gloriosos, típicos do verão. A temperatura subia durante a tarde, trazendo consigo uma umidade densa o bastante para deixar o ar mais carregado e embaçar os contornos do horizonte. Logo depois, várias nuvens escuras se formavam, como num passe de mágica, e tempestades violentas traziam chuvas torrenciais. Mesmo assim, estas nunca demoravam muito, deixando para trás apenas folhas encharcadas nas árvores e uma camada de névoa perto do chão.

Katie continuava com suas longas jornadas de trabalho no restaurante. Sentia-se cansada ao pedalar de volta para casa e, pela manhã, frequentemente sentia que suas pernas e pés estavam doloridos. Guardava metade do dinheiro que recebia com as gorjetas na lata de café, notando que ela estava quase cheia, perto de transbordar. Tinha mais dinheiro do que imaginara ser capaz de guardar, mais do que o bastante para fugir se precisasse. Pela primeira vez, perguntou a si mesma se teria necessidade de guardar mais.

Ao comer lentamente as últimas porções do seu café da manhã, olhou para a casa de Jo através da janela da cozinha. Não conversava com Jo desde que ela a encontrara na saída do restaurante e, ontem à noite, quando voltara para casa, Katie vira as luzes da sala e da cozinha de Jo acesas. No começo da manhã, ouviu o barulho do motor do carro dela e ouviu o veículo passando por cima da terra e dos cascalhos da viela quando saiu de casa. Não sabia o que dizer à amiga, ou mesmo se queria dizer algo a ela. Não conseguia decidir nem mesmo se estava brava ou irritada com o que ela fizera. Jo se importava com Alex e as crianças; preocupava-se com eles e havia expressado suas preocupações à Katie. Era difícil encontrar qualquer malícia nas coisas que ela havia feito.

Katie sabia, também, que Alex viria até sua casa mais tarde. Suas visitas haviam se transformado em um tipo de rotina e, quando estavam juntos, ela se lembrava constantemente de todas as razões pelas quais havia se apaixonado por ele. Alex aceitava seus silêncios ocasionais e variações de humor e a tratava com uma gentileza que a surpreendia e emocionava. Entretanto, desde a noite em que conversara com Jo, imaginava, constantemente, que poderia estar sendo injusta com ele. O que aconteceria, por exemplo, se Kevin aparecesse? Como Alex e as crianças reagiriam se ela desaparecesse para nunca mais retornar? Estaria disposta a deixar todos para trás e nunca mais voltar a conversar com eles?

Katie detestava as questões que Jo havia levantado porque não se sentia pronta para enfrentá-las. "Você não faz ideia das coisas pelas quais passei", foi o que teve vontade de dizer quando teve tempo para pensar a respeito. "Você não faz ideia de quem meu marido realmente é". Mesmo assim, sabia que nenhum daqueles argumentos resolveria o problema.

Deixando a louça do seu café da manhã na pia, andou pela casa, pensando no quanto as coisas haviam mudado durante os últimos meses. Não possuía quase nada, mas sentia como se tivesse mais do que nunca tivera. Sentiu-se amada pela primeira vez em anos. Nunca teve filhos, mas se apanhava pensando e se preocupando com Kristen e Josh em momentos inesperados. Sabia que não poderia prever o futuro, mas, mesmo assim, se deu conta de forma repentina e incontestável que deixar essa nova existência para trás era algo inconcebível.

O que foi que Jo havia lhe dito certa vez? "Eu simplesmente digo às pessoas aquilo que elas já sabem, mas têm medo de admitir para si mesmas".

Refletindo sobre aquelas palavras, Katie soube exatamente o que tinha que fazer.

•◆•

— **É claro** — disse Alex à Katie, depois que ela fez seu pedido. Ela percebeu que ele ficou surpreso, mas também parecia sentir-se estimulado.

— Quando você quer começar?

— Que tal hoje mesmo? Se você tiver tempo — sugeriu ela.

Alex deu uma olhada no interior da loja. Havia apenas uma pessoa comendo na área da churrasqueira e Roger estava apoiado no balcão, conversando com o cliente.

— Ei, Roger. Você se importa de cuidar da caixa registradora por uma hora?

— Sem problemas, chefe — disse Roger. E ficou onde estava. Alex sabia que ele não viria até a frente da loja a menos que fosse necessário. Em uma manhã comum de um dia de semana, depois da correria inicial do café da manhã, não esperava ter muitas pessoas no estabelecimento. Alex não se importava. Saiu de trás da caixa registradora.

— Está pronta?

— Acho que não — disse ela, com os braços ao redor do corpo, nervosamente. — Mas é algo que tenho que saber como se faz.

Eles saíram da loja e foram até o jipe de Alex. Ao entrar no carro, sentiu que Alex a observava.

— Por que essa vontade repentina de aprender a dirigir? — perguntou ele. — Já cansou da bicicleta? — disse ele, provocando-a.

— A bicicleta está ótima para as coisas de que preciso. Mas quero tirar uma carteira de motorista.

Antes de hesitar, pegou as chaves do carro. Voltou-se para ela e, à medida que a observava, ela percebeu um relance da personalidade de investigador que Alex tinha. Ele estava alerta e Katie percebeu sua cautela.

— Aprender a dirigir é apenas uma parte do processo. Para conseguir a habilitação, o estado exige identificação. Uma certidão de nascimento, cartão de seguro social, coisas como essas.

— Eu sei — disse ela.

Alex escolheu suas palavras com cuidado. — Esse tipo de informação pode ser rastreada. Se você conseguir uma habilitação, as pessoas podem conseguir te encontrar.

— Já estou usando um outro número de seguro social, um que não está ligado à minha identidade real — disse ela. — Se Kevin soubesse, ele já saberia onde estou. E se vou ficar em Southport, isso é algo que preciso fazer.

Alex balançou a cabeça negativamente. — Katie...

Ela se inclinou e o beijou no rosto. — Está tudo bem. Meu nome não é Katie, lembra?

Alex percorreu a curva do rosto dela com o dedo. — Para mim, você sempre será Katie.

Ela sorriu. — Tenho um segredo. Meu cabelo não é naturalmente castanho. Na verdade, sou loira.

Alex se recostou no assento, processando aquela nova informação. — Tem certeza de que você realmente quer me contar isso?

— Imagino que, algum dia, você ia acabar descobrindo. Quem sabe? Talvez eu volte a ser loira algum dia.

— Por que está fazendo tudo isso? Querendo aprender a dirigir, me dando todas essas informações?

— Você me disse que podia confiar em você — disse ela, dando de ombros. — E eu acredito no que você disse.

— Só isso?

— Sim. Sinto-me como se pudesse lhe dizer qualquer coisa.

Alex olhou para sua mão e a dela, que estavam entrelaçadas sobre o apoio para o braço do assento, antes de olhar nos olhos de Katie.

— Então vou direto ao ponto. Você tem certeza de que seus documentos serão aceitos? Não podem ser cópias. Precisam ser os originais.

— Eu sei — disse ela.

Alex percebeu que não seria adequado perguntar mais nada. Colocou a chave na ignição, mas não deu a partida no motor.

— O que foi? — perguntou ela.

— Já que você quer aprender a dirigir, talvez seja melhor começarmos agora.

Ele abriu a porta e saiu do carro. — Vamos ver como você se sai ao volante.

Os dois trocaram de lugar. Assim que Katie sentou-se no lado do motorista, Alex lhe mostrou os aspectos básicos: os pedais do acelerador e do freio, como engatar e trocar as marchas, luzes de seta, faróis, além dos limpadores de para-brisa e os indicadores do painel. Era sempre melhor começar pelo começo.

— Está pronta?

— Acho que sim — disse ela, concentrando-se.

— Como este carro tem câmbio automático, você usa somente um pé. Ele vai estar no acelerador ou no freio. Entendeu?

— Sim — disse ela, deixando o pé esquerdo mais perto da porta.

— Agora, pise no freio enquanto engata a marcha à ré. Não use o acelerador. Em vez disso, vá soltando o freio com cuidado. Depois, vire o volante para sair da vaga do estacionamento, sempre mantendo o pé sobre o freio, com uma pressão leve.

Ela fez exatamente como Alex lhe disse e tirou o carro da vaga cautelosamente antes que ele a instruísse sobre como tirar o carro do estacionamento. Pela primeira vez, ela hesitou.

— Você tem certeza de que quer que eu dirija na estrada?

— Se houvesse muito trânsito, eu diria não. Se você tivesse 16 anos, eu também diria não. Mas acho que você tem condições de fazer isso e estou aqui para ajudar. Está pronta? Você vai virar à direita e nós vamos seguir essa via até a próxima curva. Depois viraremos novamente à direita. Quero que você sinta o carro.

Eles passaram quase uma hora dirigindo por estradas rurais. Como a maioria dos iniciantes, ela teve problemas ao esterçar o carro um pouco demais nas curvas e, por vezes, acabou entrando na área do acostamento. Também levou algum tempo para se acostumar a estacionar o carro, mas, com exceção dessas dificuldades, ela se saiu melhor do que qualquer um deles esperava. Quando estavam perto de terminar, Alex fez com que ela estacionasse em uma das ruas do centro da cidade.

Ele apontou para uma pequena cafeteria. — Pensei que você gostaria de celebrar. Você se saiu muito bem.

— Não sei. Não me senti como se realmente soubesse o que estava fazendo.

— Isso vem com o tempo. Quanto mais você dirigir, mais natural isso vai lhe parecer.

— Posso dirigir amanhã também? — perguntou ela.

— É claro que pode. Mas será que podemos fazer isso durante a manhã? Agora que Josh terminou as aulas, ele e Kristen estão passando as manhãs em um clube que tem atividades para crianças. Eles voltam para casa por volta do meio-dia.

— As manhãs são ótimas — disse ela. — Você acha que eu realmente dirigi bem?

— Você provavelmente conseguiria passar na parte do teste que envolve dirigir pelas ruas com mais alguns dias de prática. Claro, você precisa passar na prova escrita também, mas basta estudar um pouco.

Katie estendeu os braços e lhe deu um abraço espontâneo. — Obrigada por fazer tudo isso por mim.

Ele correspondeu ao abraço. — Fico feliz por ajudar. Mesmo que você não tenha um carro, é algo que você provavelmente deveria saber. Por que você não...

— Aprendi a dirigir quando era mais nova? — disse ela, dando de ombros. — Quando era adolescente nossa família tinha somente um carro e geralmente meu pai ficava o dia inteiro com ele. Mesmo que eu tivesse uma carteira de motorista, não poderia dirigir, e, assim, nunca me pareceu algo muito importante. Depois que saí de casa, não tive condições de comprar um carro e, novamente, não me importei muito com isso. Mais tarde, quando me casei, Kevin não queria que eu tivesse meu próprio carro.

Ela se virou. — E aqui estou eu. Uma ciclista de 27 anos.

— Você tem 27 anos?

— Você já sabia.

— Na verdade, eu não sabia.

— E daí?

— Achei que já estivesse com 30.

Ela lhe deu um leve tapa no braço. — Por causa disso, vou fazer você me comprar um *croissant* também.

— Nada mais justo. E, como você está a fim de contar seus segredos, gostaria de ouvir a história sobre como você finalmente conseguiu escapar.

Ela hesitou por um breve momento. — Tudo bem.

•◆•

Em uma mesa pequena do lado de fora da cafeteria, Katie relatou a história de sua fuga — as ligações telefônicas redirecionadas, a viagem para a Filadélfia, as trocas constantes de emprego e os hotéis vagabundos em que morou, até a viagem para Southport. Diferente da primeira vez, agora ela foi capaz de descrever suas experiências tranquilamente, como se estivesse falando sobre outra pessoa. Quando terminou, Alex balançou a cabeça.

— O que foi?

— Estava só tentando imaginar como você deve ter se sentido depois de desligar quando Kevin fez sua última ligação. Quando ele ainda pensava que você estava em casa. Aposto que você se sentiu aliviada.

— Me senti, sim. Mas também estava aterrorizada. E, naquele ponto, ainda não havia encontrado um emprego e não sabia o que ia fazer.

— Mas você conseguiu.

— Sim... consegui — disse ela, com o olhar fixo em algum ponto distante. — Mas não era o tipo de vida que tinha imaginado para mim.

O tom de voz de Alex era gentil. — Não tenho certeza de que a vida de qualquer pessoa no mundo aconteça exatamente do jeito que se imagina. O que podemos fazer é tentar sempre agir para que tudo aconteça da melhor maneira possível. Mesmo quando tudo parece impossível.

Katie sabia que ele estava falando por si mesmo, tanto quanto estava falando por ela, e, durante um longo momento, nenhum deles disse nada.

— Eu amo você — sussurrou ele, finalmente.

Ela se inclinou para a frente e lhe tocou o rosto. — Eu sei. E eu amo você também.

26

No final de junho, os jardins e os canteiros floridos de Dorchester, que brilhavam com as cores vibrantes da primavera, estavam começando a murchar; as flores assumiam uma coloração marrom e se retorciam sobre a terra. A umidade do ar estava aumentando e os becos na área central de Boston começavam a cheirar a comida podre, urina e mofo. Kevin disse a Coffey e Ramirez que ele e Erin iriam passar o fim de semana em casa, assistindo a filmes e cuidando do jardim. Coffey havia perguntado sobre a viagem a Provincetown e Kevin mentira, falando sobre o hotel onde haviam se hospedado e alguns dos restaurantes que haviam visitado. Coffey disse que já havia visitado todos aqueles lugares e perguntou se Kevin havia pedido o bolo salgado de carne de caranguejo em um deles. Kevin disse que não, mas que pediria da próxima vez.

Erin havia desaparecido, mas Kevin ainda procurava por ela por toda a parte. Não conseguia evitar. Quando dirigia pelas ruas de Boston e via um relance de loiro ou dourado nos ombros de alguma mulher, sentia seu coração preso na garganta. Procurava pelo nariz delicado, pelos olhos verdes e pela maneira graciosa de andar. Às vezes, ficava do lado de fora da confeitaria fingindo que estava esperando por ela.

Já deveria ter conseguido encontrá-la, mesmo que ela tivesse lhe escapado na Filadélfia. As pessoas deixavam pistas. Documentos deixavam rastros. Na Filadélfia, ela havia usado um nome e um número de seguro social fajutos, mas aquilo não poderia durar para sempre. A menos que estivesse disposta a continuar morando em hotéis baratos e trocando de emprego a cada semana. Até este ponto, porém, ela não usara seu próprio número de seguro social. Um oficial de outra delegacia, que tinha contatos importantes, verificou para ele. Aquele oficial era a única pessoa que sabia sobre Erin ter desaparecido, mas manteve a boca fechada porque Kevin também sabia que ele tinha um caso com uma garota ainda menor de idade, que trabalhava como babá de seus filhos. Kevin se sentia sujo sempre que tinha que conversar com ele, porque o policial era um pervertido e deveria estar na cadeia. Afinal, a Bíblia diz: *Que não haja imoralidade sexual entre vós.* Entretanto, neste momento, Kevin precisava dele para poder encontrar sua esposa e trazê-la de volta para casa. Marido e mulher devem ficar juntos, porque fizeram seus votos diante de Deus e da família.

Tinha certeza de que a encontraria em março. Estava certo de que ela apareceria em abril. Teve um forte pressentimento de que o nome dela surgiria em maio, mas a casa continuava vazia. Agora, junho havia chegado e seus pensamentos se encontravam dispersos e, às vezes, eram tudo o que ele podia manter para continuar com a rotina dos procedimentos policiais. Era difícil se concentrar e a vodca não parecia mais ajudar tanto. Ele tinha que mentir para Coffey e Ramirez e se afastar deles enquanto os dois faziam comentários maldosos pelas suas costas.

De uma coisa ele tinha certeza: ela não estava mais correndo. Não iria se mudar de um lugar para outro, ou de um emprego para o outro para sempre. Ela não tinha aquele perfil. Gostava de coisas bonitas e queria tê-las ao seu redor. E isso significava que Erin deveria estar usando a identidade de alguma outra pessoa. A menos que estivesse disposta a viver constantemente fugindo, ela precisava de uma certidão de nascimento real e de um número de seguro social válido. Hoje em dia, os empregadores exigem identificação, mas onde e como ela poderia ter conseguido assumir a identidade de outra pessoa? Kevin sabia que a maneira mais comum era encontrar alguém de idade similar que houvesse morrido recentemente e, daí por diante, assumir a identidade do morto. A primeira parte era plausível, pois, apesar de tudo, Erin continuara fazendo visitas frequentes à biblioteca. Ele podia imaginá-la examinando os obituários nos arquivos de microfilme, procurando por um nome que pudesse roubar. Ela tramava planos e artimanhas na biblioteca enquanto fingia procurar livros nas estantes e fizera essas coisas mesmo depois de Kevin tê-la levado até lá durante seu horário de trabalho. Ele lhe dava carinho e gentilezas e ela retribuía com aquela traição. Ficava furioso ao pensar em como Erin ria dele enquanto fazia coisas assim. Imaginar aquilo o enfurecia tanto que pegou um martelo e estraçalhou o jogo de pratos e xícaras de porcelana chinesa que haviam recebido como presente de casamento. Depois de se acalmar, conseguiu concentrar-se no que tinha que fazer. Durante os meses de março e abril, Kevin passou horas na biblioteca, assim como ela teria feito, tentando encontrar a nova identidade que Erin estaria usando. Mas, mesmo que encontrasse o nome, como ela poderia ter conseguido os documentos? Onde ela estaria agora? E por que não havia voltado para casa?

Aquelas eram as perguntas que o atormentavam e, às vezes, tudo era tão confuso que ele não conseguia parar de chorar. Sentia muita saudade, queria que ela voltasse para casa e detestava ficar sozinho. No entanto, outras vezes, pensar que Erin o abandonara fazia com que Kevin pensasse no quanto ela era egoísta e tudo o que queria fazer era matá-la.

•◆•

Julho chegou e com ele o tempo quente como as baforadas de um dragão: quente, úmido e com um horizonte que tremulava como uma miragem quando visto a distância. O fim de semana do feriado da

Independência havia passado e outra semana começara. O aparelho de ar-condicionado havia quebrado e Kevin não chamara um técnico para fazer o conserto. Sempre sentia dor de cabeça pelas manhãs, quando ia para o trabalho. Por tentativa e erro, Kevin descobriu que a vodca funcionava melhor do que os comprimidos de Tylenol, mas a dor continuava lá, fazendo suas têmporas latejarem. Não ia mais à biblioteca. Coffey e Ramirez perguntaram mais uma vez sobre sua esposa. Kevin disse que ela estava bem, mas nada além disso. E mudou de assunto. Ele ganhou um novo parceiro, Todd Vannerty, recém-promovido, que não se importava em deixar que Kevin fizesse a maior parte das perguntas quando falava com as testemunhas e as vítimas, aliás, o próprio Kevin não se importava com essa situação.

Kevin lhe disse que, quase sempre, a vítima conhecia o assassino. Mas nem sempre de maneira óbvia. Ao fim de sua primeira semana de trabalho juntos, eles foram chamados até um apartamento a menos de três quarteirões da delegacia, onde encontraram um garoto de 10 anos que havia morrido por causa de um ferimento à bala. O atirador havia emigrado da Grécia recentemente e estava celebrando a vitória da seleção grega em um jogo de futebol quando disparou sua arma em direção ao chão. A bala atravessou o teto do apartamento de baixo e matou o garoto, que comia um pedaço de pizza. A bala perfurou o topo de sua cabeça e ele tombou para frente, batendo o rosto em cima da pizza. Quando viram o garoto, sua testa estava coberta de queijo e molho de tomate. A mãe do menino gritou e chorou por duas horas e tentou agredir o grego nas escadarias, que já estava sendo levado para fora do prédio, algemado. Ela acabou se desequilibrando e rolando escada abaixo, e os policiais tiveram que chamar uma ambulância.

Kevin e Todd foram para um bar depois do expediente, e Todd tentou fingir que podia esquecer o que havia visto. Entretanto, ele bebeu três cervejas em menos de quinze minutos. Disse a Kevin que havia sido reprovado na primeira vez em que prestara a prova para ser promovido a investigador, antes de finalmente conseguir passar na segunda vez.

Kevin bebeu vodca, mas, como Todd estava com ele, pediu ao *barman* que acrescentasse um pouco de suco de framboesas à bebida.

Era um bar frequentado por policiais. Muitos policiais, preços baixos, pouca iluminação e mulheres que gostavam de se envolver com aquele tipo de homem. O *barman* deixava as pessoas fumarem, mesmo que aquilo fosse contra a lei, porque a maioria dos fumantes eram policiais. Todd não era casado e já estivera naquele bar várias vezes. Kevin nunca havia estado ali antes e não tinha certeza de que gostava do lugar. Mesmo assim, não queria voltar para casa.

Todd foi ao banheiro e, quando voltou, se inclinou em direção a Kevin.

— Acho que aquelas duas no canto do bar estão olhando para nós.

Kevin se virou. Assim como ele, as mulheres pareciam ter cerca de 30 anos. A morena percebeu que ele a olhava antes de se voltar para sua amiga ruiva.

— Uma pena você ser casado, hein? Elas são bem bonitas.

Elas pareciam envelhecidas, pensou Kevin. Não eram como Erin, que tinha a pele sedosa e cheirava a limão e menta, o perfume que ele havia lhe dado de presente no Natal.

— Vá até lá falar com elas, se quiser.

— Acho que vou, sim — disse Todd. Ele pediu outra cerveja e andou até o lugar onde as duas estavam, sorrindo. Provavelmente disse algo imbecil, mas foi o bastante para fazer as duas mulheres rirem. Kevin pediu uma vodca dupla, sem suco de framboesas, e viu o reflexo delas pelo espelho que ficava atrás do balcão do bar. Os olhos da morena encontraram os seus no reflexo e ele não desviou o olhar. Dez minutos depois, ela se aproximou e sentou-se na banqueta que Todd ocupava alguns minutos antes.

— Não está a fim de conhecer pessoas hoje? — perguntou a morena.

— Não sou muito bom para puxar assunto.

A morena pareceu considerar aquelas palavras. — Meu nome é Amber — disse ela.

— Kevin — respondeu ele e, novamente, não soube o que dizer. Ele tomou um gole da bebida pensando que o gosto parecia quase como o da água.

A morena se inclinou em direção a ele. Cheirava a almíscar, bem diferente do cheiro de limão e menta. — Todd disse que vocês trabalham com homicídios.

— É verdade.

— É um trabalho difícil?

— Às vezes — disse ele. Kevin terminou a bebida e levantou o copo. O *barman* lhe trouxe outro. — E você? O que faz?

— Eu administro o escritório da confeitaria do meu irmão. Ele faz doces e produtos para restaurantes.

— Parece interessante.

Ela lhe deu um sorriso cínico. — Não parece, não, mas ajuda a pagar as contas — disse ela. O branco de seus dentes brilhou em meio à penumbra. — Nunca vi você aqui antes.

— Foi Todd que me trouxe até aqui.

Ela olhou em direção a Todd. — Eu já o vi algumas vezes. Ele dá em cima de qualquer pessoa que esteja usando uma saia e que ainda esteja respirando. E eu acho que nem é tão necessário que a pessoa esteja realmente respirando. Minha amiga adora este lugar, mas geralmente não suporto esse bar. Ela me força a vir aqui com ela.

Kevin assentiu e se mexeu em seu assento. Ele se perguntou se Coffey e Ramirez vinham até este lugar.

— Eu estou lhe incomodando? — perguntou ela. — Posso deixá-lo em paz se você quiser.

— Não, você não está me incomodando.

Ela mexeu o pescoço e jogou o cabelo e Kevin notou que ela era mais bonita do que ele imaginara a princípio. — Quer me pagar um drinque? — sugeriu ela.

— O que você quer beber?

— Um *cosmopolitan* — disse ela, e Kevin fez um sinal para o *barman*.

O *cosmopolitan* havia chegado.

— Não sou muito bom nisso — admitiu Kevin.

— Não é bom no quê?

— Nisso.

— Estamos só conversando — disse ela. — E você está indo bem.

— Sou casado.

Ela sorriu. — Eu sei. Percebi sua aliança.

— Isso a incomoda?

— Como disse, estamos apenas conversando.

Ela deslizou o dedo pelo vidro do copo e ele percebeu a umidade se concentrar na pele dela.

— Sua esposa sabe que você está aqui? — perguntou ela.

— Minha esposa está fora da cidade. Uma amiga dela está doente e ela foi até lá para ajudá-la.

— E então, você achou que seria uma boa ideia ir até alguns bares? Conhecer mulheres?

— Não sou esse tipo de homem. Eu amo minha mulher — disse Kevin.

— E você deveria mesmo. Afinal, você se casou com ela.

Ele queria outra vodca dupla, mas não queria pedi-la em voz alta na presença de Amber, porque já havia feito isso. Em vez disso, como se pudesse ler sua mente, ela fez um sinal para o *barman* e ele trouxe outra dose. Kevin tomou um grande gole, ainda pensando que a bebida tinha gosto de água.

— Você se importa por eu ter feito isso? — perguntou ela.

— Está tudo bem — disse ele.

Ela olhou para ele, com uma expressão sensual. — Eu não contaria à sua esposa que você esteve aqui, se eu fosse você.

— Por que não? — perguntou ele.

— Porque você é bonito demais para um lugar como este. Você nunca sabe quem vai tentar dar em cima de você.

— Você está dando em cima de mim?

Ela demorou um momento para responder. — Você ficaria ofendido se eu dissesse que sim?

Ele girou o copo lentamente sobre o balcão do bar. — Não — disse ele. — Isso não me ofende.

•◆•

Depois de beber e flertar por cerca de duas horas, os dois estavam no apartamento de Amber. Ela percebeu que ele preferia ser discreto, e então lhe deu seu endereço. Depois que Amber e sua amiga saíram, Kevin ficou no bar com Todd por mais meia hora, antes de dizer a Todd que tinha que voltar para casa e telefonar a Erin.

Enquanto dirigia, ele percebeu o mundo ficar embaçado nos limites do seu campo visual. Seus pensamentos estavam confusos e em desordem e ele sabia que estava dirigindo descuidadamente pelas ruas, mas era um bom policial. Mesmo que fosse parado não seria preso, porque policiais não prendem uns aos outros. Além disso, que problema havia em tomar alguns drinques?

Amber morava em um apartamento a alguns quarteirões de distância do bar. Ele bateu na porta e quando a porta se abriu, ela não vestia nada por baixo do lençol que havia enrolado ao redor do corpo. Ele a beijou e a levou para o quarto, sentindo os dedos dela desabotoando sua camisa. Colocou-a na cama, despiu-se e apagou as luzes, porque não queria se lembrar de que estava traindo sua esposa. O adultério era um pecado e, agora que estava ali, Kevin não queria fazer sexo com ela, mas havia bebido. O mundo parecia estar borrado. E Amber não vestia nada além de um lençol. Tudo era confuso demais.

Ela não era como Erin. Seu corpo era diferente, suas formas eram diferentes e seu cheiro era diferente. Era um cheiro adocicado, quase animalesco. As mãos dela se moviam demais e tudo o que Kevin fazia com Amber era novo. Ele não gostava daquilo, mas não conseguia parar. Ouviu Amber chamar seu nome, dizer palavras sujas. Kevin quis mandá-la calar a boca para que pudesse pensar em Erin, mas era difícil se concentrar. Tudo era confuso demais.

Apertou os braços dela e a ouviu gemer e dizer em seguida: — Não tão forte! — Kevin suavizou a pegada, mas logo voltou a apertar os braços de Amber, porque era aquilo que queria fazer. Desta vez, ela não disse nada. Ele pensou em Erin, imaginou onde ela poderia estar, se ela estaria bem e voltou a pensar no quanto sentia saudade dela.

Ele não devia ter batido em Erin, porque ela era doce, gentil e carinhosa e não merecia ser socada ou chutada. Kevin era o culpado por Erin haver desaparecido. Fora ele quem a afastara, mesmo que a amasse. Havia procurado por ela e não tinha conseguido encontrá-la. Esteve na Filadélfia procurando por ela. E agora estava com uma mulher chamada Amber, que não sabia o que fazer com as mãos e fazia ruídos estranhos. Tudo parecia estar errado.

Quando terminaram, ele não quis mais ficar ali. Em vez disso, levantou-se da cama e começou a se vestir. Ela acendeu o abajur ao lado da cama e se sentou. Ao olhar para ela, Kevin se lembrou de que ela não era Erin e repentinamente sentiu seu estômago embrulhar. A Bíblia diz: *O homem que comete adultério é um tolo, pois destrói sua própria alma.*

Tinha que sair de perto de Amber. Não sabia por que tinha ido até ali e, ao olhar para ela, seu estômago se retorcia.

— Você está bem? — ela perguntou.

— Não deveria estar aqui — respondeu ele. — Não devia ter vindo.

— Acho que é um pouco tarde para pensar nisso.

— Tenho que ir embora.

— Vai sair assim? Simplesmente ir embora?

— Sou casado — disse ele novamente.

— Eu sei — disse ela, com um sorriso cansado. — E não há nenhum problema.

— É claro que há — disse ele. Depois de se vestir, ele a deixou no apartamento e correu pela escada, descendo até a rua e entrando no carro. Dirigiu velozmente, mas não fez curvas perigosas ou cruzou as faixas de trânsito. A culpa que sentia era como um forte tônico para seus sentidos. Voltou para casa e viu uma luz acesa na casa dos Feldmans, sabendo que eles espiariam pela janela quando ele estacionasse. Os Feldmans eram vizinhos ruins. Nunca o cumprimentavam e diziam às crianças para não pisarem em seu gramado. Eles perceberiam o que ele havia feito, pois eram pessoas ruins. Ele havia feito uma coisa ruim e pessoas ruins sempre andam juntas.

Quando entrou, Kevin precisava de uma bebida. Mesmo assim, só de pensar na vodca, sentiu-se enjoado. Estava inquieto. Havia traído sua esposa e a Bíblia dizia: *Sua vergonha nunca será apagada*. Havia quebrado um dos mandamentos de Deus, quebrado os votos que fizera com Erin, e sabia que a verdade apareceria. Amber sabia, Todd sabia e os Feldmans também sabiam. Eles acabariam contando a alguém, que contaria a outra pessoa, até que a história chegaria aos ouvidos de Erin. Ele andou de um lado para outro na sala de estar, com a respiração acelerada porque sabia que não conseguiria explicar aquilo a Erin de uma maneira que ela pudesse entender. Ela era sua esposa e nunca o perdoaria. Ficaria furiosa e o mandaria dormir no sofá. Pela manhã, o olharia, cheia de decepção, pois ele era um pecador, e nunca mais voltaria a confiar nele. Ele estremeceu, sentindo náuseas. Havia dormido com outra mulher e a Bíblia dizia: *Não te envolvas com pecado sexual, impureza, luxúria e desejos vergonhosos*. Tudo era confuso demais. Queria parar de pensar, mas não era capaz. Queria beber, mas não era capaz. E tinha a sensação de que Erin apareceria repentinamente na porta da casa.

A casa estava suja e desorganizada e sua querida esposa perceberia o que ele fizera. Mesmo que seus pensamentos estivessem confusos, ele sabia que aquelas duas coisas estavam ligadas. Andou freneticamente pela sala, de um lado para o outro. Sujeira e traição estavam ligadas, porque trair era uma coisa suja. Erin saberia que ele a havia traído, porque a casa estava suja e as duas coisas estavam associadas. De repente, parou de andar pela sala e correu para a cozinha. Lá, encontrou um saco de lixo debaixo da pia. Na sala, ajoelhou-se e rastejou pelo cômodo, enchendo o saco com as embalagens vazias de comida para viagem, as revistas velhas, os talheres de plástico, as garrafas de vodca vazias e as caixas de pizza. Já passava da meia-noite e ele não teria que trabalhar na manhã seguinte. Assim, Kevin ficou acordado limpando a casa, lavando os pratos e passando o aspirador de pó que comprara para Erin. Limpou a casa para que ela não descobrisse o que ele havia feito. Sujeira e traição estavam associadas. Colocou as roupas sujas na máquina de lavar e, quando elas já estavam limpas, colocou-as na secadora. Em seguida, dobrou-as e guardou-as à medida que outra leva de roupas enchia a máquina. O sol nasceu e ele tirou as almofadas do sofá, passando o aspirador por baixo delas até que todas as migalhas desaparecessem. Enquanto trabalhava, ele olhava pela janela, sabendo que Erin poderia chegar em casa a qualquer momento. Esfregou o vaso sanitário, limpou as manchas de comida da geladeira e lavou o piso da cozinha. O alvorecer se transformou em manhã e a manhã já avançava em direção à hora do almoço. Kevin lavou os lençóis, abriu as cortinas e tirou o pó da moldura da foto do seu casamento. Aproveitou também para aparar o gramado e jogou a grama cortada na lata do lixo. Quando terminou, saiu para fazer compras. Comprou peru, presunto, mostarda Dijon e pão de centeio fresco na padaria. Comprou flores e as colocou sobre a mesa. Acrescentou velas também. Ao terminar, ele respirava com dificuldade. Serviu-se de um copo grande de vodca gelada e sentou-se na cozinha para esperar por Erin. Ficou feliz porque limpara a casa e aquilo significava que Erin nunca saberia o que ele havia feito. Teriam o tipo de casamento que ele sempre quisera. Confiariam um no outro e seriam felizes. Ele a amaria para sempre e nunca iria traí-la. Afinal, por que ele faria algo tão desprezível?

27

Katie conseguiu sua carteira de motorista na segunda semana de julho. Nos dias que precederam o teste, Alex a levava para dirigir regularmente. Apesar de alguns deslizes, ela passou com uma pontuação quase perfeita. O documento chegou pelo correio após alguns dias e, quando Katie abriu o envelope, sentiu uma forte tontura. Havia uma fotografia sua ao lado de um nome que ela nunca imaginou que teria, mas que, de acordo com o estado da Carolina do Norte, era tão real como qualquer outra pessoa que residia no estado.

Naquela noite, Alex a levou para jantar em Wilmington. Depois, os dois caminharam pelas ruas do centro da cidade de mãos dadas, olhando as vitrines das lojas. De vez em quando, ela percebia que Alex a olhava com admiração.

— O que foi? — perguntou ela, finalmente.

— Eu estava pensando que o nome Erin não combina com você. Katie se encaixa muito melhor.

— É melhor que seja assim. Esse é o meu nome e eu tenho uma carteira de motorista para provar.

— Eu sei que você tem. Agora, tudo o que você precisa é de um carro.

— Por que eu precisaria de um carro? — disse ela, dando de ombros. — A cidade é pequena e eu tenho uma bicicleta. E, quando chove, há um homem que está disposto a me levar para qualquer lugar que eu precise ir. É quase como ter meu próprio motorista particular.

— É mesmo?

— É, sim. E eu tenho certeza de que, se eu pedisse, ele até me emprestaria seu carro. Ele está praticamente comendo na minha mão.

Alex levantou uma sobrancelha. — Não me parece uma atitude muito masculina da parte dele.

— Ah, ele é ótimo — disse ela, provocando. — Parecia um pouco desesperado no começo, com todas aquelas mercadorias que me deu de graça. Mas, depois de um tempo, me acostumei com isso.

— Você tem um coração de ouro.

— É óbvio que tenho — disse ela. — A chance de encontrar alguém como eu é de uma em um milhão.

Alex riu. — Estou começando a achar que você finalmente está saindo da concha onde se escondia e estou começando a perceber quem é a verdadeira Katie.

Ela deu alguns passos em silêncio. — Você conhece a pessoa que sou verdadeiramente — disse ela, parando para olhar nos olhos dele. — Mais do que qualquer outra pessoa.

— Eu sei — disse ele, puxando-a para um abraço. — E é por isso que, de alguma forma, acho que o destino nos unirá algum dia.

Embora a loja estivesse tão movimentada quanto sempre estivera, Alex resolveu tirar férias. Era a primeira vez em alguns anos que fazia isso e ele passou a maioria das tardes com Katie e seus filhos, aproveitando os dias preguiçosos do verão de uma maneira que não fazia desde que era criança. Ele pescou com Josh, construiu casas de boneca com Kristen e levou Katie para um festival de *jazz* em Myrtle Beach. Durante as noites em que os vaga-lumes enchiam os jardins das casas, eles saíam para caçá-los com redes e os colocavam em um pote de vidro. Depois observavam o luzir dos insetos com uma mistura de espanto e fascinação, até que Alex finalmente abria a tampa e os soltava.

Passeavam de bicicleta e iam ao cinema e, nas noites em que Katie não trabalhava, Alex gostava de acender a churrasqueira. As crianças almoçavam e depois nadavam no riacho até a hora em que o sol se punha. Depois que tomavam banho e iam dormir, Alex e Katie se sentavam no pequeno ancoradouro atrás da casa, com as pernas balançando sobre a água, enquanto a lua cruzava lentamente o céu. Bebiam vinho e conversavam sobre trivialidades, e Alex começou a apreciar bastante aqueles momentos tranquilos a dois.

Kristen, especialmente, adorava ter Katie por perto. Quando os quatro estavam andando juntos, não era raro que Kristen buscasse pela mão de Katie; quando caía no chão do *playground*, ela corria em direção à moça. Embora seu coração se alegrasse ao ver aquilo, Alex sempre sentia uma pontada de tristeza, também, ao se lembrar de que ele nunca poderia ser tudo que sua filha precisava, independente do quanto se esforçasse. Mesmo assim, quando Kristen vinha correndo até ele e perguntava se a senhorita Katie poderia levá-la para fazer compras, Alex era incapaz de dizer não. Embora fizesse questão de levá-la para comprar o que fosse necessário uma ou duas vezes por ano, ele geralmente via aqueles passeios mais como uma obrigação de pai do que uma oportunidade para se divertir. Em contrapartida, Katie se deliciava com a ideia. Depois de dar algum dinheiro à Katie, Alex lhe entregou as chaves do jipe e acenou do estacionamento quando elas saíram.

Por mais que a presença de Katie alegrasse Kristen, os sentimentos de Josh não eram tão óbvios. No dia anterior, Alex fora buscá-lo em uma festa oferecida na casa de um amigo, e o filho não trocou qualquer palavra com o pai ou com Katie pelo resto da noite. Naquele dia, ainda pela manhã, ele também estava mais reservado do que de costume. Alex sabia que alguma coisa o incomodava e sugeriu que os dois pegassem suas varas de pescar logo depois que o sol se pôs. As sombras começaram a se estender por sobre a água escura e o riacho estava tranquilo, um espelho enegrecido refletindo as nuvens que cruzavam lentamente o céu.

Eles pescaram por cerca de uma hora, enquanto o céu se tingia de violeta para depois adquirir um tom de índigo. As iscas e os anzóis criavam ondulações em forma de anéis quando se mexiam na superfície da água. Josh continuava estranhamente quieto. Em outras ocasiões, aquele teria sido um momento tranquilo, mas Alex tinha a sensação incômoda de que alguma coisa estava errada. Quando estava prestes a perguntar a Josh sobre aquilo, seu filho se virou em sua direção.

— Pai?

— Sim?

— Você ainda pensa na mamãe?

— O tempo todo — disse ele.

Josh assentiu. — Eu também penso nela.

— É bom que o faça. Ela o amava muito. Sobre o que você pensa?

— Eu me lembro de quando ela fez biscoitos para nós. Ela me deixou colocar o glacê neles.

— Eu me lembro disso. Você ficou com o rosto todo coberto de glacê rosa. Ela tirou uma foto sua. Ainda está pregada na porta da geladeira.

— Acho que é por isso que eu me lembro — disse ele, apoiando a vara de pescar sobre o colo. — Você sente saudades dela?

— É claro que sinto. Eu a amava muito — disse Alex, olhando nos olhos de Josh. — O que está havendo, Josh?

— Ontem, na festa... — Josh esfregou o nariz, hesitando.

— O que aconteceu?

— A maioria das mães ficou lá o tempo todo. Conversando e coisa e tal.

— Eu teria ficado se você quisesse.

Josh baixou os olhos e, em meio ao silêncio, ele percebeu o que seu filho quis dizer. — Eu devia ter ficado por ali também, não é? Uma reunião entre pais e filhos — disse ele, mais em tom de afirmação do que de pergunta. — Mas você não quis me pedir isso porque eu seria o único pai ali, no meio de várias mães, não é?

Josh assentiu novamente, com um olhar de culpa. — Não quero que você fique bravo comigo.

Alex colocou o braço ao redor de seu filho. — Não estou bravo.

— Tem certeza?

— Absoluta. Nunca ficaria bravo com você por causa disso.

— Você acha que a mamãe teria ido? Se ela ainda estivesse aqui?

— É claro que teria. Ela não perderia essa festa por nada.

Do outro lado do riacho, uma tainha pulou e as pequenas ondulações começaram a vir na direção de Josh e Alex.

— O que você faz quando sai com a senhorita Katie? — perguntou ele.

Alex mudou de posição levemente. — Mais ou menos as coisas que fizemos na praia hoje. Nós comemos, conversamos e, às vezes, saímos para dar um passeio.

— Você tem passado bastante tempo com ela ultimamente.

— É verdade.

Josh pensou naquilo. — E sobre o que vocês conversam?

— Sobre coisas comuns — disse Alex, inclinando a cabeça. — E falamos sobre você e sua irmã também.

— E o que vocês dizem?

— Falamos sobre o quanto gostamos de passar o tempo com vocês dois e sobre as boas notas que você está tirando na escola, ou sobre como você mantém seu quarto limpo e organizado.

— Você vai contar a ela sobre eu não ter lhe dito que você deveria ter ficado na festa?

— Você quer que eu conte a ela?

— Não — disse ele.

— Então não vou dizer nada.

— Você promete? Porque não quero que ela fique brava comigo.

Alex levantou os dedos. — Palavra de escoteiro. Mas, para que você fique mais tranquilo, ela não ficaria brava com você, mesmo se eu contasse a ela. Ela acha que você é um ótimo garoto.

Josh se sentou com as costas eretas e começou a recolher sua linha. — Que bom. Eu também gosto muito dela.

•◆•

A conversa com Josh tirou o sono de Alex naquela noite. Ele se apanhou estudando o retrato de Carly em seu quarto, enquanto tomava sua terceira cerveja naquela noite.

Kristen e Katie haviam voltado para casa animadas e cheias de energia e mostravam a Alex as roupas que tinham comprado. De maneira surpreendente, Katie devolveu quase metade do dinheiro que ele havia lhe dado dizendo apenas que tinha um talento para achar peças em promoção. Alex se sentou no sofá e sua pequena filha vestiu e desfilou um modelo que havia comprado para logo em seguida desaparecer em seu quarto e voltar com um conjunto totalmente diferente. Até mesmo Josh, que geralmente não se importaria nem um pouco com aquilo, deixou seu Nintendo de lado. Quando Kristen saiu da sala, ele se aproximou de Katie.

— Você pode me levar para fazer compras também? — pediu ele, quase sussurrando. — Preciso de umas camisas novas e outras coisas também.

Depois, Alex ligou para um restaurante chinês e pediu que entregassem comida em sua casa. Eles se sentaram ao redor da mesa, comeram e riram. Em um certo momento do jantar, Katie tirou uma pulseira de couro de sua bolsa e olhou para Josh.

— Achei essa pulseira muito bonita — disse ela, entregando-a a Josh. A surpresa dele se transformou em satisfação quando ele a colocou no pulso; e Alex percebeu como os olhos de Josh se fixaram continuamente em Katie durante o resto da noite.

Durante momentos como aquele era que Alex, ironicamente, sentia mais saudade de Carly. Embora ela nunca tivesse vivenciado noites em família como esta — as crianças eram muito novas quando ela morreu —, ele conseguia imaginá-la à mesa com muita facilidade.

Talvez aquele fosse o motivo que o deixara com insônia, mesmo depois de Katie ter voltado para casa e Kristen e Josh terem se recolhido aos seus quartos para dormir. Afastando os lençóis, ele foi até o armário e abriu o cofre que havia instalado há alguns anos. Ali ficavam documentos importantes sobre finanças e seguros, empilhados ao lado de tesouros do seu casamento. Eram objetos que Carly havia juntado: fotos de sua lua de mel, um trevo de quatro folhas que haviam encontrado durante as férias que passaram em Vancouver, o buquê de begônias e lírios que ela havia usado no dia de seu casamento, imagens de ultrassom de Josh e Kristen quando eles ainda estavam em seu ventre, com as roupas que cada um vestia no dia em que saíram da maternidade. Negativos fotográficos e discos com fotos digitais que registravam os anos que passaram juntos. Aqueles objetos estavam carregados de significado e lembranças e, desde a morte de Carly, Alex não havia acrescentado nada ao cofre, exceto as cartas que sua esposa havia escrito. Uma delas estava endereçada a ele. A outra, como não tinha qualquer nome no envelope, permanecia fechada e ele não se atrevera a abri-la, afinal de contas, uma promessa devia ser honrada.

Ele pegou a carta que já havia lido uma centena de vezes e deixou a outra dentro do cofre. Desconhecia completamente a existência daquelas cartas até que ela lhe entregou os envelopes pouco menos de uma semana antes de morrer. Àquela altura, Carly passava os dias acamada e só conseguia engolir líquidos. Quando ele a levava ao banheiro, parecia muito leve, como se, de algum modo, tivesse sido esvaziada. Nas poucas horas em que a esposa conseguia ficar acordada, Alex estava ao seu lado. Geralmente, voltava a dormir depois de alguns minutos e ele a olhava por longos momentos, temendo se afastar caso ela precisasse de alguma coisa, ao mesmo tempo receoso de permanecer por perto, sem querer interromper seu repouso. No dia em que ela lhe deu os envelopes, ele viu que eles haviam sido colocados sob os cobertores, aparecendo como que por mágica. Mais tarde, Alex soube que Carly havia escrito as cartas dois meses antes e que sua sogra as estava guardando.

Agora, ele abriu o envelope e tirou a carta que já havia sido bastante manipulada. Estava escrita em papel amarelo pautado. Trazendo-a para perto do nariz, ainda conseguiu identificar a loção que Carly sempre usava. Lembrou-se da surpresa que sentiu na ocasião e a maneira como os olhos da esposa imploravam para que ele entendesse.

— Você quer que eu leia esta aqui primeiro? —lembrou-se de haver perguntado. Apontou para o envelope que tinha seu nome inscrito e ela assentiu levemente. Carly relaxou e sua cabeça afundou nos travesseiros, enquanto ele tirou a carta de dentro do envelope.

Meu querido Alex,

Há sonhos que nos visitam e que nos deixam com uma sensação de plenitude quando acordamos e há sonhos que fazem com que valha a pena viver a vida. Você, meu querido e doce marido, é esse sonho e eu fico triste por ter que colocar em palavras o que sinto por você.

Estou escrevendo esta carta agora, enquanto ainda tenho forças e, mesmo assim, não tenho certeza sobre como dizer o que pretendo. Não sou escritora e as palavras me parecem muito inadequadas neste momento. Como posso descrever o quanto o amo? Será mesmo possível descrever um amor assim? Não sei, mas, enquanto estou aqui, sentada, com a caneta na mão, sei que tenho que tentar.

Eu sei que você gosta de contar a história sobre como me fiz de difícil quando nos conhecemos, mas, quando penso na ocasião em que nos conhecemos, acho que percebi naquela noite que era nosso destino ficarmos juntos. Eu me lembro claramente daquela noite, assim como me lembro da sensação exata de sentir sua mão tocando a minha e de cada detalhe daquela tarde nublada na praia, quando você se ajoelhou e me pediu em casamento. Até você entrar na minha vida, eu nunca percebera o quanto algumas coisas me faziam falta. Eu nunca soubera que um toque poderia ter tanto significado, ou que uma expressão facial pudesse ser tão eloquente; nunca me dera conta de que um beijo poderia literalmente me tirar o fôlego. Você é, e sempre foi, tudo o que eu sempre quis em um marido. Você é gentil, forte, carinhoso e inteligente; você me alegra, e, como pai, é melhor do que imagina ser. Tem talento para lidar com crianças, um modo de fazer com que elas confiem em você e eu não sou capaz de expressar a alegria que sinto quando o vejo com nossos filhos nos braços quando eles adormecem com a cabeça apoiada no seu ombro.

Minha vida é infinitamente melhor com você ao meu lado. E é isso que torna tudo isso tão difícil; é por isso que não consigo encontrar as palavras de que preciso. Eu sinto medo quando penso que tudo vai acabar em breve. Não estou com medo apenas por mim – sinto medo também por você e pelos nossos filhos. Sinto meu coração se despedaçar por saber que vou causar tanta dor a vocês. Eu não sei o que fazer para melhorar isso. Posso apenas lembrá-lo das razões pelas quais me apaixonei por você desde o começo. Também quero expressar minha tristeza por magoá-lo, assim como aos nossos lindos filhos. Dói muito pensar que seu amor por mim também será a fonte de tanta angústia.

Mas eu realmente acredito que, embora o amor possa ferir, ele também seja capaz de curar... E é por isso que eu escrevi uma outra carta.

Por favor, não a leia. Eu não a escrevi para você, para nossas famílias ou mesmo para nossos amigos. Duvido muito que eu ou você já conheçamos a mulher que deverá receber a outra carta. Perceba: aquela carta deve ser entregue para a mulher que irá lhe curar, aquela que fará com que você volte a se sentir inteiro.

Eu sei que, neste momento, você não consegue imaginar algo assim. Pode levar meses, pode levar anos, mas, depois de algum tempo, você entregará essa carta para outra mulher. Confie nos seus instintos, assim como eu fiz na noite em que se aproximou de mim pela primeira vez. Você saberá o momento e o local para fazer o que lhe peço, assim como saberá quem é a mulher que merece lê-la. E, quando souber quem é essa pessoa, confie nestas palavras: Em algum lugar, de algum modo, estarei sorrindo e feliz por vocês dois.

Com amor,
Carly

DEPOIS DE RELER A CARTA, Alex a colocou de volta em seu envelope e guardou-a no cofre. Do lado de fora da janela, o céu estava cheio de nuvens iluminadas pelo luar, brilhando com uma incandescência quase sobrenatural. Ele olhou para cima, pensando em Carly e em Katie. Carly lhe disse para confiar em seus instintos; disse-lhe que saberia o que fazer com a carta. E, repentinamente, percebeu que Carly tinha razão. Pelo menos, em metade de suas afirmações. Ele sabia que queria entregar a carta a Katie. Mas ainda não tinha certeza se ela estava preparada para recebê-la.

28

— **Ei, Kevin** — disse Bill, acenando para ele. — Pode vir até meu escritório por um momento?

Kevin havia quase chegado à sua escrivaninha e Coffey e Ramirez o seguiam com os olhos. Seu novo parceiro, Todd, já estava em sua própria mesa e lhe deu um sorriso fraco, mas a expressão desapareceu antes que ele virasse o rosto repentinamente.

Sua cabeça latejava. Não queria conversar com Bill logo pela manhã, mas não estava preocupado. Tinha talento para lidar com testemunhas e vítimas, sabia quando os criminosos estavam mentindo, efetuava várias prisões e os culpados eram condenados.

Bill fez um gesto para que ele se sentasse. Embora Kevin não quisesse se sentar, se acomodou na cadeira e começou a se perguntar silenciosamente por que Bill havia lhe pedido isso, afinal, sempre ficava em pé quando conversava com o capitão. A dor em sua têmpora ardia, como se alguém tivesse lhe enfiado um lápis na cabeça e, por um momento, Bill apenas olhou fixamente para ele. Até que finalmente se levantou, fechou a porta do escritório e sentou-se na beirada da escrivaninha.

— Como estão as coisas, Kevin?

— Está tudo bem — respondeu ele. Queria fechar os olhos para aliviar a dor, mas percebeu que Bill o estudava. — O que houve?

Bill cruzou os braços. — Chamei você aqui para lhe informar que recebemos uma queixa a seu respeito.

— Que tipo de queixa?

— O assunto é sério, Kevin. A Corregedoria está envolvida e, a partir de agora, você está suspenso de suas funções. Vai ser investigado.

As palavras pareceram se misturar. Nada daquilo fazia sentido. Pelo menos, não a princípio. Entretanto, conforme se concentrava, percebeu a expressão de Bill e desejou não ter acordado com aquela dor de cabeça. Desejou também não precisar tomar tanta vodca.

— Do que você está falando?

Bill pegou alguns papéis de sua mesa. — O assassinato de Gates. O garoto que foi alvejado por uma bala que atravessou o teto de seu apartamento, lembra-se? No começo do mês?

— Eu me lembro. O rosto dele estava coberto de molho de pizza.

— Como é?

Kevin piscou. — O garoto. Nós o encontramos assim. Foi horrível. Todd ficou bem abalado.

Bill franziu as sobrancelhas. — Uma ambulância foi chamada.

Kevin inspirou, depois exalou. Concentrando-se.

— Foi para a mãe do garoto — disse Kevin. — Ela estava alterada, obviamente, e quis pegar o grego que havia disparado a bala. Eles se atracaram e ela rolou pela escada abaixo. Nós chamamos a ambulância imediatamente. Até onde eu sei, ela foi levada para o hospital.

Bill continuou a olhar fixamente para ele antes de finalmente colocar os papéis sobre a mesa. — Você conversou com ela antes disso tudo, não foi?

— Eu tentei... Mas ela estava bastante histérica. Tentei acalmá-la, mas ela enlouqueceu. O que há mais para dizer? Está tudo no meu relatório.

Bill pegou os papéis em sua mesa novamente. — Eu vi o que você escreveu. Mas a mulher alega que você disse para ela empurrar o perpetrador para que ele caísse pelas escadas.

— O quê?

Bill leu as páginas que tinha nas mãos. — Ela alega que você estava falando sobre Deus e disse a ela, entre aspas: "O homem era um pecador e merecia ser punido, porque a Bíblia diz: *Não matarás*". Consta no depoimento que você também lhe disse que o cara iria ficar em liberdade vigiada, mesmo que tivesse matado seu filho. Assim, ela deveria fazer justiça com as próprias mãos. Porque os malfeitores merecem ser punidos. Você se lembra de dizer isso?

Kevin sentiu o sangue lhe subir ao rosto. — Isso é ridículo. Você sabe que ela está mentindo, não é?

Ele esperava que Bill concordasse imediatamente com ele, que dissesse que sabia que a Corregedoria iria inocentá-lo. Mas Bill não o fez. Em vez disso, seu chefe simplesmente se inclinou para a frente.

— O que foi que você disse a ela exatamente? Palavra por palavra.

— Eu não *disse* nada a ela. Eu perguntei à mulher o que havia acontecido, subi as escadas e prendi o vizinho depois que ele admitiu haver feito o disparo. Eu o algemei e comecei a conduzi-lo pelas escadas. Quando dei por mim, ela já estava pulando sobre ele.

Bill estava em silêncio, seu olhar firme em Kevin. — Você nunca falou a ela sobre pecados?

— Não.

— Você nunca chegou a dizer estas palavras: *A vingança é minha, e eu irei retaliar, disse o Senhor.*

— Não.

— Nada disso lhe parece familiar?

Kevin sentiu a fúria crescer dentro de si, mas forçou-se a se controlar. — Nada. São mentiras. Você sabe como essas pessoas são. Ela provavelmente quer processar a cidade para receber uma indenização enorme.

Os músculos da mandíbula de Bill estavam tensionados e demorou um bom tempo até que ele falasse.

— Você bebeu antes de conversar com a mulher?

— Não sei de onde ela tirou essa ideia. Não. Eu não faço isso. Eu não faria isso. Você sabe que estou limpo. Sou um bom investigador

— disse Kevin, levantando as mãos, quase cego pela dor latejante em sua cabeça. — Vamos lá, Bill. Nós trabalhamos juntos há anos.

— É por isso que estou conversando com você, em vez de simplesmente demiti-lo. Nos últimos meses, Kevin, você não tem sido você mesmo. E eu tenho ouvido os rumores.

— Que rumores?

— De que você chega ao trabalho bêbado.

— Não é verdade.

— Quer dizer, então, que se eu fizer você passar pelo bafômetro o resultado será negativo, certo?

Kevin podia sentir seu coração martelando dentro do peito. Ele sabia mentir e era bom nisso, mas tinha que manter a voz firme.

— Olhe, ontem à noite, fiquei acordado até tarde com um amigo e nós estávamos bebendo. Pode ser que ainda haja alguns traços de álcool na minha corrente sanguínea, mas não estou bêbado. E não bebi antes de vir para o trabalho esta manhã. Nem no dia em que o garoto foi morto. Ou em qualquer outro dia.

Bill olhava fixamente para ele. — Diga-me o que está havendo com Erin.

— Eu já lhe disse. Ela está ajudando uma amiga em Manchester. Nós viajamos para Cape Cod há algumas semanas.

— Você disse a Coffey que esteve em um restaurante em Provincetown com Erin, mas o lugar fechou há seis meses. Também não houve qualquer registro em seu nome no hotel que você mencionou. E ninguém vê ou recebe notícias de Erin há meses.

Kevin sentiu o sangue lhe subir à cabeça e aquilo só piorou o latejar que ele sentia. — Você me investigou?

— Faz algum tempo que você está bebendo durante o horário de serviço e você vem mentindo para mim há algum tempo.

— Eu não...

— Pare de mentir para mim! — gritou o capitão, repentinamente. — Consigo sentir o cheiro do seu hálito daqui de onde estou!

Os olhos dele estavam faiscando de raiva. — E, a partir deste momento, você está suspenso de suas funções. É melhor você ligar para o seu representante no sindicato antes de conversar com a Corregedoria. Deixe sua arma e o distintivo na minha mesa e vá para casa.

— Por quanto tempo? — Kevin conseguiu perguntar.

— No momento, a suspensão é o menor dos seus problemas.

— Para sua informação, eu não disse nada para aquela mulher.

— Eles o ouviram! — gritou Bill. — Seu parceiro, o paramédico, os investigadores que vistoriaram a cena do crime, o namorado dela.

Bill parou de falar, tentando se acalmar. — Todos ouviram o que você disse — disse ele, de maneira definitiva. Repentinamente, Kevin sentiu como se tivesse perdido o controle de tudo. E ele sabia que Erin era culpada por tudo aquilo.

29

O mês de agosto chegou e, embora Alex e Katie estivessem apreciando os dias quentes e morosos que passavam juntos naquele verão, as crianças estavam começando a ficar entediadas. Pretendendo fazer algo diferente, Alex levou Katie e as crianças para ver o rodeio dos macacos em Wilmington. Katie não acreditou quando percebeu que o espetáculo fazia jus ao nome: macacos, vestidos com roupas de *cowboy*, cavalgavam cachorros e arrebanhavam carneiros por quase uma hora antes de um show de fogos de artifícios quase tão exuberante quanto os que aconteciam durante o feriado de 4 de julho. Ao saírem, Katie se virou para ele com um sorriso.

— Acho que isso foi a coisa mais louca que já vi — disse ela, balançando a cabeça.

— Provavelmente você achava que nós aqui dos estados do sul não tínhamos cultura.

Ela riu. — De onde as pessoas tiram essas ideias?

— Eu nem imagino. Mas foi bom saber que esse tipo de coisa existe. Eles vão ficar na cidade apenas por alguns dias — disse ele, procurando por seu carro no estacionamento.

— É difícil imaginar como minha vida seria vazia se eu nunca tivesse visto macacos montados em cachorros.

— As crianças gostaram! — protestou Alex.

— As crianças adoraram — concordou Katie. — Mas não sei se os macacos gostaram. Eles não me pareceram muito felizes.

Alex apertou os olhos. — Não sei se consigo identificar o quanto um macaco está feliz ou não.

— É exatamente o que quero dizer — retrucou ela.

— Ei, não é minha culpa ainda haver mais um mês até as aulas de Josh e Kristen começarem. E estou sem ideias sobre atividades que eu poderia fazer com eles.

— Eles não precisam fazer algo especial todos os dias.

— Eu sei. E não fazem. Mas também não quero que eles passem o dia inteiro assistindo à televisão.

— Seus filhos não assistem tanto à TV.

— Isso acontece porque eu os trago para ver o rodeio dos macacos.

— E na semana que vem?

— Vai ser fácil. Um daqueles parques de diversões que atravessam o país vai chegar à cidade.

Ela sorriu. — Os brinquedos desses parques sempre me causam enjoo.

— Mesmo assim, as crianças os adoram. Mas isso me lembra outra coisa. Você vai ter que trabalhar no próximo sábado?

— Não sei ainda. Por quê?

— Gostaria que você pudesse vir ao parque conosco.

— Você quer que eu fique enjoada?

— Você não vai ter que andar nos brinquedos se não quiser. Mas queria pedir um favor.

— E o que seria?

— Que você cuidasse das crianças na noite do sábado. A filha de Joyce vai chegar ao aeroporto de Raleigh e ela perguntou se eu poderia levá-la ao aeroporto para receber sua filha. Joyce não gosta de dirigir à noite.

— Será um prazer cuidar deles.

— Você terá que ficar na minha casa, para que eles durmam em um horário adequado.

Katie olhou para ele. — Na sua casa? Eu nunca passo muito tempo na sua casa.

— Bem, eu...

Alex não sabia o que dizer em seguida e ela sorriu.

— Não se preocupe. Vai ser divertido. Talvez possamos assistir a um filme e fazer pipocas.

Ele caminhou em silêncio por alguns momentos até que perguntou: — Você pretende ter filhos?

Katie hesitou. — Não tenho certeza — disse ela, finalmente. — Nunca pensei muito nisso.

— Nunca?

Ela balançou a cabeça. — Quando morava em Atlantic City, eu era jovem demais. Quando estava com Kevin, não suportava a ideia de ter filhos e, nos últimos meses, estou com a cabeça ocupada com outras coisas.

— Mas e se você pensasse a respeito? — insistiu ele.

— Mesmo assim, ainda não sei. Acho que dependeria de muitas coisas.

— Como o quê?

— Como a questão de me casar, por exemplo. E, como você sabe, não posso me casar.

— Erin não pode se casar — disse ele. — Mas Katie provavelmente poderia. Ela tem uma carteira de motorista, lembre-se.

Katie caminhou alguns passos em silêncio. — Talvez ela possa, mas não faria isso até encontrar o homem certo.

Alex riu e colocou seu braço ao redor dela. — Sei que trabalhar no Ivan's era exatamente o que você precisava quando chegou a Southport, mas... Você já pensou em fazer alguma outra coisa?

— Como o quê?

— Não sei. Voltar para a faculdade, se formar, encontrar um emprego que você realmente ame.

— E o que lhe faz pensar que eu não amo servir mesas em um restaurante?

Ele deu de ombros. — Estava apenas curioso para saber outra coisa que poderia lhe interessar.

— Quando era mais nova, assim como todas as outras garotas que eu conhecia, adorava animais e imaginava que um dia seria veterinária. Mas não estou disposta a voltar a estudar para isso agora. Levaria tempo demais.

— Existem outras maneiras de trabalhar com animais. Você pode treinar os macacos de rodeio, por exemplo.

— Acho que não. Ainda não sei se os macacos gostaram de fazer isso.

— Você tem um carinho especial por aqueles macacos, não é?

— E quem não teria? Aliás, quem diabos teve essa ideia?

— Corrija-me se eu estiver errado, mas acho que ouvi você rir.

— Não queria fazer com que vocês se sentissem mal.

Ele riu novamente e puxou-a para mais perto de si. Mais à frente, Josh e Kristen já estavam encostados na lateral do jipe. Ela sabia que eles provavelmente cairiam no sono antes de voltarem a Southport.

— Você não respondeu à minha pergunta — disse Alex. — Quando perguntei o que você quer fazer com sua vida.

— Talvez meus sonhos não sejam tão complicados. Talvez eu ache que um emprego é simplesmente um emprego.

— E o que isso significa?

— Que talvez eu não queira ser definida por aquilo que faço. Que talvez eu queira ser definida por quem eu sou.

Ele considerou aquela resposta. — Certo. E quem você quer ser?

— Você realmente quer saber?

— Eu não perguntaria se não quisesse.

Ela parou e o olhou nos olhos dele. — Não quis dizer isso agora há pouco, mas, na verdade, eu gostaria de ser uma esposa e mãe — disse Katie, finalmente.

Alex franziu as sobrancelhas. — Você afirmou que não tinha certeza se queria ter filhos...

Inclinando a cabeça e parecendo ainda mais bonita do que ele já a tinha visto antes, perguntou: — E o que toda essa conversa tem a ver?

•◆•

As crianças adormeceram antes que Alex chegasse à rodovia. A viagem de volta para casa não demoraria muito, talvez meia hora. Mesmo assim, nem Alex nem Katie queriam arriscar acordar os meninos com sua conversa. Em vez disso, eles se contentaram em ficar de mãos dadas, em silêncio, durante o percurso até Southport.

Quando Alex estacionou o carro em frente à casa de Katie, ela viu que Jo estava sentada nos degraus da varanda, como se estivesse esperando por ela. Alex a reconheceu, mas, naquele exato momento, Kristen se mexeu no banco traseiro e ele se virou em seu assento para ter certeza de que ela não havia acordado. Katie se inclinou e o beijou.

— Acho que é melhor eu ir e conversar com ela — sussurrou Katie.

— Com quem? Kristen?

— Com minha vizinha — disse Katie, com um sorriso, apontando com o dedo por cima de seu ombro. — Ou, melhor dizendo, talvez ela queira conversar comigo.

Alex assentiu. — Tudo bem — disse ele, olhando em direção à varanda de Jo e de volta para Katie. — Eu me diverti muito esta noite.

— Eu também.

Alex a beijou antes que ela abrisse a porta e, quando ligou o motor e partiu para a sua casa, Katie caminhou em direção à casa de sua vizinha. Jo sorriu e acenou e Katie sentiu a tensão se amenizar um pouco. Elas não conversavam desde aquela noite no bar e, quando ela se aproximou, Jo se levantou e veio até o beiral da varanda.

— Em primeiro lugar, queria me desculpar pela maneira como falei com você — disse ela, sem qualquer preâmbulo. — Fiz algo que não devia. Estava errada e isso não vai acontecer novamente.

Katie subiu as escadas até a varanda e se sentou, acenando para que Jo se sentasse ao seu lado, no último degrau. — Está tudo bem. Não fiquei brava.

— Ainda me sinto horrível por ter feito aquilo — disse Jo. O remorso que ela sentia era óbvio. — Não sei o que deu em mim.

— Eu sei — disse Katie. — É óbvio. Você se importa com eles. E você quer cuidar deles.

— Mesmo assim, não devia ter falado com você como fiz. É por isso que andei um pouco afastada. Aquilo me envergonhou e eu sabia que você nunca me perdoaria.

Katie lhe tocou o braço. — Eu agradeço o pedido de desculpas, mas não é necessário. Na verdade, você fez com que eu percebesse algumas coisas importantes sobre mim mesma.

— É mesmo?

Katie fez que sim com a cabeça. — E, para que você saiba, eu acho que vou continuar a morar em Southport por algum tempo.

— Eu vi você dirigindo há alguns dias.

— É difícil acreditar, não é? Ainda não me sinto totalmente confortável ao volante.

— Isso não vai demorar a acontecer. E é melhor do que andar de bicicleta.

— Eu ainda pedalo todos os dias — disse ela. — Não tenho condições de comprar um carro.

— Eu diria que você pode usar o meu se quiser, mas ele voltou para a oficina. Aquela coisa sempre tem um defeito ou outro. Eu provavelmente ficaria mais feliz com uma bicicleta.

— Cuidado com o que deseja.

— Agora você está falando as mesmas coisas que eu digo — disse Jo, olhando em direção à estrada. — Estou feliz por você e Alex. E pelas crianças também. Você faz bem a elas, sabia?

— Como você pode ter certeza?

— Porque eu vejo a maneira que ele olha para você. E a maneira que você olha para todos eles.

— Nós passamos bastante tempo juntos — disse Katie, saindo pela tangente.

Jo balançou a cabeça. — É mais do que isso. Vocês dois parecem estar apaixonados — disse ela, mudando de posição no degrau sob o olhar de constrangimento que Katie lhe deu. — Tudo bem, eu admito. Mesmo que você não tenha me visto, vamos dizer que eu vi como vocês dois se beijam quando se despedem.

— Você fica nos espionando?

— É claro — disse Jo, com uma careta. — Como você acha que vou conseguir me ocupar? Afinal, nada de interessante acontece por aqui — disse ela, antes de ficar em silêncio por um momento. — Você realmente o ama, não é?

Katie concordou com a cabeça. — E amo as crianças também.

— Isso me deixa muito feliz — disse Jo, unindo as mãos como se estivesse fazendo uma oração.

Katie também se deixou ficar em silêncio por um momento.

— Você conheceu a esposa dele?

— Sim — disse Jo.

Katie deixou seu olhar se perder na estrada. — E como ela era? Digo... Alex falou sobre ela e eu faço uma ideia de como ela podia ser, mas...

Jo não a deixou terminar a frase. — De acordo com o que vi, ela era muito parecida com você. E eu digo isso de forma positiva. Ela amava Alex e amava as crianças. Eles eram o que havia de mais importante em sua vida. E isso é tudo o que você precisa saber sobre ela.

— Você acha que ela gostaria de mim?

— Sim — disse Jo. — Tenho certeza de que ela a adoraria.

30

Era o mês de agosto e Boston estava fervendo.

Kevin se lembrava vagamente de ver a ambulância do lado de fora da casa dos Feldmans, mas não pensou muito no caso. Os Feldmans eram maus vizinhos e ele não se importava com eles. Somente agora, quando percebeu os carros estacionados dos dois lados da rua, foi que ele se dera conta de que Gladys Feldman havia morrido. Kevin havia sido suspenso por duas semanas e não gostava de ver carros estacionados em frente à sua casa, mas as pessoas vieram à cidade para o funeral e ele não tinha a menor energia para pedir a eles que tirassem os carros dali.

Ele não tomava banho com tanta frequência desde que fora suspenso e estava sentado na varanda, bebendo vodca direto na garrafa, observando as pessoas entrando e saindo da casa dos Feldmans. Sabia que o funeral seria realizado à tarde e as pessoas estavam reunidas naquela casa porque iriam juntas à cerimônia, em grupo. Sempre que havia um funeral as pessoas se juntavam, como um grupo de gansos.

Não havia conversado com Bill, Coffey, Ramirez, Todd, Amber, nem mesmo com seus pais. Como ele não sentia fome, não havia caixas de pizza no chão da sala de estar nem sobras de comida chinesa na geladeira. A vodca era suficiente e ele bebeu até que a casa dos Feldmans se transformou em um borrão. Do outro lado da rua, viu uma mulher sair da casa para fumar um cigarro. Ela usava um vestido preto e Kevin se perguntou se ela sabia que os Feldmans gritavam com as crianças da vizinhança.

Observou a mulher porque não queria assistir ao canal sobre casa e jardim na televisão. Erin costumava assistir aos programas daquele canal, mas ela tinha fugido para a Filadélfia, passou a se chamar Érica e depois desapareceu. Ele havia sido suspenso do seu emprego, mas, antes disso, era um bom investigador.

A mulher de preto terminou de fumar seu cigarro e o soltou na grama, pisando nele a seguir. Deu uma olhada na rua e o avistou, sentado em sua varanda. Hesitou antes de atravessar a rua até onde ele estava. Ele não a conhecia. Nunca a vira antes.

Kevin não sabia o que ela queria, mas largou a garrafa de vodca e desceu os degraus da varanda. Ela parou na calçada em frente.

— Você é Kevin Tierney? — perguntou ela.

— Sim — disse ele, e sua voz parecia estranha. Era a primeira vez em vários dias que ele falava.

— Meu nome é Karen Feldman — disse ela. — Meus pais, Larry e Gladys Feldman, moram na casa do outro lado da rua.

Ela parou por um momento, mas Kevin não disse nada. Ela prosseguiu. — Eu estava imaginando se Erin tem planos de vir ao funeral.

— Erin? — disse ele, finalmente.

— Sim. Meus pais adoravam quando ela vinha visitá-los. Ela costumava lhes fazer tortas e às vezes ajudava-os a limpar a casa, especialmente depois que minha mãe começou a ficar doente. Câncer de pulmão. Foi horrível — disse ela, balançando a cabeça. — Erin está em casa? Eu esperava poder encontrá-la. O funeral começa às 2 horas.

— Não, ela não está aqui. Foi a Manchester para ajudar uma amiga que está doente.

— Oh... Bem, obrigada. É uma pena. Desculpe-me por incomodar.

A mente de Kevin começou a clarear e ele percebeu que Karen estava prestes a voltar para a casa dos pais. — Lamento por sua perda.

Contei a Erin sobre o que aconteceu e ela ficou triste por não poder estar aqui. Vocês receberam as flores?

— Oh, provavelmente sim. Não verifiquei. A funerária está cheia de flores.

— Não há problema. Gostaria que Erin pudesse estar aqui — respondeu Kevin.

— Eu também. Sempre quis conhecê-la. Minha mãe dizia que Erin fazia com que ela se lembrasse de Katie.

— Katie?

— Minha irmã mais nova. Ela faleceu há seis anos.

Lamento ouvir isso.

— Eu também. Todos nós sentimos a falta dela, especialmente minha mãe. É por isso que ela se dava tão bem com Erin. Elas até mesmo se pareciam fisicamente. Tinham a mesma idade e outras características.

Se Karen percebeu a expressão vazia de Kevin, não deu qualquer sinal. — Minha mãe costumava mostrar a Erin o álbum de recortes que fez com as lembranças de Katie... Ela sempre foi muito paciente com minha mãe. Erin é uma mulher doce e meiga. Você é um homem de sorte.

Kevin se forçou a sorrir. — Sim, eu sei.

ELE ERA UM BOM INVESTIGADOR, mas, na verdade, às vezes as respostas apareciam num golpe de sorte. Novas evidências surgiam, uma testemunha desconhecida se apresentava, uma câmera de vigilância na rua captava uma placa de carro. Neste caso, ele havia conversado com uma mulher vestida de preto chamada Karen Feldman, que atravessou a rua em uma manhã em que ele estava bebendo e lhe falou sobre sua irmã que havia falecido.

Embora sua cabeça ainda doesse, ele despejou o resto da garrafa de vodca pelo ralo da pia e pensou a respeito de Erin e dos Feldmans. Erin os conhecia e visitava, embora nunca tivesse mencionado que ia até a casa deles. Kevin lhe telefonava e vinha até a casa em momentos inesperados e ela sempre estava em casa. De algum modo ele nunca descobriu. Ela nunca lhe contou nada e, quando ele reclamava sobre os Feldmans serem maus vizinhos, Erin nunca disse qualquer palavra.

Erin tinha um segredo.

Sua mente estava mais limpa do que esteve nos últimos tempos. Entrou no chuveiro, tomou banho e vestiu um terno preto. Preparou um sanduíche de presunto e peito de peru, temperou com mostarda Dijon e o comeu. Em seguida, fez outro e o comeu também. A rua estava cheia de carros e ele observou o movimento das pessoas que entravam e saíam da casa. Karen saiu da casa e fumou outro cigarro. À medida que esperava, enfiou um pequeno bloco de notas e uma caneta em seu bolso.

À tarde, as pessoas começaram a entrar em seus carros. Ele ouviu os motores sendo ligados e, um a um, os carros começaram a se afastar. Já passava da uma hora da tarde e eles estavam indo para a cerimônia. Levou quinze minutos para que todos saíssem quando ele viu Larry Feldman ir até o carro, amparado por Karen. Ela se sentou no banco do motorista e saiu dirigindo pela rua, até que finalmente não havia mais nenhum carro na rua ou em frente à casa.

Ele esperou outros dez minutos, certificando-se de que todos haviam saído antes de finalmente sair pela porta da frente. Atravessou o gramado e se encaminhou para a casa dos Feldmans. Não se apressou nem tentou esconder suas ações. Percebeu que vários vizinhos haviam ido ao funeral e aqueles que não foram iriam se lembrar apenas de mais uma pessoa que usava um terno preto. Foi até a porta da frente e constatou que ela estava trancada, mas muitas pessoas haviam estado na casa. Deu a volta e foi até o quintal. Lá, encontrou outra porta, destrancada. Entrou na casa.

Tudo estava em silêncio. Ele parou, tentando identificar o som de vozes ou passos, mas não ouviu nada. Havia copos de plástico sobre o balcão e pratos de comida na mesa. Caminhou pela casa. Tinha tempo, mas como não sabia quanto, decidiu começar pela sala de estar. Abriu e fechou portas de armários, deixando tudo do jeito que estava. Procurou na cozinha e no quarto e finalmente foi até o escritório. Havia livros nas estantes, uma poltrona e um televisor. Em um dos cantos, viu um pequeno armário de arquivos.

Kevin foi até o arquivo e o abriu. Rapidamente, examinou as etiquetas de cada pasta. Encontrou uma com a etiqueta "Katie" e a retirou. Abriu-a e examinou o que havia dentro. Havia um artigo de jornal — ela havia se afogado depois de caminhar sobre o gelo quebradiço em uma lagoa que ficava nas proximidades — e fotos que foram tiradas nos tempos de escola. Na sua foto de formatura, ela se parecia bastante com Erin. No fundo da pasta, encontrou um envelope. Abriu-o e viu que ele continha um velho boletim escolar. Na frente do envelope havia um número de seguro social e Kevin copiou o número no bloco de notas que tinha em seu bolso. Não encontrou o cartão do seguro, mas tinha o número. A certidão de nascimento era uma cópia, embora estivesse marcada e desgastada, como se alguém a tivesse amassado e depois tentado alisá-la novamente.

Como já tinha o que precisava, saiu do lugar. Assim que chegou à sua casa, ligou para o policial da outra delegacia, aquele que dormia com a babá de seus filhos. No dia seguinte, recebeu a ligação com uma resposta.

Katie Feldman recentemente havia tirado uma carteira de motorista e nos registros constava um endereço em Southport, na Carolina do Norte.

Kevin desligou o telefone sem outra palavra em mente, sabendo exatamente o que havia encontrado.

Erin.

ꟹ

31

Restos de uma tempestade tropical ainda castigavam Southport, com a chuva caindo durante a maior parte da tarde e da noite. Katie trabalhou no horário do almoço, mas o mau tempo espantou uma boa parte da clientela do restaurante, o que fez Ivan deixá-la sair mais cedo. Ela havia pegado o jipe de Alex emprestado e, depois de passar uma hora na biblioteca, foi até a loja para entregar o carro. Quando Alex a levou para casa, ela o convidou para voltar até ali mais tarde para jantar com as crianças.

Ela passou a tarde inteira sentindo-se inquieta. Queria acreditar que tinha algo a ver com o mau tempo, mas, enquanto observava a tempestade pela janela da cozinha, vendo os galhos das árvores se dobrarem ao vento e a chuva caindo em rajadas, sabia que aquela sensação estava relacionada à apreensão que sentia ao perceber que tudo em sua vida parecia estar perfeito demais ultimamente. Seu relacionamento com Alex e as tardes que passava com as crianças preenchiam um vazio que ela não dera conta que existia. No entanto, Katie aprendera há muito tempo que as coisas boas não duravam para sempre. A alegria era tão efêmera como uma estrela cadente cruzando o céu, uma luz que pode se apagar a qualquer momento.

Mais cedo, naquele mesmo dia, lera algumas matérias da edição *on-line* do *The Boston Globe* em um dos computadores da biblioteca e soube da morte de Gladys Feldman, anunciada no obituário. Ela sabia que Gladys estava doente e sabia do seu diagnóstico terminal de câncer antes de fugir de casa. Embora verificasse os obituários de Boston regularmente, a descrição lacônica sobre sua vida e os entes queridos que havia deixado a atingiu com uma força inesperada.

Katie nunca quis roubar a identificação dos arquivos dos Feldmans. Não tinha nem mesmo considerado aquela possibilidade até que Gladys abrisse a pasta para lhe mostrar a foto de formatura de sua filha Katie. Ela viu a certidão de nascimento e o cartão com o número do seguro social ao lado da foto e foi quando percebeu que era sua oportunidade. Na sua próxima visita à casa, ela pediu licença para usar o banheiro e, em vez disso, foi até o arquivo de pastas. Mais tarde, enquanto comia uma torta de mirtilos com eles, os documentos pareciam queimar dentro de seu bolso. Uma semana depois, após tirar uma cópia da certidão de nascimento na biblioteca, dobrá-la e amassá-la para que parecesse antiga, colocou o documento de volta no arquivo. Teria feito o mesmo com o cartão do seguro social, mas não conseguiu fazer uma reprodução muito boa. Assim, esperava que, quando percebessem que o cartão não estava ali, eles imaginassem que ele se perdera ou se extraviara.

Ela pensou que Kevin nunca descobriria o que ela havia feito. Ele não gostava dos Feldmans e o sentimento era recíproco. Ela suspeitava que os Feldmans sabiam que ele a agredia. Percebia aquilo nos olhos deles, a maneira como a observavam quando ela atravessava a rua correndo para visitá-los, o modo como fingiam não notar os hematomas em seus braços ou a expressão séria no rosto deles sempre que mencionava Kevin. Queria pensar que eles entenderiam as razões pelas quais ela teve que fazer aquilo, que eles gostariam que ela ficasse com a identificação, porque sabiam que ela precisava daqueles documentos e queriam que escapasse.

Os Feldmans eram as únicas pessoas de Dorchester de quem Katie sentia saudade e ela imaginava como Larry estaria. Eles foram seus amigos quando ela não tinha mais ninguém com quem conversar. Queria dizer a Larry que lamentava pela perda de Gladys. Queria chorar ao lado dele, falar sobre Gladys e dizer-lhe que, por causa deles, sua vida estava melhor agora. Queria dizer a Larry que havia encontrado um homem que a amava e que, pela primeira vez em vários anos, estava feliz.

Mas não faria nada. Em vez disso, ela simplesmente foi até a varanda da casa e, com os olhos cheios de lágrimas, observou enquanto a tempestade arrancava as folhas das árvores.

•◆•

— **Você está muito quieta** esta noite. Está tudo bem? — perguntou Alex.

Ela havia preparado uma caçarola de atum para o jantar e Alex a estava ajudando a lavar os pratos. As crianças estavam na sala de estar, ambos brincando com *videogames* portáteis. Ela ouvia os *bips* e *blimps* sobre o som da torneira.

— Uma amiga faleceu — disse ela, entregando-lhe um prato para enxugar. — Sabia que isso aconteceria, mas, mesmo assim, é triste.

— Sempre é triste quando algo assim acontece — concordou ele. — Eu lamento.

Alex sabia que não era adequado fazer mais perguntas sobre o assunto. Em vez disso, ele aguardou em silêncio, esperando que ela se animasse a dizer mais alguma coisa. Entretanto, ela lavou outro copo e mudou de assunto.

— Quanto tempo você acha que a tempestade vai durar? — perguntou ela.

— Não por muito mais tempo. Por quê?

— Eu estava imaginando se a chuva vai forçar os organizadores do parque de diversões itinerante a cancelar o evento. Ou se o voo da filha de Joyce será cancelado.

Ele olhou pela janela. — Acho que não vai haver problemas. A tempestade já está se dissipando. Tenho quase certeza de que ela vai perder a força.

— Bem a tempo para o fim de semana.

— É claro. A natureza não se atreveria a interferir nos planos dos donos do parque de diversões. Ou nos planos de Joyce também.

Ela sorriu. — Quanto tempo você vai demorar para levá-la até Raleigh para recepcionar sua filha?

— Provavelmente quatro ou cinco horas. Raleigh não é um destino muito conveniente para quem vem até Southport.

— Por que ela não pega um voo para Wilmington? Ou simplesmente aluga um carro?

— Não sei. Não perguntei o motivo, mas imagino que seja para poupar dinheiro.

— Você sabe que está fazendo uma boa ação, não é? Ajudando Joyce dessa maneira.

Alex deu de ombros como se aquilo não fosse nada de mais. — Vocês vão se divertir amanhã.

— No parque de diversões ou na sua casa com as crianças?

— Em ambos os lugares. E, se você me pedir com carinho, lhe compro até mesmo um sorvete frito.

— Sorvete frito? Parece meio nojento.

— Na verdade, até que é bem gostoso.

— As pessoas só comem frituras por aqui?

— Se algo puder ser frito, as pessoas encontrarão uma maneira de fazê-lo. No ano passado, havia até mesmo um quiosque que vendia manteiga frita.

Ela quase engasgou. — Você está brincando.

— Não estou. Parece horrível, mas as pessoas formavam filas para comprar isso. Era a mesma coisa que entrar em uma fila para ganhar um ataque cardíaco.

Katie lavou e enxaguou o último copo e depois o entregou a Alex.

— Você acha que as crianças gostaram do jantar que eu preparei? Kristen não comeu muito.

— Kristen nunca come muito. Mas o mais importante foi que eu gostei. Achei que estava delicioso.

Ela balançou a cabeça. — Quem é que se importa com as crianças, não é? Desde que você esteja feliz...

— Ah, me desculpe. No fundo, sou um narcisista.

Katie esfregou a esponja ensaboada em um prato e o enxaguou. — Estou ansiosa para passar a noite na sua casa.

— Por quê?

— Porque nós sempre estamos aqui e não lá. Mas não me entenda mal; eu entendo que isso é a coisa certa a fazer por causa das crianças.

"E por causa de Carly também", pensou ela, mas não chegou a dizer aquilo. — Vou ter a oportunidade de ver como você vive.

Alex pegou o prato. — Você já esteve na minha casa.

— Sim, mas nunca fiquei mais do que alguns minutos e, mesmo assim, somente na cozinha e na sala de estar. Não tive a chance de espiar seu quarto ou bisbilhotar o armário do seu banheiro.

— Você não ousaria fazer isso — disse Alex, fingindo estar escandalizado.

— Talvez eu fizesse, se tivesse uma chance.

Ele enxugou o prato e o guardou no armário. — Fique à vontade para passar quanto tempo quiser no meu quarto.

Ela riu. — Isso é papo típico dos homens.

— Estou apenas dizendo que não me importaria. E fique à vontade para espiar o armário do meu banheiro também. Não tenho segredos.

— Isso é o que você diz — disse ela, provocando-lhe. — Você fala como alguém que tem vários segredos.

— Não em relação a mim mesmo.

Ela concordou, com uma expressão séria no rosto. — Não em relação a você mesmo.

Ela lavou mais dois pratos e os entregou a ele, sentindo uma onda de satisfação tomar conta de si enquanto observava Alex enxugá-los e guardá-los.

Ele pigarreou.

— Posso perguntar uma coisa? Não quero que você me entenda mal, mas estou curioso a respeito — disse ele.

— É claro.

Ele usou o pano de prato que tinha em seus braços, enxugando alguma louça e ganhando tempo. — Eu queria saber se você pensou no que eu disse no fim de semana passado. No estacionamento, depois do rodeio dos macacos.

— Você disse várias coisas — disse ela, cautelosamente.

— Não se lembra? Você me disse que Erin não poderia se casar, mas Katie provavelmente poderia.

Katie sentiu seu corpo enrijecer, não tanto por lembrar-se da conversa que tiveram, mas também pela seriedade do tom de voz de Alex.

— Eu me lembro — disse ela, tentando forçar-se a parecer despreocupada. — Acho que eu disse que teria que encontrar o homem certo.

Ao ouvir aquelas palavras, os lábios de Alex se contraíram, como se ele estivesse em dúvida sobre se devia continuar. — Eu só queria saber se você pensou no caso. Sobre a possibilidade de nos casarmos daqui a algum tempo.

A água ainda estava quente quando ela começou a lavar os talheres. — Você teria que pedir minha mão antes.

— E se eu a pedisse?

Ela encontrou um garfo e o esfregou. — Eu acho que diria a você que o amo.

— Mas você aceitaria?

Ela hesitou. — Não quero me casar novamente.

— Você não quer ou não acha que conseguiria?

— Qual é a diferença?

A expressão dela continuou firme e desafiadora. — Você sabe que eu ainda sou casada. Bigamia é ilegal.

— Você não é mais a Erin. Você é a Katie. Como você mesma disse, sua carteira de motorista confirma isso.

— Mas eu também não sou a Katie! — esbravejou ela, antes de se virar em direção a Alex. — Você não entende? Eu roubei esse nome de um casal com quem eu me importava! Pessoas que confiavam em mim — disse ela, olhando fixamente para ele, voltando a sentir a tensão que lhe atormentara durante o dia, rememorando com intensidade renovada a gentileza e a piedade de Gladys, sua fuga e os anos de pesadelo que vivera com Kevin. — Por que você não pode aceitar as coisas do jeito que elas são? Por que você tem que me pressionar tanto a ser a pessoa que você quer que eu seja em vez de me deixar ser a pessoa que eu sou?

Ele recuou. — Eu amo a pessoa que você é.

— Mas você está estabelecendo uma condição para isso!

— Não estou!

— Está sim! — insistiu ela. Ela sabia que estava levantando a voz, mas não conseguiu evitar. — Você tem uma ideia fixa sobre o que quer da sua vida e está tentando fazer com que eu me encaixe nessa ideia!

— Não é nada disso — protestou Alex. — Eu apenas lhe fiz uma pergunta.

— Mas você quer uma resposta específica! Você quer a resposta *correta* e, se não conseguir obtê-la você vai tentar me convencer a fazer o que você quer. Como se eu devesse fazer o que você quer! Como se eu devesse fazer tudo o que você quer!

Pela primeira vez desde que se conheceram, Alex lhe lançou um olhar duro. — Não faça isso — disse ele.

— Fazer o quê? Dizer a verdade? Dizer-lhe como eu me sinto? Por quê? O que você vai fazer? Vai me bater? Fique à vontade.

Alex se afastou, como se ela tivesse lhe dado um tapa. Ela sabia que suas palavras haviam atingido o alvo. Entretanto, em vez de se irritar, Alex colocou o pano de prato sobre o balcão e deu um passo para trás.

— Eu não sei o que está havendo, mas peço desculpas por ter tocado nesse assunto. Não foi minha intenção colocá-la contra a parede ou tentar convencê-la a fazer qualquer coisa. Estava apenas tentando conversar.

Ele esperava que ela dissesse alguma coisa, mas Katie continuou em silêncio. Balançando a cabeça, virou-se para sair da cozinha, antes de parar. — Obrigado pelo jantar — murmurou ele.

Na sala de estar, ela o ouviu dizer às crianças que estava ficando tarde e ouviu a porta da frente se abrir com um rangido. Alex fechou a porta calmamente por trás de si e a casa repentinamente ficou em silêncio e Katie sozinha com seus pensamentos.

32

Kevin sentia dificuldade em se manter entre as faixas da rodovia. Queria manter a mente alerta, mas sua cabeça havia começado a latejar e ele sentia um nó em seu estômago, que o fez parar em uma loja de bebidas para comprar uma garrafa de vodca. A bebida ajudou a aliviar a dor e quando sorveu o líquido com um canudo, só conseguia pensar em Erin e em como ela havia mudado seu nome para Katie.

A rodovia interestadual era um borrão aos seus olhos. Os faróis dos carros, agulhadas duplas de luz branca, cresciam em intensidade conforme se aproximavam do outro lado da estrada e logo desapareciam ao passarem por ele. Um depois do outro. Milhares. Pessoas viajando e fazendo coisas. Kevin dirigia para o sul, em direção ao estado da Carolina do Norte, para encontrar sua esposa[15]. Deixou Massachusetts, atravessou Rhode Island e Connecticut, Nova York e Nova Jersey. A lua subiu, alaranjada e furiosa antes de ficar branca, e atravessou o céu enegrecido acima dele. As estrelas também pontilhavam o céu.

Um vento quente soprava pela janela aberta e Kevin segurou o volante firmemente. Seus pensamentos eram como um quebra-cabeças feito de peças que não se encaixavam. Aquela cachorra o abandonara.

[15] O percurso entre Dorchester, no estado de Massachusetts, e Southport, na Carolina do Norte, por via terrestre, tem cerca de 1.380 quilômetros. (N.T.)

Ela abandonara seu casamento, deixara-o para trás para que apodrecesse, e acreditava que era mais esperta do que ele. No entanto, ele a descobriu. Karen Feldman atravessou a rua e ele soube que Erin tinha um segredo. Mas não mais. Ele sabia onde Erin morava, sabia onde ela estava se escondendo. Seu endereço estava rabiscado em um pedaço de papel no banco do passageiro, sob a pistola Glock que trouxera de casa. No banco de trás havia uma bolsa de viagem com roupas, algemas e fita adesiva do tipo *silver-tape*. Ao sair da cidade, passou em um caixa eletrônico e retirou algumas centenas de dólares. Queria bater no rosto de Erin até lhe quebrar todos os ossos, deixando apenas uma massa feia e ensanguentada em seu lugar. Queria beijá-la, abraçá-la e implorar para que ela voltasse para casa. Encheu o tanque do carro perto da Filadélfia e se lembrou de como a havia rastreado até ali.

Ela o havia feito de palhaço levando uma vida secreta que ele não fazia a menor ideia que ela tinha. Visitando os Feldmans, cozinhando e limpando a casa para eles enquanto tramava, fazia planos e mentia. Sobre o que mais ela teria mentido? Era o que ele se perguntava. Outro homem? Talvez não naquela época, mas agora provavelmente haveria algum. Beijando-a. Acariciando-a. Tirando-lhe as roupas. Rindo dele. Eles deviam estar na cama agora. Ela e o homem. Os dois rindo dele pelas suas costas. "Eu mostrei a ele, não foi?" Era o que ela estaria dizendo enquanto ria. "Kevin nem percebeu o que estava acontecendo".

Pensar naquilo o enlouquecia, o deixava furioso. Kevin já estava na estrada há horas, mas continuava dirigindo. Ele bebia sua vodca e piscava rapidamente para clarear a visão. Não passou do limite de velocidade. Não queria ser parado por algum policial rodoviário. Não com uma arma no banco do passageiro, ao seu lado. Ela tinha medo de armas e sempre lhe pedia para trancar sua arma no estojo ao fim do expediente. Ele sempre fazia o que ela pedia.

Mas não era o bastante. Ele podia lhe comprar uma casa, móveis e roupas bonitas, levá-la à biblioteca e ao salão de beleza e, mesmo assim, não era o bastante. Quem poderia entender? Será que era tão difícil limpar a casa e preparar o jantar? Kevin nunca quis bater nela. Só fazia aquilo quando não tinha mais nenhuma escolha. Quando ela era imbecil, descuidada ou egoísta. Ela o forçou a fazer tudo aquilo.

O motor continuava a roncar, o ruído estava firme em seus ouvidos. Erin tinha uma carteira de motorista agora e era garçonete em um restaurante chamado Ivan's. Antes de sair, ele passou algum tempo na internet e fez alguns telefonemas. Não foi difícil encontrá-la, porque a cidade era pequena. Ele conseguiu descobrir onde ela trabalhava em menos de vinte minutos. Tudo o que ele teve que fazer foi discar o número e perguntar se Katie estava lá. No quarto telefonema, alguém disse sim. Ele desligou sem dizer qualquer palavra. Ela pensou que podia se esconder para sempre, mas ele era um bom investigador e a encontrara. "Estou chegando", pensou ele consigo mesmo. "Sei onde você mora e onde você trabalha. Você não vai escapar de novo".

Passou por placas de propaganda e rampas de saída e, em Delaware, a chuva começou a cair. Levantou o vidro da janela e sentiu o vento empurrar o carro lateralmente. Um caminhão à sua frente estava ziguezagueando pela pista, com as rodas da carreta passando por cima das faixas de sinalização. Ligou os limpadores de para-brisa e sua visão se clarcou. Mas a chuva começou a cair ainda mais forte e ele se inclinou sobre o volante, apertando os olhos para enxergar além das manchas luminosas dos faróis que vinham na direção oposta. Sua respiração começou a embaçar o vidro e ele ligou o desembaçador. Dirigiria a noite inteira e encontraria Erin amanhã. Ele a traria para casa e eles recomeçariam sua vida mais uma vez. Marido e mulher, vivendo juntos, da maneira como devia ser. Felizes.

Eles eram felizes. Costumavam fazer coisas divertidas juntos. Ele se lembrava de que, logo depois de se casarem, ele e Erin visitavam casas que estavam à venda nos fins de semana. Ela se sentia alegre por poder comprar uma casa e ele a escutava conversando com os corretores de imóveis, sua voz ressoando como música pelas casas vazias. Erin gostava de passar um bom tempo andando pelos quartos e Kevin sabia que ela estava decidindo onde colocar os móveis. Quando encontraram a casa em Dorchester, ele percebeu que ela a queria pela maneira que seus olhos brilharam. Naquela noite, deitada na cama, ela traçou pequenos círculos com os dedos em seu peito enquanto lhe implorou para fazer uma oferta e ele se lembrou de ter pensado que faria qualquer coisa que ela quisesse, pois a amava.

Exceto ter filhos. Erin dizia que queria ter filhos, que queria começar uma família. Durante o primeiro ano do casamento, ela falava sobre isso o tempo todo. Ele tentou ignorá-la. Não desejava dizer que lhe desagradava a ideia de vê-la gorda e inchada, que mulheres grávidas eram feias, que não queria ouvi-la reclamando do quanto estava cansada ou como seus pés estavam inchados. Não queria um bebê gritando e chorando quando ele voltasse para casa do trabalho. Não queria que ela ficasse com o rosto inchado e o corpo flácido, ou ouvi-la perguntando se o seu traseiro estava ficando gordo demais. Kevin se casou com ela porque queria uma esposa, não uma mãe. Mas ela insistia em falar sobre aquilo, não se cansava de tocar naquele assunto. Até que ele finalmente lhe deu um tapa e mandou-a calar a boca. Depois daquele dia, ela nunca mais falou sobre ter filhos. Entretanto, ele agora se perguntava se devia ter dado a Erin o que ela queria. Ela não o teria abandonado se tivesse um filho. Não seria capaz de fugir se houvesse uma criança. Pelo mesmo raciocínio, ela nunca mais seria capaz de fugir.

Ele decidiu que eles teriam um filho. Os três viveriam em Dorchester e ele trabalharia como investigador de polícia. À noite, ele voltaria para casa para encontrar sua linda esposa e, quando as pessoas os vissem no supermercado, todos ficariam encantados, dizendo "são uma família tipicamente americana".

Ele se perguntou se o cabelo dela estaria loiro novamente. Esperava que estivesse longo e que ele pudesse deslizar seus dedos por eles. Ela gostava quando Kevin fazia isso, sempre sussurrando, dizendo as palavras que ele gostava, excitando-o. Mas aquilo não era real, não se ela estivesse planejando abandoná-lo. Erin havia mentido. Mentira durante todo aquele tempo. Semanas. Meses, talvez. Furtou coisas dos Feldmans, o telefone celular, o dinheiro que tirava de sua carteira. Tramando e fazendo planos; e ele não fazia ideia do que ela estava armando. E, agora, outro homem estava dormindo em sua cama. Passando-lhe os dedos pelos cabelos, ouvindo-a gemer, sentindo suas mãos no corpo dele. Kevin mordeu seu lábio e sentiu o gosto de sangue, odiando-a. Queria socá-la e chutá-la, queria atirá-la pelas escadas. Tomou mais um gole da garrafa que estava ao seu lado, enxaguando o gosto metálico que havia ficado em sua boca.

Ela o havia enganado porque era bonita. Tudo o que havia em Erin era bonito. Os seios, os lábios, até mesmo a curva das suas costas. No cassino, em Atlantic City, quando se encontraram pela primeira vez, ele pensou que ela era a mulher mais linda que ele já havia visto e, durante os quatro anos do seu casamento, nada daquilo havia mudado. Erin sabia que Kevin a desejava e usava aquilo em benefício próprio. Vestia-se de maneira sexy. Ia ao salão de beleza para tratar dos cabelos. Usava *lingeries* de renda. Tudo aquilo fez com que ele baixasse a guarda, fez com que ele pensasse que ela o amava.

Mas ela não o amava. Ela nem se importava com ele. Não se importava com os vasos de flores quebrados, com os pratos de porcelana estilhaçados, não se importava por ele ter sido suspenso do trabalho e não se importava por ele chorar sozinho na, cama, todas as noites antes de dormir, desde que ela tinha partido. Não se importava pela vida de Kevin que estava se despedaçando. Tudo o que importava eram as coisas que ela queria. Mas ela sempre fora egoísta e agora estava rindo dele. Rindo há meses e pensando apenas em si mesma. Ele a amava e a odiava e não conseguia saber ao certo o que sentia por ela. Sentiu as lágrimas começarem a se formar e piscou os olhos para que elas não rolassem pelo seu rosto.

Delaware. Maryland. Os arredores de Washington D. C. Virginia. Horas perdidas para a noite que nunca terminava. No começo chovia forte, mas a chuva gradualmente se dissipou. Ele parou perto de Richmond quando o dia começou a raiar e pediu o café da manhã. Dois ovos, quatro fatias de *bacon*, torrada de pão de trigo. Bebeu três xícaras de café. Colocou mais gasolina no carro e voltou para a rodovia interestadual. Entrou na Carolina do Norte sob um céu azul. Havia insetos esmagados contra o para-brisa do seu carro e suas costas começaram a doer. Teve que colocar os óculos escuros para que não tivesse que apertar os olhos e sua barba começou a coçar.

"Estou chegando, Erin", pensou ele. "Logo estarei aí".

33

Katie acordou exausta. Ficou um bom tempo rolando de um lado para o outro na cama, sem conseguir dormir, relembrando as coisas horríveis que havia dito a Alex. Não sabia por que havia feito aquilo. Sim, ela estava desconcertada pela situação dos Feldmans, mas, por pior que fosse a situação, não conseguia se lembrar como a discussão havia começado. Ou melhor: ela se lembrava, mas aquilo não fazia sentido. Sabia que ele não a estava pressionando ou tentando forçá-la a fazer algo que ainda não se sentia pronta para fazer. Sabia que ele não era nem um pouco parecido com Kevin, em nenhum aspecto. O que foi mesmo que ela dissera a ele?

O que você vai fazer? Vai me bater? Fique à vontade.

Por que ela disse algo assim?

Só conseguiu adormecer depois das 2 horas da manhã, quando o vento e a chuva começaram a abrandar. Depois que o sol nasceu, o céu estava limpo e era possível ouvir o canto dos pássaros em meio às árvores. Ao chegar à varanda, percebeu os efeitos da tempestade: galhos partidos cobrindo a rua, folhas e frutos dos pinheiros cobrindo seu jardim até o meio-fio da rua. O ar já estava denso com a umidade. Aquele seria um dia escaldante, provavelmente o mais quente do verão. Ela pensou consigo mesma que devia dizer a Alex para não deixar as crianças muito tempo ao sol, antes de se dar conta de que talvez ele não quisesse que ela os acompanhasse. Talvez ele ainda estivesse irritado com ela.

"Nada de talvez", corrigiu-se. Era quase certo que ele ainda estava bravo com ela. E sentindo-se magoado também. Alex não deixara nem mesmo as crianças se despedirem dela na noite passada.

Ela se sentou nos degraus da varanda e olhou em direção à casa de Jo, imaginando se sua vizinha já estaria acordada. Ainda era cedo. Provavelmente era cedo demais para bater em sua porta. Não sabia o que diria a ela, nem se seria certo falar sobre aquilo. Não contaria o que dissera a Alex — eram memórias que gostaria de poder apagar completamente — mas talvez Jo pudesse ajudá-la a entender a ansiedade que sentia. Depois que Alex fora embora, ela sentira a tensão nos músculos dos seus ombros e, na noite passada, pela primeira vez em várias semanas, preferira dormir com a luz do quarto acesa.

Sua intuição lhe dizia que havia alguma coisa errada, mas não conseguia saber exatamente o que era, embora seus pensamentos não conseguissem se afastar dos Feldmans. De Gladys. Às mudanças inevitáveis na casa. O que aconteceria se alguém notasse que as informações relativas à Katie haviam desaparecido? Seu estômago se revirava só de pensar naquilo.

— Vai ficar tudo bem — ouviu ela, repentinamente. Virando-se, ela viu Jo em pé, no primeiro degrau da escada, calçada com seus tênis de corrida. Seu rosto estava corado e sua camiseta, molhada de suor.

— De onde você veio?

— Fui correr um pouco — disse Jo. — Estava tentando evitar o calor, mas, obviamente, não funcionou. O dia está tão úmido e abafado que eu mal consegui respirar e achei que fosse morrer de insolação. Mesmo assim, acho que estou melhor do que você, que parece estar bem triste.

Ela subiu os degraus e Katie abriu espaço para que ela se sentasse ao seu lado.

— Alex e eu brigamos ontem à noite.

— E o que mais?

— Eu disse algo horrível a ele.

— Você pediu desculpas?

— Não — disse Katie. — Ele foi embora antes que eu pudesse fazê-lo. Eu deveria ter pedido desculpas, mas não pedi. E agora...

— O que foi? Você acha que é tarde demais? — disse ela, apertando levemente o joelho de Katie. — Nunca é tarde demais para fazer a coisa certa. Vá até lá e converse com ele.

Katie hesitou. Sua ansiedade era visível. — E se ele não me perdoar?

— Então ele não é quem você pensou que fosse.

Ela levantou os joelhos até o peito e apoiou seu queixo sobre eles. Jo afastou o tecido da camiseta de sua pele, tentando se abanar antes de prosseguir. — É claro que ele a perdoará. Você sabe disso, não é? Ele pode estar irritado e você pode tê-lo magoado, mas ele é um bom homem.

Jo abriu um sorriso. — Além disso, todo casal precisa de algumas discussões ruins de vez em quando. Apenas para provar que o relacionamento é forte o bastante para sobreviver a elas.

— Isso parece conversa de psicólogo.

— Na realidade é. Mas é a verdade. Relacionamentos longos, os únicos que têm importância, são aqueles que conseguem resistir aos altos e baixos. E você ainda está pensando em ter um relacionamento longo, não é?

— Sim — disse Katie, assentindo. — Estou, sim. E você está certa. Obrigada.

Jo deu uma palmadinha na perna de Katie e piscou enquanto se levantava para descer os degraus. — Amigas são para essas coisas, certo?

Katie se levantou também. — Quer uma xícara de café? Vou preparar um bule.

— Hoje não. O dia está quente demais. Preciso é de um copo de água gelada e de uma ducha fria. Sinto-me como se estivesse derretendo.

— Você vai ao parque de diversões hoje?

— Talvez. Ainda não decidi. Mas, se eu for, vou tentar encontrá-la — prometeu Jo. — Agora vá até a casa de Alex e faça o que tem que fazer, antes que você mude de ideia.

•◆•

KATIE CONTINUOU SENTADA nos degraus por mais alguns minutos antes de voltar para dentro de casa. Tomou um banho e preparou uma xícara de café. Mas Jo tinha razão — estava quente demais para beber aquilo. Assim, ela vestiu um short e calçou sandálias antes de dar a volta ao redor da casa para pegar sua bicicleta.

Apesar da chuva recente, a rua de cascalhos já estava secando e ela conseguiu pedalar sem gastar muita energia. E aquilo era bom. Não fazia ideia como Jo conseguira correr nessa temperatura, mesmo que ainda fosse bem cedo. Aparentemente, tudo estava tentando fugir do calor. Normalmente, haveria esquilos ou pássaros, mas, quando entrou na estrada principal, não notou qualquer movimento.

Na estrada, o trânsito estava tranquilo. Alguns carros passaram rapidamente por ela, deixando nuvens de fumaça para trás. Katie pedalou em frente e, ao contornar uma curva, avistou a loja. Já havia meia dúzia de carros parados no estacionamento. Clientes habituais que vinham para comer biscoitos.

A conversa com Jo havia ajudado, pensou ela. Pelo menos um pouco. Ainda estava ansiosa, mas a sensação estava menos relacionada com os Feldmans ou outras memórias dolorosas do que com as coisas que ia dizer a Alex. E, principalmente, com o que ele iria lhe dizer em resposta.

Pedalou até a frente da loja. Alguns homens mais velhos estavam sentados nos bancos, se abanando para abrandar o calor. Passou por eles e foi até a porta. Joyce estava atrás da caixa registradora, calculando o valor das compras de um cliente. Ela sorriu.

— Bom dia, Katie.

Katie deu uma rápida olhada na loja. — Alex está por aqui?

— Está lá em cima com as crianças. Você conhece o caminho, não é? As escadas na parte de trás da loja?

Ela saiu da loja e deu a volta na casa. No ancoradouro, vários barcos estavam enfileirados, esperando para abastecer.

Ao chegar em frente à porta, hesitou por alguns momentos antes de bater. Do lado de dentro, ouviu passos que se aproximavam. Quando a porta se abriu, Alex estava à sua frente.

Ela tentou abrir um sorriso. — Oi — disse ela.

Ele assentiu, com uma expressão no rosto impossível de se identificar. Katie limpou a garganta.

— Queria lhe pedir desculpas pelo que eu disse. Eu estava errada.

A expressão no rosto de Alex permaneceu neutra. — Tudo bem. Obrigado por se desculpar.

Por um momento, nenhum dos dois disse qualquer coisa e Katie sentiu um desejo repentino de não ter ido até ali. — Eu posso ir embora se você quiser. Só preciso saber se ainda quer que eu cuide das crianças hoje à noite.

Novamente, ele não disse nada e, em meio ao silêncio, Katie balançou a cabeça. Quando ela se virou para ir embora, o ouviu dando um passo em sua direção.

— Katie... espere — disse ele, virando a cabeça para olhar para as crianças por cima do ombro, antes de fechar a porta por trás de si.

— O que você disse ontem à noite... — começou ele. Alex deixou a frase morrer no ar, incerto.

— Eu falei sem pensar — disse ela, com a voz suave. — Não sei o que deu em mim. Eu estava preocupada com outras coisas e descontei em você.

— Eu admito que aquilo me incomodou. Não tanto suas palavras, mas o fato de você achar que eu seria capaz de... fazer aquilo.

— Eu não acho que você seria capaz de fazer algo assim. Eu nunca pensaria dessa maneira sobre você.

Ele pareceu absorver aquelas palavras, mas Katie sabia que Alex ainda tinha mais a dizer.

— Quero que você saiba que valorizo muito o que existe entre nós agora e, mais do que qualquer coisa, quero que você se sinta confortável. Da maneira que achar melhor. Desculpe-me por fazer você se sentir como se a estivesse colocando contra a parede. Não era isso que eu estava tentando fazer.

— Ah, estava sim — disse ela, com um sorriso de cumplicidade. — Pelo menos um pouco. Mas está tudo bem. Afinal, quem sabe o que o futuro nos reserva, não é? Como hoje à noite, por exemplo.

— Por quê? O que vai acontecer hoje à noite?

Ela se apoiou contra o batente da porta. — Bem, depois que as crianças estiverem dormindo e, dependendo da hora que você voltar, pode ser tarde demais para que eu volte para casa de bicicleta. Talvez você me encontre deitada na sua cama...

Quando Alex percebeu que Katie não estava brincando, ele levou a mão ao queixo, fingindo estar pensando no assunto. — Isso seria um dilema.

— Por outro lado, pode ser que não haja muito trânsito e você queira chegar em casa cedo o bastante para me levar até minha casa.

— Geralmente costumo dirigir com segurança. Não gosto de correr na estrada.

Apoiando-se agora em seu peito, sussurrou no ouvido de Alex. — É muito prudente de sua parte.

— É, eu tento ser — sussurrou ele, antes que seus lábios se encontrassem com os dela. Quando se afastou, percebeu que havia uns cinco ou seis proprietários de barcos olhando para eles. Mas Alex não se importava. — Quanto tempo você levou para ensaiar esse discurso?

— Eu não ensaiei. As palavras simplesmente surgiram de dentro de mim.

Ele ainda sentia o beijo. — Já tomou seu café da manhã?

— Não.

— Quer comer cereal comigo e as crianças? Antes de irmos ao parque de diversões?

— Comer cereal com vocês é uma ideia deliciosa.

34

A Carolina do Norte era um lugar feio. Uma faixa de asfalto ensanduichada entre extensões monótonas de pinheiros e cadeias de colinas. Ao longo da rodovia havia aglomerações de trailers e outros lares móveis, pequenas propriedades agrícolas e celeiros apodrecidos cobertos de trepadeiras. Kevin saiu de uma rodovia interestadual e entrou em outra, dirigindo rumo a Wilmington, e bebeu mais um pouco de vodca para espantar o tédio.

Enquanto cruzava a paisagem que permanecia igual, pensava em Erin. Pensou no que faria quando a encontrasse. Esperava que estivesse em casa quando chegasse, mas, mesmo que estivesse trabalhando, seria apenas uma questão de tempo até que ela voltasse para casa.

A rodovia passava ao largo de cidades sem qualquer atrativo e nomes pouco memoráveis. Às 10 horas da manhã havia chegado a Wilmington. Atravessou a cidade e entrou em uma estrada vicinal estreita. Continuou dirigindo para o sul, com o sol batendo forte na janela do motorista. Colocou a arma em seu colo e depois deixou-a novamente sobre o assento do passageiro e continuou dirigindo.

Finalmente, chegou à cidade onde ela estava morando. Southport.

Kevin dirigiu lentamente pela cidade, desviando de sua rota, por causa de um parque de diversões itinerante, ocasionalmente consultando a rota que tinha imprimido em seu computador antes de sair de casa. Tirou uma camisa de dentro da bolsa de viagem e colocou-a sobre a pistola para escondê-la.

Southport era uma cidade pequena, com casas limpas e bem cuidadas. Algumas tinham uma arquitetura típica do sul dos Estados Unidos, com varandas amplas, várias trepadeiras com magnólias e bandeiras americanas tremulando em mastros. Outras faziam com que ele se lembrasse das casas da região da Nova Inglaterra. Havia mansões em frente ao mar. O sol refletia-se na água, visível por entre as casas, e o dia estava quente feito o inferno. Quase como uma sauna.

Alguns minutos depois, encontrou a ruela de cascalhos onde ela morava. À esquerda, mais adiante, havia uma loja de conveniência e ele estacionou ali para abastecer o carro e comprar uma lata de Red Bull. Ficou na fila atrás de um homem que estava comprando carvão e fluido de isqueiro. Entregou o dinheiro à velha senhora que se encontrava atrás da caixa registradora. Ela sorriu e o agradeceu por vir, comentando, de uma maneira bisbilhoteira, comum entre velhas senhoras, que nunca o havia visto por ali antes. Kevin disse a ela que viera à cidade para ir ao parque de diversões.

Ao voltar para a estrada, sua pulsação acelerou ao se dar conta de que seu destino não estava longe agora. Contornou uma curva e diminuiu a velocidade do carro. Ao longe, uma ruela de cascalhos entrou em seu campo visual. As folhas que tinha imprimido lhe diziam que deveria virar para entrar naquela rua, mas ele passou reto. Se Erin estivesse em casa, reconheceria seu carro imediatamente e Kevin não queria que aquilo acontecesse. Não até que tivesse tudo pronto.

Deu meia-volta com o carro, procurando algum lugar discreto onde pudesse estacionar. Foi difícil encontrar. Talvez no estacionamento da loja de conveniência, mas alguém poderia perceber se ele estacionasse ali. Voltou a passar pela loja, examinando a área. As árvores que ladeavam a estrada poderiam lhe dar cobertura, ou talvez não. Não queria se arriscar a levantar as suspeitas de alguém que estivesse passando pela estrada e percebesse um carro abandonado junto às árvores.

A cafeína fazia com que suas mãos tremessem e ele mudou para a vodca para acalmar seus nervos. Por Deus, era impossível encontrar um lugar onde pudesse esconder o carro. Que diabo de lugar era esse? Deu meia-volta novamente, irritando-se. Não deveria ser tão difícil. Devia ter alugado um carro. Entretanto, não havia feito aquilo e agora não conseguia encontrar uma maneira de se aproximar o bastante da casa de Erin sem que ela o percebesse.

A loja era sua única opção e ele voltou ao estacionamento, parando ao lado da casa. Ficava a quase um quilômetro e meio de distância da casa de Erin, mas Kevin não sabia mais o que fazer. Passou alguns minutos revirando a ideia na cabeça antes de desligar o motor. Quando abriu a porta, o calor o cercou. Esvaziou a bolsa de viagem, jogando as roupas no banco de trás, e colocou a sua pistola, as cordas, as algemas e a fita *silver-tape*, além de mais uma garrafa de vodca. Jogando a bolsa sobre o ombro, deu uma olhada em volta. Ninguém o observava. Imaginou que poderia deixar seu carro ali por uma hora ou duas antes que alguém desconfiasse.

Kevin se afastou do estacionamento e caminhava pelo acostamento da estrada quando sentiu a dor lhe atacar a cabeça. O calor estava insuportável. Como se fosse uma coisa viva. Caminhou pela estrada, olhando fixamente para os motoristas que passavam por ele. Não viu Erin nem qualquer outra mulher que tivesse cabelo castanho.

Chegou até a rua de cascalhos e entrou por ela. A via, empoeirada e cheia de buracos, parecia não levar a lugar nenhum, até que ele finalmente viu duas cabanas pequenas depois de andar mais de meio quilômetro. Sentiu seu coração acelerar. Erin vivia em uma delas. Kevin foi para um dos lados da estrada, andando junto às árvores, tentando se esconder. Esperava que houvesse alguma sombra, mas o sol estava alto e o calor o castigava. Sua camisa estava ensopada, o suor lhe escorria pelo rosto, deixando seus cabelos num estado lastimável. Sua cabeça latejava e ele parou para beber, tomando a vodca diretamente na garrafa.

Observando-as a distância, nenhuma das casas parecia estar ocupada. Diabos, nenhuma delas parecia sequer habitável. Não eram nada parecidas com a casa que tinham em Dorchester, com suas venezianas, mísulas decorativas e a porta de entrada vermelha. Na cabana mais próxima, a tinta estava descascando e os cantos das tábuas estavam apodrecendo. Continuando em frente, ele observou as janelas, buscando por sinais de movimento. Não notou nada.

Ele não sabia em qual das cabanas ela vivia. Parou para estudá-las mais de perto. As duas eram horríveis, mas uma delas parecia praticamente abandonada. Foi em direção à que estava em melhores condições, tentando se esquivar da janela.

Demorou trinta minutos para chegar até lá, vindo pelo trajeto que começara na loja de conveniência. Quando surpreendesse Erin, ele sabia que ela tentaria escapar. Talvez tentasse até mesmo lutar. Ele a amarraria e cobriria sua boca com *silver-tape* e depois iria buscar o carro. Quando voltasse com ele, a colocaria no porta-malas até que estivessem bem longe dessa cidade. Chegou à lateral da casa e se encostou contra a parede. Aguçou os ouvidos, tentando ouvir algum som, portas se abrindo, água correndo ou talheres batendo contra os pratos, mas não ouviu nada.

Sua cabeça ainda doía e ele sentia sede. O calor ainda o castigava e sua camisa estava encharcada. Ele estava respirando rápido demais, mas estava muito perto de Erin agora. Pensou novamente em como ela o abandonara e como não se importara quando ele chorou. Ela ria pelas suas costas. Ela e o homem com quem estava, quem quer que fosse ele. Havia um homem, Kevin sabia. Ela não conseguiria fazer tudo aquilo sozinha.

Ele espiou por trás da casa, mas não viu nada. Aproximou-se lentamente, observando. À sua frente havia uma pequena janela. Decidiu arriscar e olhou para dentro da casa. As luzes estavam apagadas e seu interior estava limpo e organizado, com um pano de prato pendurado sobre a pia da cozinha. Aproximou-se silenciosamente da porta e girou a maçaneta. Estava destrancada.

Prendendo a respiração, ele abriu a porta e entrou na casa, novamente parando para tentar ouvir algum ruído, mas não havia nada. Atravessou a cozinha e foi até a sala. Depois, até o quarto e o banheiro. Disse um palavrão, ao perceber que ela não estava em casa.

Presumindo que estivesse na casa certa, é claro. No quarto, ele viu uma cômoda e abriu a gaveta de cima. Encontrando uma pilha de calcinhas, ele as remexeu, esfregou-as entre o indicador e o polegar, mas fazia tanto tempo que Erin havia desaparecido que ele não conseguia se lembrar se eram as mesmas que ela tinha quando ainda estava com ele. Não reconheceu as outras roupas, mas eram do tamanho que ela usava.

Reconheceu o xampu e o condicionador e também a marca da pasta de dentes. Na cozinha, revirou as gavetas, abrindo uma por uma até encontrar uma conta de eletricidade. Estava endereçada à Katie Feldman e ele se apoiou contra o armário da cozinha, olhando fixamente para o nome, com uma sensação de completude dentro de si.

O único problema era que Erin não estava ali e ele não sabia quando ela retornaria. Sabia que não poderia deixar seu carro na loja para sempre, mas, ao mesmo tempo, sentia-se exausto. Queria dormir, precisava dormir. Havia dirigido durante a noite inteira e sua cabeça estava latejando. Instintivamente, foi até o quarto dela. Ela havia arrumado a cama e, quando puxou as cobertas, sentiu o cheiro de Erin nos lençóis. Arrastou-se sobre a cama, respirando fundo, inspirando o aroma dela. Sentiu as lágrimas encherem seus olhos ao perceber quantas saudades sentia dela, o quanto a amava e que eles poderiam ter sido felizes se ela não fosse tão egoísta.

Não conseguia permanecer acordado e disse a si mesmo que dormiria apenas por alguns minutos. Não por muito tempo. Apenas o suficiente para que, quando ela voltasse, naquela noite, sua mente estivesse alerta e ele não cometesse erros. Ele e Erin poderiam voltar a ser marido e mulher.

35

Alex, Katie e as crianças foram de bicicleta ao parque de diversões, porque seria praticamente impossível estacionar no centro da cidade. Da mesma forma, seria ainda pior tentar voltar para casa, quando os carros estivessem saindo do estacionamento.

Havia quiosques vendendo artesanato dos dois lados da rua e o ar estava denso com o aroma de cachorros-quentes, hambúrgueres, pipoca e algodão-doce. No palco principal, uma banda estava tocando uma versão cover de *Little deuce coupe*, dos Beach Boys. Havia corridas de saco e uma faixa anunciando um campeonato que premiaria a pessoa capaz de comer a maior quantidade de melancias naquela tarde. Havia jogos de azar também, além de outras brincadeiras, como acertar balões com dardos, arremessar argolas ao redor de gargalos de garrafas, arremessar três vezes uma bola de basquete numa cesta para ganhar um animal de pelúcia. A roda-gigante, do outro lado do parque, se erguia acima de tudo, atraindo famílias como se fosse um farol.

Alex entrou na fila para comprar os ingressos e Katie ficou logo atrás com as crianças, indo em direção aos carrinhos de batida e às xícaras-malucas. Havia longas filas por todos os lados. Mães e pais se agarravam às mãos das crianças enquanto os adolescentes andavam em grupos. O ar se enchia com o barulho dos geradores e de ruídos metálicos conforme os brinquedos do parque giravam sem parar.

O cavalo mais alto do mundo podia ser observado por um dólar. Outro dólar comprava o ingresso da tenda ao lado, que abrigava o menor cavalo do mundo. Pôneis cansados e esbaforidos andavam em círculos, amarrados a uma roda, com as cabeças baixas.

As crianças estavam animadas e queriam ir a todas as atrações. Alex gastou uma pequena fortuna comprando os ingressos, que se esgotaram rapidamente, pois cada um dos brinquedos cobrava de três a quatro dólares para ser usado. O custo cumulativo chegava às raias do absurdo, e Alex tentou fazer com que eles durassem um bom tempo, insistindo que os meninos deviam fazer outras coisas também.

Eles assistiram a um homem fazer malabarismos com pinos de boliche e vibraram com um cachorro que era capaz de andar por uma corda bamba. Comeram pizza na hora do almoço em um dos restaurantes que havia nas proximidades e ouviram uma banda *country* tocar algumas músicas. Depois, assistiram a uma corrida de *jet-skis* no rio Cape Fear antes de voltarem ao parque de diversões. Kristen comeu um algodão-doce e Josh ganhou uma tatuagem temporária.

E assim as horas passaram, num misto de calor, de barulho e de prazeres típicos de cidade pequena.

•◆•

Kevin acordou duas horas mais tarde, com o corpo ensopado de suor e o estômago dolorido pelas cólicas que sentia. Os sonhos que teve, induzidos pelo calor, foram vívidos e intensos e ele teve dificuldade para se lembrar de onde estava. Sentia que sua cabeça estava prestes a se partir em duas. Saiu do quarto cambaleando e foi até a cozinha, saciando sua sede diretamente na torneira. Sentia-se tonto e fraco e ainda mais cansado do que quando se deitara para dormir.

Mas ele não podia deixar vestígios. Não devia nem mesmo ter dormido. Foi até o quarto e arrumou a cama para que Erin não percebesse que ele estivera ali. Já estava saindo da casa quando se lembrou da caçarola de atum que vira na geladeira. Estava faminto e lembrou-se de que ela não lhe preparava o jantar há meses.

A temperatura devia estar perto dos 40 graus dentro daquele barraco abafado. Quando abriu a geladeira, permaneceu por um longo tempo em frente ao aparelho, sentindo o ar gelado que saía de dentro. Pegou a panela de atum e revirou as gavetas até encontrar um garfo. Retirando o papel-filme que cobria a panela, comeu um pedaço e depois outro. Aquilo não ajudou a melhorar a forte dor de cabeça que sentia, mas acalmou seu estômago e as cólicas começaram a diminuir de intensidade. Podia ter comido todo o peixe, mas comeu apenas mais um pedaço antes de colocar a caçarola de volta no refrigerador. Erin não podia perceber que ele havia estado ali.

Kevin lavou o garfo, enxugou-o e guardou-o novamente na gaveta. Alisou o pano de prato e deu uma última olhada na cama, certificando-se de que estava do mesmo jeito que a encontrara quando entrou na casa.

Satisfeito, saiu da casa e voltou para a estrada de cascalhos, indo em direção à loja de conveniência.

O teto do carro queimava ao toque e, quando abriu a porta, sentiu como se estivesse entrando em uma fornalha. Não havia ninguém no estacionamento. Estava quente demais para ficar ao ar livre. Tudo parecia ferver, sem que houvesse qualquer nuvem no céu e sem que uma brisa soprasse. "Quem, em nome de Deus, iria querer morar em um lugar como este?".

Na loja, ele pegou uma garrafa de água mineral e bebeu-a inteira enquanto ficava perto dos refrigeradores. Pagou pela embalagem vazia e a velha senhora no caixa a jogou fora. Ela lhe perguntou se havia gostado do parque de diversões. Kevin respondeu afirmativamente à velha bisbilhoteira.

De volta ao carro, bebeu mais vodca sem se importar que a bebida estivesse à mesma temperatura que uma xícara de café. Desde que aquilo diminuísse a dor que sentia, não fazia diferença. Estava quente demais para pensar e ele já poderia estar na estrada, rumo a Dorchester, se Erin estivesse em casa. Talvez quando levasse Erin de volta e Bill percebesse o quanto eles estavam felizes, ele lhe deixaria voltar a trabalhar. Era um bom investigador e o capitão precisava dele.

Enquanto bebia, a dor que latejava em suas têmporas começou a perder força, mas ele começou a ver tudo o que havia à sua volta dobrado, mesmo sabendo que deveria ver imagens individuais. Precisava manter sua mente alerta, mas a dor e o calor estavam lhe fazendo mal e ele não sabia mais o que fazer.

Kevin deu a partida no carro e entrou na estrada principal, dirigindo em direção ao centro de Southport. Várias ruas estavam fechadas e ele perdeu a conta de quantas vezes teve que desviar do caminho até encontrar um lugar para estacionar. Quilômetros e quilômetros sem nenhuma sombra; apenas um calor sufocante e infernal. Tinha a sensação de que ia vomitar.

Pensou em Erin e onde ela poderia estar. No Ivan's? No parque de diversões? Devia ter ligado para perguntar se ela estaria trabalhando hoje. Deveria ter se hospedado em algum hotel ontem à noite. Não havia motivo para se apressar, porque ela não estava em casa. Mas ele não sabia disso até entrar na casa onde ela morava. E ficou furioso ao pensar que ela provavelmente estaria rindo daquilo também. Rindo e rindo do pobre Kevin Tierney enquanto o traía com outro homem.

Ele trocou de camisa e enfiou a arma por dentro da cintura do seu jeans, caminhando em direção à orla do rio. Sabia que o Ivan's ficava naquela região, pois já havia pesquisado a localização do restaurante no computador. Estaria se arriscando caso fosse até lá, por isso chegou a dar meia-volta duas vezes. Mas tinha que encontrá-la. Estivera na casa onde ela morava e sentira o cheiro dela nos lençóis. Mas aquilo não havia sido o bastante.

Multidões estavam por toda parte. As ruas o lembravam de uma feira agropecuária, mas sem os porcos, os cavalos e as vacas. Comprou um cachorro-quente e tentou comê-lo, mas seu estômago se rebelou e ele jogou quase todo o sanduíche no lixo. Andando por entre as pessoas, viu a orla do rio ao longe e logo em seguida a fachada do Ivan's. Avançava vagarosamente entre toda aquela gente. Sentia sua boca completamente seca quando chegou à porta do restaurante.

O Ivan's estava lotado e havia uma fila de pessoas esperando por mesas. Devia ter trazido um chapéu e óculos escuros, mas não conseguia pensar direito. Sabia que ela o reconheceria instantaneamente. Mesmo assim, foi até a porta e entrou.

Avistou uma garçonete, mas não era Erin. Olhou em volta, viu outra, mas também não era Erin. A recepcionista era jovem e estava atarefada, tentando encontrar a melhor maneira de acomodar o próximo grupo de clientes. Havia muito barulho no ambiente — pessoas conversando, talheres batendo contra os pratos, copos sendo recolhidos em bacias e levados à cozinha para serem lavados. Muito ruído, muita confusão, sua dor de cabeça não passava e agora seu estômago também queimava.

— Erin está trabalhando hoje? — perguntou ele à recepcionista, levantando a voz para que ela o ouvisse em meio a todo aquele barulho.

Ela olhou em sua direção, confusa. — Quem?

— Katie — disse ele. — Eu quis dizer Katie Feldman.

— Não — gritou a recepcionista, em resposta. — Ela está de folga. Mas estará trabalhando amanhã — disse ela, com um meneio de cabeça em direção às janelas. — Provavelmente ela está lá fora, no meio de toda aquela gente. Acho que a vi passar aqui em frente durante a manhã.

Kevin se virou e saiu, esbarrando nas pessoas enquanto se afastava ignorando tudo aquilo. Do lado de fora, foi até um camelô. Comprou um boné de beisebol e um par de óculos escuros baratos. E recomeçou a caminhar.

A RODA-GIGANTE GIRAVA sem parar. Alex e Josh estavam em um assento e Kristen e Katie estavam em outro, sentindo o vento quente bater em seus rostos. Katie colocou o braço ao redor de Kristen, sabendo que, apesar do sorriso que a menina tinha no rosto, ela estava nervosa com a altura. Enquanto a roda-gigante girava, levando o assento até o ponto mais alto, revelando uma vista panorâmica da cidade, Katie percebeu que, embora também não estivesse muito animada com a altura, ela estava mais preocupada com a estrutura do brinquedo. Aquela coisa parecia ter sido montada com arame e clipes de papel, mesmo depois de haver passado por uma inspeção municipal naquela manhã.

Ela se perguntava se Alex havia realmente dito a verdade sobre a inspeção, ou se ele a ouvira comentar sobre a possibilidade de que o brinquedo fosse perigoso. Entretanto, já era tarde demais para se preocupar com aquilo, supunha Katie. Assim, procurou se ocupar olhando para a multidão de pessoas que enchia as ruas. Ainda mais gente veio ao parque de diversões no período da tarde, mas, se desconsiderasse os esportes aquáticos, não havia muita coisa para fazer em Southport. Era uma cidade pequena e tranquila e ela imaginava que um evento como aquele era o mais importante do ano todo.

A roda-gigante diminuiu a velocidade e parou, deixando-os parados no ar enquanto os primeiros passageiros saíam e outros entravam nos assentos que acabavam de ficar desocupados. Girou mais alguns momentos e Katie começou a observar a multidão mais atentamente. Kristen parecia estar mais relaxada e fazia o mesmo.

Katie reconheceu um casal tomando sorvetes de casquinha, frequentadores habituais do Ivan's, e imaginou quantos outros haveria por perto. Seus olhos começaram a se desviar de um grupo para outro e, por algum motivo, ela se lembrou de que costumava fazer a mesma coisa quando começara a trabalhar no restaurante. Quando ainda vigiava seus arredores, atenta à presença de Kevin.

•◆•

Kevin passou pelos quiosques que estavam dos dois lados da rua, andando a esmo e tentando pensar como Erin. Deveria ter perguntado à recepcionista do restaurante se ela havia visto Erin com um homem, pois sabia que ela não iria ao parque de diversões sozinha. Era difícil ter em mente que ela agora tinha cabelos curtos e castanhos, porque ela o havia cortado e tingido. Devia ter pegado uma cópia da carteira de motorista de Erin com o policial pedófilo na outra delegacia, mas não estava pensando direito quando entrou em contato com ele. Entretanto, aquilo não importava mais, porque sabia onde ela morava e voltaria até lá.

Sentiu a arma pressionar sua cintura. A sensação era desconfortável, pois o metal irritava sua pele. Estava muito quente debaixo do boné de beisebol, especialmente porque ele estava apertado em sua cabeça e parecia que ela estava prestes a explodir.

Ele andou por entre grupos de pessoas e filas que se formavam. Entre peças de artesanato. Frutos de pinheiros decorados, vitrôs coloridos em molduras, mensageiros dos ventos e penduricalhos. As pessoas estavam se entupindo de comida: *pretzels*, sorvetes, *nachos* e confeitos açucarados. Viu carrinhos de bebês e se lembrou novamente de que Erin queria ter um filho. Decidiu que lhe daria um. Menina ou menino, não importava; mesmo assim, ele preferia que fosse um menino, porque meninas eram egoístas e não gostariam da vida que ele lhes daria. Meninas eram assim.

As pessoas conversavam e sussurravam à sua volta e ele achou que algumas delas estavam olhando diretamente para ele, como Coffey e Ramirez faziam. Ignorou-os, concentrando-se em sua busca. Famílias. Adolescentes que andavam com os braços um ao redor do outro. Um rapaz que usava um *sombrero*. Dois funcionários do parque estavam encostados em um poste, fumando. Magros e cheios de tatuagens, com dentes cariados. Provavelmente usuários de drogas, com longas fichas criminais. Teve um mau pressentimento em relação a eles. Era um bom investigador e sabia como analisar as pessoas, por isso não confiou neles. Mas nenhum dos dois fez qualquer coisa quando Kevin passou.

Desviou para a direita e para a esquerda, andando firmemente por entre a multidão, estudando os rostos das pessoas. Parou enquanto um casal obeso passou lentamente à sua frente, comendo salsichas empanadas, os rostos vermelhos e inchados. Detestava gente gorda. Pensava que eram fracas e não tinham disciplina. Pessoas que viviam reclamando de sua pressão arterial, diabetes e problemas cardíacos e que não paravam de se queixar sobre o custo dos remédios, mas que não conseguiam fazer o menor esforço para fechar a boca. Erin sempre fora magra, mas seus seios eram grandes e agora ela estava aqui, com outro homem. Um homem que a acariciava e tocava seus seios à noite, e aquele pensamento fez com que ele se sentisse queimar por dentro. Ele a odiava. Mas ele também a queria. A amava. Era difícil distinguir entre aqueles sentimentos em sua cabeça. Ele vinha bebendo demais e o calor estava abrasador. Por que diabos ela tinha vindo parar em um lugar tão infernal?

Andou por entre os brinquedos do parque de diversões e viu que estava perto da roda-gigante. Ele se aproximou, esbarrando em um homem que usava uma camiseta regata, ignorando os resmungos dele sobre sua falta de modos. Olhou para os assentos da roda-gigante, seu olhar passando por cada rosto. Erin não estava ali, nem na fila.

Continuou a andar, caminhando sob o calor em meio às pessoas gordas, procurando pela figura magra de Erin e o homem que tocava em seus seios à noite. A cada passo, ele pensava na sua Glock.

•◆•

Os balanços suspensos, girando no sentido dos ponteiros do relógio, fizeram sucesso com as crianças. Haviam brincado ali duas vezes pela manhã e, depois de saírem da roda-gigante, Kristen e Josh imploraram para voltarem aos balanços. Só havia alguns *tickets* sobrando e Alex concordou, explicando que, ao final daquela rodada, eles teriam que ir para casa. Ele queria voltar a tempo de tomar um banho, jantar e talvez descansar um pouco antes de ir para Raleigh.

Apesar de seus esforços, ele não conseguia parar de pensar na sugestão excitante que Katie fizera anteriormente. Ela parecia capaz de ler seus pensamentos. Alex percebeu que ela o olhava fixamente várias vezes durante o dia, com um sorriso leve e provocante nos lábios.

Agora ela estava ao seu lado, sorrindo para as crianças. Aproximou-se dela, colocando-lhe o braço ao redor da cintura, e sentiu quando ela se inclinou contra seu corpo. Não disse nada. Não havia necessidade de palavras. Katie também não disse nada. Em vez disso, inclinou a cabeça, pousando-a sobre o ombro de Alex. E ele teve a sensação de que nada no mundo poderia ser melhor do que aquilo.

Erin não estava nas xícaras-malucas, nem no labirinto de espelhos, nem no trem-fantasma. Ele vigiou as atrações perto da fila para comprar ingressos, tentando se misturar à multidão, querendo vê-la antes que ela percebesse sua presença. Tinha a vantagem, pois sabia que ela estava aqui, mas Erin não fazia a menor ideia de que ele estava por perto. Às vezes, as pessoas tinham sorte e coisas estranhas aconteciam. Ele relembrou o dia em que conversou com Karen Feldman, quando ela revelou o segredo de Erin.

Ele desejou não ter deixado sua vodca dentro do carro. Não parecia haver qualquer lugar por perto onde ele pudesse comprar mais, nenhum bar à vista. Não viu nem mesmo um quiosque que estivesse vendendo cerveja. Não gostava daquela bebida, mas teria comprado uma garrafa se não tivesse outra escolha. O cheiro da comida lhe causava náuseas e fazia com que seu estômago doesse de fome ao mesmo tempo, e ele sentia o suor ensopando sua camisa, com manchas escuras lhe surgindo nas costas e nas axilas.

Andou entre os jogos de azar, administrados por trambiqueiros. Desperdício de dinheiro, pois eram feitos de modo que o dono nunca perdesse muito. Mesmo assim, vários idiotas faziam fila para jogar. Procurou por rostos. Nada de Erin.

Andou até os outros brinquedos. Havia crianças brincando nos carrinhos de batida, pessoas inquietas na fila. Do outro lado, estavam os balanços giratórios e ele foi naquela direção. Deu a volta ao redor das pessoas, procurando um ângulo melhor para observar o lugar.

•◆•

Os balanços começaram a perder velocidade, mas Kristen e Josh ainda sorriam, alegres. Alex tinha razão quando decidira ir embora depois daquele último passeio; o calor havia deixado Katie exausta e seria bom poder se refrescar um pouco. Se havia uma coisa ruim na cabana onde ela morava — bem, na verdade, havia mais do que apenas uma coisa ruim, imaginava Katie — era o lugar não ter ar-condicionado. Ela tinha se acostumado a deixar as janelas abertas à noite, mas aquilo não ajudava muito.

Os balanços pararam e Josh desafivelou o cinto de segurança antes de descer. Kristen demorou um pouco mais até conseguir se desvencilhar, mas, um momento depois, as duas crianças já estavam correndo em direção à Katie e a seu pai.

•◆•

Kevin viu quando os balanços diminuíram a velocidade até pararem completamente e um bando de crianças desceu deles, mas não era ali que sua atenção estava concentrada. Em vez disso, procurou observar os adultos que estavam aglomerados ao redor da cerca do brinquedo.

Continuou andando, seus olhos indo de uma mulher a outra. Loira ou morena, não importava. Procurou pelo corpo esguio de Erin. Do lugar de onde estava, Kevin não conseguia ver os rostos das pessoas que estavam diretamente à sua frente; então ele mudou de lugar. Em alguns segundos, quando as crianças chegassem à saída, todos voltariam a se espalhar pelo parque.

Andou rapidamente. Havia uma família à sua frente, com ingressos na mão, decidindo aonde iriam a seguir, discutindo em meio à confusão. Idiotas. Kevin deu a volta ao redor deles, apertando os olhos para observar os rostos perto dos balanços.

Nenhuma mulher magra, com exceção de uma. Uma morena de cabelos curtos, em pé ao lado de um homem de cabelos grisalhos, que havia colocado o braço ao redor da cintura dela.

Era inconfundível. As mesmas pernas longas, o mesmo rosto, os mesmos braços esbeltos.

Erin.

36

Alex e Katie caminharam de mãos dadas em direção ao Ivan's, acompanhados pelas crianças. Haviam deixado suas bicicletas perto da porta dos fundos, onde Katie geralmente trancava a sua quando vinha trabalhar. Quando saíram, Alex comprou água para Josh e Kristen antes de tomarem o caminho de casa.

— Gostaram do dia, garotos? — perguntou Alex, agachando-se para destrancar as bicicletas.

— O dia foi ótimo, papai — respondeu Kristen, com o rosto vermelho pelo calor.

Josh esfregou a boca na manga da camiseta. — Podemos vir de novo amanhã?

— Talvez — disse Alex, tentando se esquivar da pergunta.

— Por favor, papai. Eu quero andar nos balanços de novo.

Quando todos os cadeados estavam abertos, Alex colocou as correntes por cima do ombro. — Vamos ver — disse ele.

O toldo que ficava atrás do restaurante ainda dava alguma sombra, mas também fazia bastante calor. Depois de perceber que o restaurante estava lotado, ao olhar pelas janelas, Katie sentiu-se feliz por ter tirado o dia de folga, mesmo que tivesse que trabalhar nos dois períodos no dia seguinte e na segunda-feira. Valia a pena. O dia foi bom e ela conseguiria relaxar e assistir a um filme com as crianças enquanto Alex estivesse fora, à noite. E, mais tarde, quando ele voltasse...

— O que foi? — perguntou Alex.

— Nada.

— Você estava me olhando como se fosse me devorar.

— Só estava com o pensamento longe por um segundo — disse ela, piscando o olho. — Acho que o calor está me fazendo mal.

— Ah, claro — disse ele, assentindo. — Como se eu não soubesse.

— Quero apenas lembrá-lo de que há ouvidos jovens prestando atenção em nós neste momento, então cuidado com o que vai dizer — disse ela, beijando-o antes de tocar seu peito afetuosamente.

Nenhum dos dois percebeu o homem com um boné de beisebol e óculos escuros que os observava ao lado da entrada do restaurante vizinho.

Kevin sentiu-se atordoado enquanto observava Erin e o homem de cabelos grisalhos se beijando, enquanto observava o jeito como ela flertava com ele. Viu o jeito como ela acariciava os cabelos do garoto que estava junto a eles. Observou que o homem grisalho apertou seu traseiro quando as crianças não estavam olhando. E Erin — sua esposa — estava adorando a situação. Deliciando-se. Estimulando aquilo. Traindo-o com sua nova família, como se Kevin e seu casamento nunca houvessem existido.

Eles montaram em suas bicicletas e começaram a pedalar, dando a volta no restaurante, afastando-se de Kevin. Erin pedalava ao lado do homem grisalho. Ela usava um short e sandálias, expondo suas pernas, mostrando sua sensualidade para outra pessoa.

Kevin os seguiu. Os cabelos dela eram loiros e longos, esvoaçantes... Mas, em seguida, ele piscou e eles estavam novamente curtos e castanhos. Fingindo que não era Erin, andando de bicicleta com sua nova família, beijando outro homem, sorrindo, sorrindo, sem qualquer preocupação. Aquilo não era real, disse a si mesmo. Não era nada além de um sonho. Um pesadelo. Do outro lado da rua, no ancoradouro, os barcos atracados balançavam sobre a água enquanto as bicicletas os deixavam para trás.

Deu a volta na esquina. Eles estavam pedalando e Kevin estava a pé, mas eles iam devagar para que a garotinha conseguisse acompanhá--los. Ele estava se aproximando e estava perto o bastante para ouvir o riso de Erin, numa demonstração de felicidade. Levou a mão à cintura e pegou sua Glock, mas em seguida colocou-a por dentro da camisa, pressionando-a contra a pele. Tirou o boné de beisebol e usou-o para esconder a arma das pessoas que passavam por ele.

Seus pensamentos ricocheteavam como bolas de sinuca em uma partida disputada em alta velocidade, batendo umas nas outras, de um lado para o outro, em todas as direções. Erin mentia, traía, tramava e fazia planos. Fugira e encontrara um amante. Falava e ria pelas suas costas. Sussurrava no ouvido do homem grisalho, dizendo palavras sujas, sentindo as mãos daquele homem em seus seios, respirando com dificuldade. Fingindo que não era casada, ignorando tudo o que ele tinha feito por ela, todos os sacrifícios, ter raspado sangue das solas dos sapatos, Coffey e Ramirez sempre fazendo fofoca a seu respeito, as moscas que zumbiam ao redor dos hambúrgueres, porque ela havia fugido e o obrigara a ir ao churrasco sozinho e não pudera dizer a Bill, o capitão, que ele não era apenas mais um dos rapazes como todos os outros.

E ali estava ela, pedalando tranquilamente, com os cabelos curtos e tingidos, linda como sempre, sem nem sequer pensar em seu marido. Sem nunca se importar com ele. Esquecendo-se dele e do casamento para que pudesse viver com o homem grisalho, acariciando seu peito e beijando-o com uma expressão sonhadora no rosto. Indo a parques de diversões, andando de bicicleta. Ela provavelmente cantarolava no chuveiro enquanto ele chorava e se lembrava do perfume que lhe havia comprado no Natal. Nada daquilo lhe importava, porque ela era egoísta e pensava que podia jogar seu casamento fora como se fosse uma embalagem de pizza vazia.

Inconscientemente, Kevin acelerou o passo. A multidão nas ruas fazia com que eles tivessem que pedalar mais devagar e ele sabia que podia simplesmente levantar sua arma e matá-la agora. Seu dedo foi até o gatilho e ele liberou a trava de segurança, porque a Bíblia dizia: *Honrai o casamento acima de tudo, e não deixes que a cama seja maculada*, mas percebeu que, se fizesse aquilo, teria que matar o homem grisalho também. Poderia matá-lo na frente de Erin. Tudo o que tinha que fazer era puxar o gatilho. Entretanto, atingir alvos móveis àquela distância era quase impossível com uma Glock, e havia pessoas por toda parte. Eles veriam a arma e gritariam. Seria quase impossível acertar o tiro. Tirou o dedo do gatilho.

— Pare de guiar sua bicicleta para cima de sua irmã! — disse o homem grisalho, à frente, sua voz quase perdida na distância. Mas suas palavras eram reais e Kevin imaginou as palavras sujas que ele dizia para Erin. Sentiu a raiva crescer dentro de si. E então, de repente, as crianças viraram em uma esquina e foram seguidas por Erin e pelo homem grisalho.

Kevin parou, respirando com dificuldade e sentindo-se doente. Enquanto ela fazia a curva para virar na esquina, ele a viu de perfil sob a forte luz do sol e pensou novamente como ela era linda. Erin sempre fazia com que ele se lembrasse de uma flor delicada, linda e bastante refinada. Ele se lembrou de que a salvara de ser estuprada por brutamontes depois que saíra do cassino e como ela costumava lhe dizer que se sentia segura quando estava ao seu lado. Nem mesmo aquilo havia sido o bastante para impedir que o abandonasse.

Gradualmente, começou a ouvir as vozes das pessoas que passavam por ele. Conversando sobre nada importante, sem se dirigir a qualquer lugar importante, mas aquilo o trouxe de volta à ação. Começou a correr, tentando alcançar a esquina onde eles viraram, cada passo fazia-o sentir que ia vomitar debaixo daquele sol inclemente. Sua palma estava suada, encharcada ao redor da arma. Chegou até a esquina e começou a procurá-los.

Não havia ninguém à vista. Entretanto, dois quarteirões à frente, havia barricadas que bloqueavam a rua para dar espaço ao parque de diversões. Eles deveriam ter virado na esquina logo antes dos obstáculos. Não havia outra alternativa. Pensou que teriam virado à direita, o único caminho para sair do centro da cidade.

Precisava fazer uma escolha. Persegui-los a pé e arriscar-se a ser notado, ou voltar correndo para o carro e tentar segui-los com o veículo. Tentou pensar como Erin e imaginou que voltariam para a casa onde o homem grisalho morava. A casa de Erin era pequena demais, quente demais para os quatro, e ela preferiria ir para uma casa bonita, cheia de móveis caros, porque acreditava que merecia uma vida como aquela.

Era hora de escolher. Segui-los a pé ou de carro. Ele se endireitou, piscando os olhos e tentando pensar, mas estava quente demais, tudo estava confuso demais, sua cabeça latejava e a única coisa em que ele conseguia pensar era em Erin dormindo com um homem grisalho. Aquela imagem fez com que ele sentisse seu estômago se revirar.

Ela provavelmente se vestia com peças de renda e dançava para ele, sussurrava palavras que o excitavam. Implorava-lhe para que a deixasse lhe dar prazer, para que, em troca, pudesse morar em sua casa cheia de coisas elegantes. Havia se tornado uma prostituta, vendendo sua alma em troca de uma vida de luxo. Vendendo-se a troco de pérolas e caviar. Provavelmente dormia em uma mansão agora, depois que o homem grisalho a levava para jantar em restaurantes refinados.

Sentiu-se enjoado ao imaginar tudo aquilo. Magoado e traído. A fúria ajudou a clarear seus pensamentos e ele percebeu que estava parado no mesmo lugar enquanto eles se afastavam cada vez mais. Seu carro estava a alguns quarteirões de distância, mas ele se virou e começou a correr. No parque de diversões, correu rapidamente por entre as pessoas, empurrando-as para que saíssem do seu caminho, ignorando seus gritos e protestos.

— Saiam da frente! Saiam da frente! — gritava Kevin e algumas pessoas se afastavam enquanto outras eram empurradas. Ele alcançou um lugar onde não havia tanta gente e teve que parar para vomitar ao lado de um hidrante. Dois adolescentes riram dele e Kevin sentiu vontade de atirar nos dois. Entretanto, depois de enxugar a boca, ele simplesmente puxou a arma e a apontou para os dois, que se calaram imediatamente.

Cambaleando para frente, sentiu como se uma estaca de metal estivesse lhe atravessando o cérebro. Estocada e dor, estocada e dor. Cada maldito passo que dava se traduzia em uma estocada e dor e Erin provavelmente estava dizendo ao homem grisalho sobre as coisas sensuais que os dois fariam na cama. Falando sobre Kevin ao homem grisalho e rindo, sussurrando, "Kevin nunca conseguiu me dar prazer do jeito que você dá", mesmo que aquilo não fosse verdade.

Levou uma eternidade para chegar até o carro. Quando o alcançou, o sol fazia o veículo arder como se estivesse dentro de um forno. O calor o alcançou em jatos quentes e o volante estava quase fervendo ao toque. Maldito inferno. Erin decidiu morar no meio do inferno. Ele deu a partida no carro e abriu as janelas, dando meia-volta em direção ao parque de diversões e buzinou para afastar as pessoas que enchiam a rua.

De novo os desvios. Barricadas. Queria passar por cima deles, explodi-los em pedaços, mas mesmo neste lugar havia policiais e eles o prenderiam. Policiais estúpidos, gordos e preguiçosos. Policiais típicos de filmes de comédia. Idiotas. Nenhum deles era um bom investigador, mas eles tinham armas e distintivos. Kevin entrou pelas ruas laterais, tentando alcançar a direção para onde Erin ia. Erin e seu amante. Os dois adúlteros, e a Bíblia dizia: *Aquele que olhar uma mulher com desejo cometeu o adultério em seu coração.*

Pessoas por toda parte. Atravessando a rua desordenadamente. Forçando-o a parar. Ele se inclinou por cima do volante, esforçando-se para enxergar pelo para-brisas, até que conseguiu avistá-los, finalmente. Quatro figuras minúsculas ao longe. Estavam logo atrás de outra barricada, indo em direção à estrada que levava à casa dela. Havia um policial na esquina, outro idiota, gordo e preguiçoso.

Ele acelerou e o carro avançou, apenas para ser parado quando um homem repentinamente apareceu na frente de seu carro, socando a tampa do capô. Um caipira com um cabelo no estilo *mullet*, caveiras na camiseta e tatuagens. Esposa gorda e filhos sujos. Fracassados, todos eles.

— Olhe por onde anda! — gritou o caipira.

Mentalmente, Kevin atirou em todos eles, *bang-bang-bang-bang*, mas forçou-se a não reagir. O policial na esquina o observava. *Bang*, pensou ele mais uma vez.

Fez uma curva, acelerando, e atravessou o bairro. Virou à esquerda e acelerou novamente. Mais uma curva à esquerda. Outra barricada à sua frente. Kevin deu meia-volta mais uma vez, tomou a direita e depois virou à esquerda no quarteirão seguinte.

Mais barricadas. Estava preso em um labirinto, como um rato de laboratório. A cidade conspirava contra ele enquanto Erin fugia. Engatou a marcha à ré e acelerou com força. Encontrou a rua onde já estivera e virou para depois correr até o próximo cruzamento. Tinha que estar perto agora. Virou à esquerda e viu uma fila de carros adiante, indo na direção que ele queria. Virou e entrou na via, forçando seu carro a passar entre duas caminhonetes.

Queria acelerar, mas não podia. Carros e caminhonetes cobriam a estrada à sua frente, alguns com adesivos da bandeira dos estados confederados nos para-choques e outros com suportes para armas de fogo no teto. Caipiras. As pessoas que estavam na rua faziam com que fosse impossível avançar com os carros, todas andando como se os carros não existissem. Elas andavam ao seu lado, movendo-se mais rápido do que ele podia. Pessoas gordas que ainda comiam. Provavelmente passaram o dia inteiro comendo e agora atrapalhavam o trânsito enquanto Erin se distanciava cada vez mais dele.

Seu carro andou mais alguns metros e parou. Inúmeras vezes. Kevin sentia vontade de gritar, mas havia gente por toda parte. Se ele não tomasse cuidado, alguém acabaria dizendo alguma coisa e o policial gordo e preguiçoso viria investigar. Ele se lembraria da placa do carro de

Kevin, uma placa de outro estado, e provavelmente o prenderia imediatamente, simplesmente por ele não ser um dos moradores da cidade.

Avançando e parando, várias vezes, repetidamente. Seu progresso podia ser medido em centímetros, até que chegou à esquina. Pensou que aquele cruzamento iria aliviar o trânsito, mas não foi o que aconteceu. Adiante, Erin e o homem grisalho haviam desaparecido. Havia apenas uma longa fila de carros e caminhonetes à sua frente em uma estrada que não levava a lugar nenhum, mas, ao mesmo tempo, a todos os lugares. Tudo exatamente ao mesmo tempo.

37

Havia uma dúzia de carros estacionados em frente à loja quando Katie levou as crianças pela escada em direção à casa. Josh e Kristen haviam reclamado durante todo o trajeto, queixando-se de que suas pernas estavam cansadas, mas Alex ignorou aquilo, lembrando-os periodicamente de que estavam chegando perto. Quando a estratégia deixou de funcionar, ele simplesmente comentou que estava ficando cansado também e que não queria ouvir mais nenhuma palavra sobre aquilo.

As reclamações terminaram quando chegaram à loja. Alex deixou que pegassem picolés e garrafas de Gatorade antes de subirem para casa e o jato de ar frio do ar-condicionado, que sentiram logo que a porta se abriu, era incrivelmente refrescante. Alex levou Katie até a cozinha e ela o observou encharcar o rosto e o pescoço na torneira da pia. Na sala, as crianças já estavam deitadas no sofá, com a televisão ligada.

— Desculpe — disse ele. — dez minutos atrás, achava que ia morrer.

— Você não disse nada.

— É porque eu sou durão — disse ele, fingindo estufar o peito. Pegou dois copos no armário e colocou cubos de gelo neles antes de servir-se com a água que estava em uma jarra dentro da geladeira.

— Você também é uma ótima atriz — disse ele, entregando-lhe um dos copos. — Parece uma sauna, lá fora.

— Não consigo acreditar que ainda tem tanta gente no parque de diversões — disse ela, tomando um gole.

— Sempre me perguntei por que eles não trocam a data para maio ou outubro, quando está mais fresco. Mesmo assim, parece que as pessoas vão até o parque independentemente da temperatura.

Katie olhou para o relógio da parede. — A que horas você tem que sair?

— Dentro de uma hora, mais ou menos. Mas provavelmente estarei de volta antes das 11.

"Cinco horas", pensou ela. — Quer que eu prepare algo especial para o jantar das crianças?

— Elas gostam de comer massa. Kristen gosta que tenha manteiga e Josh gosta de molho marinara. Tem um vidro de molho na geladeira. Eles passaram o dia todo comendo doces e salgados no parque, então provavelmente não comerão muito.

— A que horas eles vão dormir?

— A hora que você disser. Sempre antes das 10, mas, às vezes, por volta das 8. Coloque-os na cama quando achar melhor.

Ela segurou o copo de água gelada contra o rosto e deu uma olhada ao redor da cozinha. Não passara muito tempo na casa de Alex, mas, agora que estava aqui, percebia os resquícios de um toque feminino. Coisas pequenas — as costuras da cortina feitas com linha vermelha, os pratos e as xícaras de porcelana exibidos dentro de um armário envidraçado e os versos da Bíblia pintados em azulejos de cerâmica perto do fogo. A casa estava cheia de evidências da vida de Alex com outra mulher, mas, para sua surpresa, aquilo não a incomodava.

— Vou tomar um banho. Se importa em ficar sozinha por alguns minutos? — perguntou Alex.

— É claro que não — respondeu ela. — Posso bisbilhotar sua cozinha e pensar no que vou fazer para o jantar?

— O macarrão está naquele armário — disse ele, apontando para o lugar. — Olhe, quando eu sair, se você quiser que eu a leve até sua casa para que você possa tomar banho e se trocar, podemos fazer isso. Ou você pode tomar um banho aqui mesmo. Faça como preferir.

Ela fez uma pose sensual. — Isso é um convite?

Os olhos de Alex se arregalaram e ele olhou rapidamente em direção às crianças.

— Eu estava brincando — disse ela, rindo. — Vou tomar banho depois que você sair.

— Quer ir buscar uma muda de roupas antes? Caso contrário, pode pegar uma das minhas camisetas ou uma calça de moletom... A calça provavelmente vai ficar larga para você, mas é só ajustar o cordão da cintura.

De algum modo, a ideia de vestir as roupas dele parecia extremamente sexy para Katie. — Não se preocupe, não sou tão seletiva quando preciso escolher o que vou vestir. Vou apenas assistir a filmes com as crianças, lembra-se?

Alex bebeu toda a sua água antes de colocar o copo na pia. Ele se inclinou e a beijou e depois foi para o quarto.

Quando ele se foi, Katie se virou em direção à janela da cozinha. Ela observou a estrada que passava em frente à casa, sentindo uma ansiedade indefinível tomar conta de si. Havia sentido a mesma coisa naquela manhã e imaginava que fosse um resquício da discussão que tivera com Alex na noite anterior. Entretanto, apanhou-se pensando nos Feldmans novamente. E em Kevin.

Pensou nele quando estava na roda-gigante. Enquanto observava as pessoas, ela sabia que não estava procurando por clientes habituais do restaurante. Realmente não estava. Estava procurando por Kevin. Acreditando, por alguma razão inexplicável, que ele poderia estar no meio da multidão. Pensando que ele estava lá.

Mas aquilo era apenas sua paranoia aflorando novamente. Não havia qualquer possibilidade de que ele soubesse onde ela estava, nenhuma chance de que pudesse saber sua identidade. Era impossível, disse ela a si mesma. Kevin nunca conseguiria ligá-la à filha dos Feldmans; ele nem mesmo conversava com eles. Mesmo assim, por que ela passara o dia inteiro sentindo-se como se alguém a estivesse seguindo, mesmo quando saíram do parque de diversões?

Ela não tinha poderes paranormais e também não acreditava nessas coisas. Mas acreditava que o subconsciente tinha a capacidade de juntar peças quando a mente consciente as deixava passar. Entretanto, enquanto se perdia em pensamentos na cozinha de Alex, as peças ainda estavam misturadas, sem qualquer tipo de forma definida ou ordem; e, depois de observar uma dúzia de carros passarem na estrada em frente à casa, ela finalmente se virou. Provavelmente eram apenas seus velhos medos insistindo em aparecer.

Balançou a cabeça e pensou em Alex no chuveiro. A ideia de tomar banho com ele fez com que sentisse uma onda de calor por dentro de si. E, mesmo assim, não era tão simples, mesmo que as crianças não estivessem por perto. Mesmo que Alex pensasse nela como Katie, Erin ainda era casada com Kevin. Desejou poder ser outra mulher, uma mulher que pudesse simplesmente se entregar nos braços do seu amado sem qualquer hesitação. Afinal, foi Kevin quem quebrou todas as regras do casamento quando levantou seus punhos para lhe agredir pela primeira vez. Quando Deus olhasse dentro do seu coração, Katie sabia que Ele concordaria que o que ela estava fazendo não era um pecado. Não é mesmo?

Ela suspirou. "Alex..." Ele era a única coisa em que ela conseguia pensar agora. *Mais tarde*, era no que ela conseguia pensar. Ele a amava e a queria. E, mais do que qualquer coisa, ela queria lhe mostrar que sentia o mesmo por ele. Queria sentir seu corpo contra o dela, queria-o por inteiro, pelo tempo que ele a quisesse. Para sempre.

Katie se obrigou a parar de visualizar a si mesma com Alex, a parar de pensar no que iria acontecer. Balançou a cabeça para espantar aqueles pensamentos e foi até a sala de estar, sentando-se no sofá ao lado de Josh. Eles estavam assistindo a algum programa do canal Disney que ela não reconhecia. Depois de alguns momentos, ela olhou para o relógio e percebeu que apenas dez minutos haviam passado. A sensação era de que uma hora já havia transcorrido.

Depois de sair do banho, Alex fez um sanduíche e sentou-se ao lado dela no sofá para comer. Ele cheirava a limpeza e as pontas do seu cabelo ainda estavam úmidas, aderindo à sua pele de uma maneira que fazia com que Katie sentisse vontade de deslizar seus lábios ali. As crianças, com os olhos grudados na tela, os ignoravam completamente, mesmo depois de Alex ter pousado o prato na mesa de canto e começado a tocar a coxa dela com a ponta dos dedos.

— Você está linda — sussurrou Alex em seu ouvido.

— Estou horrível — retrucou ela, tentando ignorar a linha de fogo que fazia a pele de sua coxa queimar. — Nem tomei banho ainda.

Quando chegou a hora de Alex ir embora, ele beijou as crianças na sala de estar. Ela o seguiu até a porta. Quando a beijou em despedida, deixou que sua mão percorresse o corpo dela, bem abaixo da linha de cintura, sentindo os lábios macios dela nos seus. Obviamente apaixonado, obviamente desejando-a, certificando-se de que ela soubesse o quanto. Estava levando-a à loucura e parecia aproveitar cada momento.

— Vejo você daqui a pouco — disse ele, afastando-se.

— Dirija com cuidado — sussurrou ela. — As crianças vão ficar bem.

Quando ouviu os passos de Alex descendo as escadas, ela se encostou contra a porta para inspirar fundo, recobrando o fôlego. "Meu Deus", pensou ela. Com ou sem votos de matrimônio, com ou sem culpa, decidiu que, mesmo que *ele* não estivesse no clima para o que aconteceria mais tarde, *ela* certamente estaria.

Ela voltou a olhar para o relógio, com a certeza de que aquelas seriam as cinco horas mais longas de sua vida.

38

— **Desgraça!** — era o que Kevin não parava de dizer. — Desgraça!

Ele estava dirigindo há horas. Parou para comprar quatro garrafas de vodca em um supermercado. Uma delas já estava pela metade e, enquanto dirigia, enxergava tudo dobrado, a menos que apertasse os olhos, mantendo um deles fechado.

Estava procurando por bicicletas. Quatro, incluindo uma com cestinhas. Na situação em que se encontrava, era como se estivesse procurando por um peixe específico no meio de um oceano. Indo por uma rua e voltando por outra, conforme a tarde avançava e a noite começava a cair. Olhava de um lado para o outro. Sabia onde ela morava, sabia que, mais cedo ou mais tarde, ela voltaria para casa. Entretanto, naquele momento, o homem grisalho estava em algum lugar com Erin, rindo dele, dizendo ao seu ouvido: "Sou muito melhor do que Kevin, meu bem".

Ele gritava palavrões dentro do carro, socando o volante. Deslizou a trava de segurança da arma várias vezes, de um lado para o outro, imaginando que Erin beijava o homem grisalho, o braço dele ao redor de sua cintura. Lembrando-se do quanto ela parecia estar feliz, pensando que havia enganado seu marido. Traindo-o. Gemia e murmurava debaixo do seu amante enquanto ele arfava sobre ela.

Kevin mal conseguia enxergar, lutando contra a visão embaçada com apenas um olho. Um carro se aproximou dele por trás à medida que dirigia pelas ruas do bairro, seguindo-o de perto e depois piscando os faróis. Ele diminuiu a velocidade do carro e parou ao lado do meio--fio, dedilhando sua pistola. Detestava pessoas grosseiras, dessas que achavam que eram as donas da rua. *Bang*.

O entardecer transformou as ruas em um labirinto de sombras, fazendo com que fosse difícil identificar os contornos esguios das bicicletas. Quando passou pela rua de cascalhos novamente, Kevin decidiu dar meia-volta e visitar a casa de Erin novamente. Parou o carro logo antes de avistar a casa dela e desceu. Um gavião voava em círculos no céu e ele ouviu as cigarras cantando, mas, de maneira geral, o lugar parecia deserto. Começou a andar em direção à casa, porém, ainda à distância, viu que não havia nenhuma bicicleta encostada em frente. Nenhuma lâmpada acesa também. Mesmo assim, ainda não havia escurecido e ele foi até a porta dos fundos. Destrancada, assim como estava antes.

Ela não estava em casa e Kevin imaginou que Erin não havia voltado até ali desde que ele visitara a casa, mais cedo. Ele tinha certeza de que ela abriria as janelas, tomaria um copo d'água, poderia até mesmo tomar um banho. Nada. Ele saiu pela porta dos fundos, olhando para a casa vizinha. Estava em péssimas condições. Provavelmente abandonada. Isso era bom. Mesmo assim, o fato de Erin não estar em casa significava que ela estava com o homem grisalho, que havia ido até a casa dele. Traindo, fingindo que não era casada. Esquecendo-se da casa que Kevin havia lhe comprado.

Sua cabeça latejava no mesmo compasso das batidas do seu coração, como uma faca que não se cansasse de apunhalá-lo. Punhalada. Punhalada. Punhalada. Era muito difícil conseguir se concentrar enquanto fechava a porta por trás de si. Pelo amor de Deus, estava mais fresco fora da casa do que dentro. Ela vivia em uma sauna, suando com um homem grisalho. Eles estavam suando juntos agora, em algum lugar, contorcendo-se entre lençóis, com os corpos entrelaçados. Coffey e Ramirez estavam rindo daquilo, rindo tanto que não conseguiam mais falar, divertindo-se às custas do seu sofrimento. "Eu queria poder transar com ela também", dizia Coffey a Ramirez. "Ah, você não sabia? Ela transou com metade da delegacia enquanto Kevin estava trabalhando. Todo mundo sabe disso", respondeu Ramirez. Bill acenava do seu escritório, com os documentos da suspensão na mão. "Eu transei com ela também, todas as terças, durante um ano inteiro. Ela é uma fera na cama. Sempre diz as coisas mais sujas".

Voltou a passos trôpegos para o carro, com o dedo no gatilho da pistola. Desgraçados, todos eles. Kevin os odiava. Imaginou-se entrando na delegacia e descarregando a Glock, esvaziando todo o pente de balas, mostrando a eles. Mostrando a todos eles. E a Erin também.

Ele parou e se curvou ao lado da estrada, vomitando novamente. Com o estômago dolorido pelas cólicas, uma sensação de que havia algo lhe corroendo por dentro, como um animal preso dentro de seu corpo, que tentava lhe rasgar a carne com as garras para se libertar. Vomitou de novo e depois teve espasmos secos. O mundo girou quando tentou se levantar. O carro estava perto e ele cambaleou até o veículo. Pegou a vodca e bebeu, tentando pensar como Erin, mas olhou em volta e viu que estava em um churrasco, segurando um bife de hambúrguer coberto por moscas enquanto todos lhe apontavam o dedo e riam.

De volta ao carro. A vadia tinha que estar em algum lugar. Ela iria assistir quando o homem grisalho morresse. Observar quando todos morressem. Queimar no inferno, queimar, queimar, todos eles. Com cuidado, ele entrou e deu a partida no carro. Deu marcha à ré e acabou batendo em uma árvore à medida que tentava dar meia-volta. Logo depois, xingando, acelerou com força para sair dali, fazendo voar os pedregulhos que cobriam a rua.

A noite não demoraria a cair. Ela veio nesta direção, tinha que estar por perto. Crianças pequenas não eram capazes de pedalar por tanto tempo. Cinco ou seis quilômetros, talvez sete. Ele havia passado por todas as ruas naquela região, olhara em cada casa. Nenhuma bicicleta à vista. Podiam estar dentro de alguma garagem ou estacionadas no quintal de alguma casa. Ele esperaria e ela acabaria voltando para casa em algum momento. Esta noite. Amanhã. Amanhã à noite. Ele enfiaria a arma na boca de Erin, apontaria para os seus seios. "Me diga quem é ele", diria Kevin. "Quero apenas conversar com ele". Ele encontraria o homem grisalho e mostraria a ele o que acontece com homens que dormem com as esposas de outros homens.

Parecia que ele estava sem dormir há semanas, sem comer há semanas. Não conseguia entender por que tudo estava escuro e começou a imaginar o que estaria acontecendo. Não se lembrava exatamente de quando chegara até ali. Lembrou-se de avistar Erin, lembrou-se de tentar segui-la e de dirigir, mas não tinha certeza nem mesmo de onde estava.

Uma loja apareceu à sua direita, um lugar parecido com uma casa com uma varanda em frente. "Gasolina e lanchonete", dizia uma placa. Ele se lembrava daquele lugar, mas não sabia há quanto tempo havia estado ali. Diminuiu a velocidade do carro involuntariamente. Precisava de comida, precisava dormir. Precisava encontrar um lugar para passar a noite. Seu estômago se revirou. Ele pegou a garrafa, colocou o gargalo na boca e engoliu o líquido, sentindo a garganta queimar, sentindo o alívio que a vodca lhe trazia. Mas, assim que largou a garrafa, seu estômago se revirou em outro espasmo.

Entrou no estacionamento, lutando para não vomitar a bebida, sentindo a boca se encher de saliva. O tempo estava se esgotando. Pisou com força nos freios e o carro derrapou antes de parar em frente à loja. Ele desceu num salto. Foi até a frente do carro e vomitou no escuro. O corpo tremia, as pernas estavam bambas. O estômago estava a ponto de lhe sair pela boca. O fígado também. Tudo o que tinha dentro de si. Percebeu que, de algum modo, ainda estava com a garrafa nas mãos, não a havia largado. Respirou fundo e bebeu, usando a vodca para enxaguar o gosto azedo que tinha na boca, engolindo o líquido depois. Deu fim em mais uma garrafa.

E bem ali, como se estivesse em meio a um sonho, nas sombras escuras atrás da casa, viu quatro bicicletas encostadas lado a lado.

39

Katie fez com que as crianças tomassem banho antes de vestirem seus pijamas. Depois, ela entrou no chuveiro, permanecendo sob os jatos de água e desfrutando da sensação deliciosa do xampu e do sabonete enxaguando o sal do seu corpo depois de um dia sob o sol.

Preparou o macarrão das crianças e, depois do jantar, olharam a coleção de DVDs, tentando encontrar um que os dois quisessem assistir, até que finalmente concordaram em ver *Procurando Nemo*. Ela se sentou entre Josh e Kristen no sofá, com uma tigela de pipocas no colo e as pequenas mãos deles vinham até a tigela automaticamente, de ambos os lados. Ela usava uma calça de moletom confortável que Alex havia deixado sobre a cama e uma camiseta velha do time de futebol americano Carolina Panthers. Estava sentada com as pernas cruzadas no sofá enquanto assistiam ao filme, sentindo-se relaxada pela primeira vez no dia.

Do lado de fora, o céu se tingia de várias tonalidades diferentes, quase como num show de fogos de artifícios. As cores vibrantes do arco-íris se esmaeceram em tons pastéis antes de finalmente darem lugar ao azul-acinzentado do crepúsculo e ao azul-índigo da noite. As estrelas começaram a tremeluzir no céu enquanto as últimas ondas de calor subiam do chão.

Kristen havia começado a bocejar conforme o filme avançava, mas sempre que a personagem Dory aparecia na tela, a garota dizia: "Ela é a minha favorita, mas eu não me lembro por quê!" Do outro lado do sofá, Josh se esforçava para ficar acordado.

Quando o filme acabou e Katie se inclinou para desligar o DVD, Josh levantou a cabeça e desabou no sofá. Como ele era grande demais, ela não conseguiu carregá-lo, então cutucou-o no ombro, dizendo-lhe que era hora de ir para a cama. Ele resmungou e reclamou antes de se sentar. Bocejou e se levantou e, com Katie ao seu lado, cambaleou até o quarto. Deitou-se sem reclamar e ela lhe deu um beijo de boa-noite. Sem saber se ele preferia dormir com o abajur ligado, ela acendeu a luz do corredor e deixou a porta entreaberta.

Kristen foi a próxima. Ela pediu a Katie que se deitasse ao seu lado por alguns minutos e Katie o fez, olhando para o teto, sentindo o calor e o cansaço do dia começando a tirar suas forças. A menina adormeceu logo e Katie teve que se esforçar para conseguir ficar acordada antes de sair do quarto na ponta dos pés.

Depois, aproveitou para limpar o que havia sobrado do jantar e esvaziou a tigela de pipocas. Olhando pela sala de estar, percebeu as evidências da presença das crianças por toda a parte: uma pilha de quebra-cabeças em uma estante, um cesto de brinquedos no canto da sala e sofás revestidos em couro, admiravelmente à prova de derramamento de líquidos. Estudou também os enfeites que estavam distribuídos pelo cômodo: um relógio antigo, que precisava que alguém lhe desse corda todos os dias, um conjunto antigo de enciclopédias em uma estante ao lado da poltrona, um vaso de cristal sobre a mesa ao lado da janela. Nas paredes, fotografias em preto e branco de antigos celeiros usados para armazenar tabaco. Eram uma coisa típica do sul dos Estados Unidos e ela se lembrava de haver visto várias daquelas cenas rústicas enquanto viajava pela Carolina do Norte.

Havia também indícios da vida caótica de Alex: uma mancha vermelha no tapete em frente ao sofá, marcas e ranhuras no piso de madeira, poeira acumulada nos rodapés. Mesmo assim, enquanto observava os detalhes da casa, não conseguiu deixar de sorrir, porque todas aquelas coisas refletiam a pessoa que Alex era. Um pai solteiro, fazendo o melhor que podia para manter uma casa organizada, mesmo que não conseguisse fazer tudo com perfeição. A casa era um retrato de sua vida e ela gostava daquela sensação tranquila e confortável.

Katie apagou as luzes e se deixou cair no sofá. Pegou o controle remoto e começou a procurar algo interessante nos canais da TV a cabo, algo que não precisasse de tanta atenção. Já eram quase 10 horas e Alex ainda levaria uma hora para chegar. Ela se deitou no sofá e começou a assistir a um programa no canal Discovery, um programa sobre vulcões. Percebeu que havia um reflexo na tela da televisão e se esticou para desligar o abajur na mesinha de canto, deixando a sala mais escura. Melhor assim.

Assistiu ao programa por alguns minutos, quase sem notar que, toda vez que piscava, seus olhos se fechavam por uma fração de segundo mais longa que a anterior. Sua respiração ficou mais lenta e ela começou a afundar entre as almofadas. As imagens começaram a correr por sua mente. Incoerentes a princípio. Imagens dos brinquedos do parque de diversões, a vista do alto da roda-gigante. Pessoas em grupos aleatórios, jovens e velhos, adolescentes e casais. Famílias. E, em algum ponto ao longe, um homem que usava óculos escuros e um boné de beisebol andando entre a multidão, movendo-se com um objetivo em mente antes que ela o perdesse de vista. Katie reconheceu alguns aspectos: o jeito de caminhar, o contorno do queixo, a maneira como ele movia os braços.

Estava quase dormindo agora, relaxando e se lembrando. As imagens começavam a ficar borradas, o som da televisão ficava mais suave. Relaxou ainda mais e sua mente insistia em se lembrar da vista que tinha do alto da roda-gigante. E, é claro, do homem que havia visto, um homem que se movia como um caçador na floresta, à procura de sua caça.

40

Kevin olhava fixamente para as janelas do primeiro andar, bebendo lentamente da sua garrafa de vodca, a terceira naquele dia. Ninguém olhava para ele mais de uma vez. Estava em pé no ancoradouro atrás da casa; havia trocado de roupas e agora vestia uma camisa preta de mangas compridas e um jeans escuro. Apenas seu rosto estava visível, mas ele estava em pé sob a sombra de um cipreste, escondido atrás do porta-malas. Observando as janelas, observando as luzes, procurando por algum sinal de Erin.

Durante um longo tempo, nada aconteceu. Ele bebia, querendo sorver todo o conteúdo da garrafa. As pessoas entravam e saíam da loja a cada poucos minutos, frequentemente usando seus cartões de crédito para comprar gasolina na bomba. Movimento, movimento, mesmo ali, no meio de lugar nenhum. Ele foi até uma das laterais da loja, olhando para cima, em direção às janelas. Reconheceu o brilho azul e oscilante de um aparelho de televisão. Os quatro, assistindo à TV, agindo como uma família feliz. Ou talvez as crianças já estivessem dormindo, cansadas depois do passeio no parque de diversões. Talvez estivessem na sala apenas Erin e o homem grisalho, rolando no sofá, trocando beijos e carícias enquanto Meg Ryan ou Julia Roberts se apaixonavam por alguém na tela.

Tudo doía. Ele estava cansado e seu estômago continuava a se revirar. Poderia ter subido as escadas e arrombado a porta com um pontapé, poderia já ter matado os dois uma dúzia de vezes e queria acabar logo com isso, mas havia pessoas na loja. Carros no estacionamento. Havia empurrado seu próprio carro até um lugar sob a árvore nos fundos da loja, para que não fosse visto por pessoas que estivessem passando por ali. Queria apontar a Glock e puxar o gatilho, queria observá-los enquanto morriam, mas também queria se deitar e dormir. Nunca se sentira tão cansado em sua vida e, quando acordasse, queria encontrar Erin ao seu lado, sonhando que ela nunca o abandonara.

Algum tempo depois, viu a silhueta dela na janela, viu-a sorrir enquanto se virava e soube que ela estava pensando no homem grisalho. Pensando sobre sexo, e a Bíblia dizia: *Aqueles que se entregarem à fornicação e aos prazeres da carne serão punidos de maneira exemplar, sofrendo a vingança do fogo eterno.*

Ele era um anjo do Senhor. Erin havia pecado, e a Bíblia dizia: *Que ela seja atormentada com o fogo e a luz sagrada na presença dos anjos.*

Na Bíblia sempre havia fogo, porque o fogo purificava e condenava, e Kevin entendia aquilo. O fogo era poderoso, a arma dos anjos. Ele bebeu os últimos goles de vodca que restavam em sua garrafa e chutou-a para debaixo de alguns arbustos. Um carro estacionou ao lado das bombas de gasolina e um homem saiu do veículo. Inseriu seu cartão de crédito na bomba e começou a abastecer o carro. A placa ao lado da bomba informava às pessoas que fumar era ilegal, pois a gasolina era inflamável. Dentro da loja havia fluido de isqueiro para ser usado com carvão. Kevin se lembrava do homem que estava à sua frente na fila do caixa, com uma lata de fluido na mão.

Fogo.

Alex se mexeu no assento do carro e ajustou suas mãos ao volante, tentando encontrar uma posição confortável. Joyce e sua filha estavam no banco traseiro e não paravam de falar desde o momento em que entraram no carro.

O relógio no painel mostrava que estava ficando tarde. As crianças já estavam na cama, ou estavam indo se deitar e ele se sentiu aliviado ao pensar naquilo. Na viagem de volta, havia bebido uma garrafa de água, mas ainda sentia sede e debatia consigo mesmo se devia parar novamente. Tinha certeza de que Joyce e sua filha não se importariam, mas não queria parar. Queria apenas voltar logo para casa.

Enquanto dirigia, sentiu sua mente devanear. Pensou em Josh e Kristen, pensou em Katie e relembrou-se de alguns momentos que passara com Carly. Tentou imaginar o que Carly diria a respeito de Katie e se Carly gostaria que sua carta fosse entregue a ela. Lembrou-se do dia em que vira Katie ajudando Kristen a vestir sua boneca e lembrou-se do quanto estava bonita na noite em que lhe preparara o jantar. Saber que ela estava em sua casa, lhe esperando, fez com que ele sentisse o desejo de pisar fundo no acelerador.

Do outro lado da rodovia, pontos brilhantes de luz apareciam no horizonte, ficando maiores, faróis dos carros que vinham em sentido contrário. Maiores e mais brilhantes até que passavam por ele. No espelho retrovisor, luzes vermelhas se afastavam até sumirem ao longe.

Um clarão brilhou ao sul, fazendo com que o céu se iluminasse por alguns instantes. Passou por uma casa rural que estava à direita da estrada, com as luzes acesas no andar térreo. Ultrapassou um caminhão com placas do estado da Virgínia e agitou os ombros, tentando aliviar a fadiga que sentia. Passou pela placa que indicava quantos quilômetros ainda faltavam para que chegasse a Wilmington e suspirou. Ainda tinha um longo caminho pela frente.

As pálpebras de Katie se agitavam enquanto ela sonhava. Seu subconsciente estava trabalhando ferozmente. Pedaços, partes e fragmentos tentando se conectar uns com os outros.

O sonho acabou. Alguns minutos depois ela levantou os joelhos e se virou, deitando-se de lado, quase acordada. Sua respiração voltou a ficar mais lenta.

•◆•

ÀS 10 HORAS DA NOITE, o estacionamento estava quase vazio. Faltava pouco para que o expediente do dia se encerrasse e Kevin deu a volta na casa, indo até a porta da loja, apertando os olhos quando a luz da porta iluminou seu rosto. Na caixa registradora havia um homem usando um avental. Kevin lembrava-se vagamente dele, mas não sabia de onde. O avental do homem era branco, com o nome "Roger" escrito do lado direito.

Kevin passou pela caixa registradora, esforçando-se para balbuciar as palavras. — Fiquei sem gasolina na estrada.

— Os galões de gasolina estão na prateleira do outro lado da loja — respondeu Roger, sem levantar os olhos. Quando finalmente o fez, ele os abriu e fechou rapidamente. — Você está bem?

— Estou apenas cansado — disse Kevin, já no corredor, tentando não atrair atenção sobre si mesmo, mas ciente de que o homem o observava. A Glock estava na sua cintura e tudo o que Roger tinha que fazer era cuidar da própria vida. Na prateleira do fundo da loja, Kevin viu três galões plásticos de 18 litros e pegou dois deles. Em seguida, levou-os à caixa registradora e deixou o dinheiro sobre o balcão.

— Vou pagar depois de enchê-los — disse ele.

Do lado de fora, ele encheu um dos galões com gasolina, observando enquanto os números giravam na bomba. Encheu o segundo e voltou para dentro da loja. Roger o encarava. Hesitou na hora de lhe dar o troco.

— É muita gasolina para carregar sozinho.

— Erin vai precisar.

— Quem é Erin?

Kevin piscou os olhos. — Posso pagar pela maldita gasolina ou não?

— Tem certeza de que está em condições de dirigir?

— Passei mal hoje — resmungou Kevin. — Fiquei vomitando o dia inteiro.

Não tinha certeza se Roger acreditava nele. Depois de um momento, Roger pegou o dinheiro e lhe deu o troco. Kevin deixou os galões ao lado das bombas de gasolina e foi até lá para pegá-los. Era como levantar dois galões de chumbo. Fez força, sentiu o estômago se revirar, a dor pulsando entre as orelhas. Andou em direção à estrada, deixando as luzes da loja para trás.

No escuro, ele escondeu os dois galões no meio do capim alto ao lado da estrada. Depois, deu a volta e foi para os fundos da loja. Esperando até que Roger fechasse a loja, esperando que as luzes se apagassem. Esperando até que todos estivessem dormindo no andar de cima. Pegou a outra garrafa de vodca que estava no carro e tomou um gole.

•◆•

Em Wilmington, Alex começou a se animar, sabendo que estava chegando perto de casa. Não demoraria muito, talvez meia hora até chegar a Southport. Levaria mais alguns minutos para levar Joyce e sua filha até em casa e depois ele poderia finalmente descansar.

Imaginou se encontraria Katie esperando por ele na sala de estar ou se a encontraria em sua cama, como ela havia insinuado.

Era o tipo de coisa que Carly costumava fazer. Poderiam estar falando sobre a loja ou sobre a possibilidade de que seus pais estivessem gostando de viver na Flórida, quando, sem qualquer motivo aparente, ela diria que estava entediada e perguntaria a ele se queria ir para o quarto e se divertir um pouco.

Olhou mais uma vez para o relógio. Dez e quinze. Katie estava esperando. Ao lado da estrada, Alex percebeu seis ou sete cervos paralisados sobre a grama, com os olhos refletindo a luz dos faróis, brilhando como se algo sobrenatural estivesse acontecendo. Como se estivessem amedrontados.

•◆•

Kevin observou quando as luzes fluorescentes instaladas sobre as bombas de gasolina se apagaram. As luzes da loja se apagaram a seguir. Do lugar onde estava escondido, ele avistou Roger trancando a porta. Deu um puxão na maçaneta, certificando-se de que o lugar estava seguro antes de se virar. Foi até uma caminhonete marrom estacionada no canto mais distante do estacionamento e entrou no veículo.

O motor ligou com um rangido. Uma das correias estava solta. Roger aumentou a rotação do motor, ligou os faróis e engatou a marcha da caminhonete. Deu a volta para ir até a estrada e se dirigiu ao centro da cidade.

Kevin esperou cinco minutos, para ter certeza de que Roger não daria meia-volta e retornasse. A estrada em frente à loja estava silenciosa agora. Nenhum carro ou caminhonete vindo de qualquer direção. Correu até os arbustos onde havia escondido os galões. Observou a estrada novamente. Levou um dos galões até os fundos da loja. Fez o mesmo com o segundo galão, colocando-os ao lado de latas de lixo metálicas, abarrotadas com comida apodrecida. O mau cheiro era insuportável.

No andar de cima, a televisão continuava a banhar uma das janelas com luz azul. Não havia outras luzes acesas na casa e ele sabia que os dois estavam nus. Sentiu a raiva crescer dentro de si. "Agora", pensou ele. Quando estendeu a mão para pegar os galões de gasolina, viu que havia quatro ao seu lado. Fechou um dos olhos e, novamente, eram apenas dois. Tropeçou ao dar um passo e quase caiu para frente, desequilibrando--se, agitando os braços enquanto tentava agarrar o canto da parede para não cair. Não conseguiu e desabou no chão, a cabeça batendo no cascalho. Viu estrelas e faíscas, sentiu uma dor dilacerante. Era difícil respirar. Tentou se levantar e caiu novamente. Rolou no chão, deitado, e sentiu o cascalho nas costas, e olhou fixamente para as estrelas.

Não estava bêbado, porque nunca ficava bêbado, mas havia algo errado. Luzes cintilantes giravam e giravam, capturadas em um redemoinho que ficava cada vez mais veloz. Fechou os olhos com força, mas a sensação de que tudo estava girando ficou ainda pior. Rolou no chão e ficou deitado de lado, vomitando no cascalho. Alguém devia ter lhe dado algum tipo de droga, porque ele passara o dia inteiro sem beber praticamente nada e nunca em sua vida havia passado tão mal.

Ele tateou às cegas, tentando encontrar a lata de lixo. Segurou-se na tampa e tentou usá-la para se equilibrar, mas puxou com muita força. A tampa se soltou e um saco de lixo se desprendeu, caindo no chão com um barulho ensurdecedor.

•◆•

No andar de cima, Katie acordou agitada, ouvindo o som de alguma coisa caindo com um estrondo. Estava perdida em seu sonho e demorou um instante até que seus olhos se abrissem. Um pouco atordoada, ela tentou prestar atenção no ruído, mas não sabia por que estava fazendo aquilo, não tinha certeza se havia sonhado com o barulho ou não. Mas não havia nada.

Voltou a se deitar, permitindo-se adormecer novamente e o sonho continuou do ponto onde havia parado. Ela estava no parque de diversões, na roda-gigante, mas não era mais Kristen que estava sentada ao seu lado.

Era Jo.

•◆•

Kevin finalmente conseguiu se levantar, sem que voltasse a cair. Não conseguia entender o que estava lhe acontecendo. Concentrou-se e tentou recuperar o fôlego, respirando, inspirando, expirando, inspirando, expirando. Viu os galões de gasolina e andou em direção a eles, quase caindo novamente durante aquele curto trajeto.

Mas não caiu. Levantou uma lata e depois andou a passos lentos e trôpegos na direção das escadas na parte de trás da casa. Estendeu o braço para segurar o corrimão, mas sua mão não tocou em nada. Tentou mais uma vez. Finalmente sentiu a mão pegar em algo sólido. Puxou o galão de gasolina escada acima, em direção à porta. Parecia que estava escalando uma montanha, levando um peso de uma tonelada nas mãos. Por fim, alcançou o último degrau, arfando, e se agachou para remover a tampa. O fluxo de sangue lhe encheu a cabeça, deixando-o estonteado, mas ele se apoiou no galão para não cair novamente. Demorou um pouco até que ele conseguisse abrir a tampa, porque ela teimava em escorregar por entre seus dedos.

Quando o galão estava aberto, ele levantou o recipiente e ensopou a varanda que levava até a entrada da casa, jogando a gasolina contra a porta. A cada movimento o galão ficava mais leve, a gasolina se espalhava em arcos, encharcando a parede. Estava ficando mais fácil agora. Ele esparramava o líquido de um lado para o outro, tentando atingir os dois lados da estrutura. Começou a descer as escadas, molhando tudo o que estava à sua volta. O cheiro da gasolina o deixava enjoado, mas ele não parou.

Não restava muita gasolina no galão quando ele chegou ao chão e aproveitou para descansar. Estava respirando com dificuldade, o vapor da gasolina de novo lhe deu náuseas, mas ele começou a se mover novamente, com um propósito. Determinado. Jogou o galão vazio para longe e pegou o outro. Não conseguiu jogar a gasolina nas partes mais altas da parede, mas fez o que era possível. Encharcou um lado e depois o outro. Acima dele, a janela ainda brilhava com a luz que vinha da televisão, mas tudo estava em silêncio.

Kevin virou todo o conteúdo do galão do outro lado da casa e foi quando percebeu que não tinha mais combustível para a parte da frente. Olhou para a estrada; não tinha nenhum carro vindo, nenhum movimento em ambas as direções. No andar de cima, Erin e o homem grisalho estavam nus, rindo dele. Erin fugiu de casa e ele quase a encontrou na Filadélfia, mas naquela época ela dizia que seu nome era Érica, não Erin, e agora fingia que seu nome era Katie.

Ficou parado em frente à loja, pensando nas janelas. Talvez houvesse algum alarme, talvez não. Ele não se importava. Precisava de fluido de isqueiro, óleo para motor, removedor, qualquer coisa que queimasse com facilidade. Quando quebrasse a janela, ele não teria muito tempo.

Golpeou a janela com o cotovelo, estilhaçando o vidro, mas não ouviu nenhum alarme. Retirando os pedaços de vidro, nem chegou a sentir seus dedos cortados e sangrando. Mais estilhaços de vidro e algumas partes da janela começaram a se abrir. Pensou que a abertura era grande o bastante para que ele pudesse atravessá-la, mas seu braço se prendeu em um estilhaço longo e afiado. Puxou o braço e sua carne se rasgou. Mas não podia parar agora. O sangue escorreu, misturando-se com os cortes em seus dedos.

Os refrigeradores no fundo da loja ainda estavam iluminados e ele andou pelo corredor, imaginando se caixas de cereal queimariam com facilidade ou se pacotes de pão seriam inflamáveis. Ou DVDs. Ele encontrou o carvão e o fluido de isqueiro — apenas duas latas, não havia muito. Não era o bastante. Piscou, olhando em volta e tentando encontrar alguma outra coisa. Viu a churrasqueira e a chapa de hambúrgueres do outro lado da loja.

Gás de cozinha.

Ele se aproximou da área da lanchonete e ficou em frente à chapa. Acendeu um dos bicos de gás e depois outro. Provavelmente havia uma válvula em algum lugar, mas não sabia onde ela estava e não tinha tempo para procurá-la. Alguém poderia chegar e Coffey e Ramirez estavam falando sobre ele, rindo e perguntando se havia comido o bolo de carne de caranguejo em Provincetown.

O avental de Roger estava pendurado em uma prateleira e Kevin o jogou no fogo. Abriu a lata de fluido de isqueiro que tinha na mão e espalhou o conteúdo nas laterais da chapa. O sangue deixava a lata escorregadia e ele se perguntava de onde vinha todo aquele sangue. Subiu no balcão e espalhou um pouco do fluido no teto antes de voltar para o chão. Fez uma trilha de fluido na frente da loja e percebeu que o avental havia começado a queimar. Esvaziou a lata e jogou-a no chão. Abriu a segunda lata e a apertou, lançando jatos de fluido de isqueiro em direção ao teto. As chamas do avental começaram a se espalhar pelo teto e pelas paredes. Foi até a caixa registradora, procurou por um isqueiro e achou um monte deles em uma caixa de plástico ao lado dos cigarros. Apertou a lata de fluido e espalhou o líquido sobre a caixa registradora e sobre a pequena mesa que havia atrás dela. Esvaziou a lata e cambaleou em direção à janela que havia quebrado há alguns minutos. Atravessou-a para sair, pisando nos cacos de vidro, ouvindo-os se partir sob seus pés. Ao lado da casa, acendeu o isqueiro e segurou-o contra a parede encharcada de gasolina, observando a madeira pegar fogo. Nos fundos, ateou fogo nos degraus da escada e as chamas se elevaram rapidamente, alcançando a porta e se espalhando pelo telhado. A seguir, a outra lateral.

O fogo se ergueu por toda a parte. O exterior da casa tremia com as chamas. Erin era uma pecadora, seu amante era um pecador, e a Bíblia dizia: *Sofrerão o castigo da destruição eterna.*

Ele se afastou, observando o fogo começando a consumir a casa, esfregou o rosto e deixou uma trilha de sangue. Banhado pela luz alaranjada das chamas, Kevin parecia um monstro.

•◆•

Em seu sonho, Jo não estava sorrindo ao lado de Katie na roda-gigante. Parecia procurar algo ou alguém na multidão abaixo, com uma expressão de concentração em seu rosto.

Ali, disse ela, apontando. *Logo ali. Você consegue vê-lo?*

"O que você está fazendo aqui? Onde está Kristen?"

Ela está dormindo. Mas você precisa se lembrar.

Katie olhou, mas havia gente demais, movimento demais. "Onde?" Perguntou ela. "Não consigo ver nada."

Ele está aqui, disse Jo.

"Quem?"

Você sabe.

Em seu sonho, a roda-gigante parou de girar repentinamente, com um ruído alto e estridente, como o de uma vidraça se estilhaçando, e pareceu assinalar uma mudança. As cores do parque de diversões começaram a se esmaecer e a cena abaixo se dissolveu em uma névoa que não estava ali antes. Como se o mundo estivesse lentamente sendo apagado, quando, em seguida, tudo ficou escuro. Ela estava cercada por uma escuridão impenetrável, interrompida apenas por algumas centelhas estranhas na periferia do seu campo de visão e pelo som de uma pessoa falando.

Katie ouviu a voz de Jo, quase como um sussurro.

Está sentindo esse cheiro?

Katie inspirou o ar, ainda perdida em meio à escuridão. Seus olhos se abriram. Por algum motivo eles ardiam e ela tentou olhar em volta para ver o que estava acontecendo. A televisão ainda estava ligada, quando ela percebeu que havia adormecido no sofá. As lembranças do sonho já estavam se dissolvendo, mas ouviu as palavras de Jo claramente dentro de sua cabeça:

Está sentindo esse cheiro?

Katie respirou fundo à medida que movia o corpo para se sentar no sofá e imediatamente começou a tossir. Levou apenas um instante para que percebesse que a sala estava tomada pela fumaça. Ela se levantou do sofá num pulo.

Fumaça era sinal de fogo e agora ela era capaz de ver as chamas do lado de fora da janela, dançando e se contorcendo em tons de laranja.

A porta estava em chamas e a fumaça entrava pela cozinha em nuvens espessas. Ouviu um estrondo, um som parecido com o de um trem, e o barulho de madeira crepitando e cedendo às rachaduras, sua mente recebendo todas aquelas informações ao mesmo tempo.

"Oh, meu Deus. As crianças."

Ela disparou em direção ao corredor, amedrontada ao ver que a fumaça saía dos dois quartos em grossas nuvens negras. A primeira porta era a do quarto de Josh, e Katie correu para dentro, agitando os braços para afastar a fumaça.

— Josh! Acorde! A casa está pegando fogo! Precisamos sair daqui!

Ele estava a ponto de reclamar, mas ela o puxou para que se levantasse, impedindo-o de falar.

— Vamos logo! — gritou. Josh imediatamente começou a tossir, com o corpo curvado enquanto ela o arrastava para fora do quarto. O corredor era uma muralha impenetrável de fumaça, mas mesmo assim Katie correu para frente, puxando Josh logo atrás de si. Apalpando a parede, encontrou o batente da porta do quarto de Kristen do outro lado do corredor.

Não estava tão ruim quanto o quarto de Josh, mas ela sentiu o calor enorme que estava se formando atrás deles. Josh continuava a tossir, respirando com dificuldade, lutando para continuar em pé e ela sabia que não poderia soltar a mão do garoto por nada. Correu para a cama de Kristen e balançou seu corpo, puxando-a para fora das cobertas com a outra mão.

O barulho do fogo queimando era tão alto que Katie mal conseguia ouvir o som da sua própria voz. Tentando tirar as crianças da casa, mesmo que tivesse que carregá-las ou arrastá-las, viu um brilho alaranjado, quase invisível em meio à fumaça, na entrada do corredor. As chamas estavam tomando as paredes e o teto e vinham em direção a eles. Katie não tinha tempo para pensar, apenas para agir. Ela se virou e empurrou as crianças de volta pelo corredor, em direção ao quarto de Alex, onde não havia tanta fumaça.

Correu para o quarto, acendendo a luz. Ainda funcionava. A cama de Alex ficava encostada em uma das paredes e havia uma cômoda na parede oposta. Logo em frente havia uma cadeira de balanço e janelas que, por sorte, ainda não haviam sido tocadas pelo fogo. Ela fechou a porta com força atrás de si.

Tomada pelos espasmos da tosse, avançou a passos trôpegos, arrastando Josh e Kristen. Ambos choravam em meio aos fortes acessos de tosse. Ela tentou se desvencilhar deles para abrir a janela do quarto, mas Kristen e Josh estavam agarrados a ela.

— Eu preciso abrir a janela! — gritou Katie, agitando-se. — É a única saída!

Em pânico, Josh e Kristen não entendiam o que ela dizia, mas Katie não tinha tempo para explicar. Desesperada, puxou a tranca da janela em estilo antigo com força e tentou abrir a vidraça. O vidro não se moveu. Olhando mais de perto, Katie percebeu que o batente tinha uma camada de tinta que o impedia de se abrir. Alguém havia aplicado aquela camada de tinta havia vários anos. Não sabia o que fazer, mas a imagem de duas crianças olhando diretamente em seus olhos, tomadas pelo terror, clareou suas ideias. Ela olhou ao redor, buscando desesperadamente por alguma coisa que pudesse servir, até que finalmente pegou a cadeira de balanço.

Era pesada, mas, de algum modo, Katie conseguiu levantá-la acima dos ombros e lançá-la em direção à janela com toda sua força. O vidro trincou, mas não abriu. Ela tentou mais uma vez, chorando, com um último esforço impulsionado pela adrenalina e o medo e, desta vez, a cadeira de balanço atravessou o vidro e bateu contra o toldo que havia abaixo. Movendo-se rapidamente, Katie correu até a cama e arrancou o edredom que a cobria. Enrolou-o ao redor de Josh e Kristen e começou a empurrá-los em direção à janela.

Um forte ruído de vigas rachando ressoou por trás dela, ao mesmo tempo em que uma parte da parede se cobria de chamas, com o fogo atingindo e se espalhando pelo teto. Katie se virou em pânico, parando por um momento ao notar o retrato que estava pendurado na parede.

Olhou fixamente para a foto, já sabendo que aquela era a esposa de Alex, porque não poderia ser qualquer outra pessoa. Ela piscou, pensando que fosse uma ilusão, uma distorção criada pela fumaça e pelo medo. Deu um passo involuntário em direção ao rosto que lhe era estranhamente familiar quando ouviu um estrondo logo acima da cabeça. O teto começava a ceder.

Girando sobre os calcanhares, ela forçou o corpo contra a janela, com os braços ao redor das crianças e rezando para que o edredom os protegesse dos cacos de vidro. A queda pareceu durar uma eternidade. Katie tentou girar enquanto caíam de modo que as crianças ficassem por cima dela. Suas costas atingiram o toldo com um baque surdo. Não foi uma queda muito grande, talvez cerca de um metro e meio; mesmo assim, o impacto lhe tirou o fôlego antes que a dor lhe atingisse em ondas.

Josh e Kristen estavam soluçando, com medo, chorando e tossindo. Mas estavam vivos. Ela piscou, tentando não desmaiar, com a certeza de que havia fraturado a coluna. Mas percebeu que aquilo não acontecera; moveu uma perna e depois a outra. Balançou a cabeça para clarear sua visão. Josh e Kristen estavam se agitando sobre ela, tentando se livrar do edredom. Acima, línguas de fogo começavam a sair pela janela quebrada do quarto. Havia chamas por toda a parte agora, cobrindo todas as superfícies da casa e ela sabia que tinham apenas alguns segundos de vida. A menos que conseguisse encontrar forças para se mover.

DEPOIS DE DEIXAR JOYCE e sua filha em casa, Alex percebeu o brilho alaranjado no céu, logo acima do contorno enegrecido das copas das árvores nos arredores da cidade. Não tinha visto aquilo quando entrou na cidade e dirigiu pelas ruas até a casa de Joyce. Agora, entretanto, ele estranhou aquela luminescência enquanto ia naquela direção. Algo dentro de si lhe dizia que havia perigo adiante e ele pensou naquilo apenas durante um instante antes de pisar fundo no acelerador.

•◆•

Josh e Kristen já estavam sentados quando Katie rolou de lado. O chão ficava a cerca de três metros do toldo, mas ela tinha que arriscar. Seu tempo estava se esgotando. Josh continuava a chorar, mas não protestou quando Katie explicou rapidamente o que iria acontecer a seguir. Ela o pegou pelos braços, tentando manter a voz firme.

— Vou abaixá-lo o máximo que eu puder, mas depois você vai ter que pular.

Ele assentiu, aparentemente ainda em choque, e ela rapidamente se arrastou para a borda, levando Josh consigo. O toldo estava balançando agora, com o fogo tomando rapidamente suas colunas de sustentação. Josh desceu pela borda, deixando suas pernas suspensas por um momento, segurando-se, e Katie deslizando de bruços em direção à borda. Baixando o... sentindo a agonia nos braços. Pouco mais de um metro, não mais do que isso. O garoto não cairia de uma altura muito grande e provavelmente suas pernas absorveriam o impacto.

Ela o soltou quando algumas vigas do telhado cederam, fazendo a casa estremecer. Tremendo, Kristen veio engatinhando até onde Katie estava.

— Venha, querida. É sua vez agora. Me dê sua mão — disse Katie, com uma expressão urgente nos olhos.

Fez a mesma coisa com a menina, prendendo o fôlego quando a soltou. Um momento depois, os dois estavam em pé no chão, olhando fixamente para ela. Estavam esperando por Katie.

— Corram! — gritou ela. — Afastem-se daqui!

Suas palavras foram engolidas por outro acesso de tosse e Katie sabia que tinha que agir. Agarrou a borda do toldo e deixou uma das pernas balançar, suspensa, e depois a outra. Ficou pendurada apenas por um instante antes de suas mãos fraquejarem.

Katie caiu no chão e sentiu seus joelhos dobrarem antes de seu corpo rolar até a entrada da loja. A agonia da dor que sentia em sua perna era suficiente para lhe fazer gritar, mas ela precisava levar as crianças para um local seguro. Foi apressadamente até eles, pegando-os pelas mãos e puxando-os para longe.

O fogo dançava pela estrutura, saltando, cuspindo chamas em direção ao céu. Árvores próximas também estavam pegando fogo, com os ramos mais altos brilhando como fogos de artifícios. Houve um forte estrondo, alto o bastante para deixar seus ouvidos zunindo. Olhando rapidamente por sobre o ombro, viu as paredes da casa desabarem. Em seguida veio o som ensurdecedor de uma explosão e Katie e as crianças foram jogadas para trás pelo forte deslocamento de ar quente.

Quando os três conseguiram recuperar o fôlego e se virar para olhar, a loja havia se transformado em um gigantesco cone de fogo.

Mas eles haviam conseguido se salvar. Ela trouxe Josh e Kristen para perto de si. Os dois estavam chorando em voz baixa. Colocou os braços ao redor deles e beijou-lhes na cabeça. — Vocês estão bem agora — sussurrou ela. — Estão seguros agora.

Foi somente quando uma sombra apareceu à sua frente que Katie percebeu que estava errada.

Era ele, em pé, bem diante dela, com uma pistola na mão.

Kevin.

•◆•

NO JIPE, Alex pisou fundo no acelerador, ficando mais preocupado a cada segundo que passava. Embora o fogo ainda estivesse longe para que ele pudesse ter certeza de sua localização, seu estômago começou a se revirar. Não havia muitas propriedades naquela direção. A maioria eram algumas propriedades rurais isoladas. E, é claro, sua loja.

Ele se inclinou sobre o volante, como se aquilo pudesse forçar o carro a ganhar velocidade. *Mais rápido*.

•◆•

Katie teve dificuldades para entender o que estava vendo.

— Onde está ele? — disse Kevin, com a voz rouca. As palavras atropelavam umas às outras, mas ela reconheceu aquela voz, mesmo com o rosto dele parcialmente oculto pelas sombras. As chamas ardiam por trás dele e seu rosto estava coberto de fuligem e sangue. Também havia manchas em sua camisa de algo que ela imaginou ser sangue. Em sua mão, a Glock brilhava, como se tivesse sido imersa em um barril de óleo.

Ele está aqui, foi o que Jo dissera no sonho de Katie.

"Quem?"

Você sabe.

Kevin levantou a arma, apontando-a para a cabeça dela. — Eu quero apenas conversar com ele, Erin.

Katie se levantou. Kristen e Josh se agarraram a ela, com o medo estampado nos rostos. Os olhos de Kevin tinham uma expressão animalesca e seus movimentos aconteciam em espasmos. Deu um passo em direção a eles, quase perdendo o equilíbrio. A arma balançava para frente e para trás. Sem firmeza.

Ela percebeu que ele estava pronto para matar todos ali. Já havia tentado matá-los com o fogo. Mas estava bêbado, muito bêbado. Mais do que em qualquer ocasião em que já houvesse bebido. Estava fora de controle, além de qualquer possibilidade de argumentação.

Tinha que tirar as crianças dali, tinha que lhes dar uma chance de correr.

— Oi, Kevin — disse ela, ronronando. Forçou-se a sorrir. — Por que está segurando essa arma? Você veio me buscar? Está tudo bem com você, querido?

Kevin piscou os olhos. Aquela voz, suave, sedutora, doce. Ele gostava quando ela falava daquele jeito e achou que estivesse sonhando. Mas não era um sonho. Erin estava bem à sua frente. Ela sorriu e deu um passo à frente. — Eu amo você, Kevin. Eu sempre soube que você viria.

Ele a olhava fixamente. Havia duas Erin à sua frente e depois apenas uma. Kevin havia dito às pessoas que ela estava em Manchester, cuidando de uma amiga doente, mas não havia nenhuma pegada na neve. Suas ligações foram transferidas para outro número, um garoto havia sido baleado e havia molho de tomate na sua testa. E agora Erin estava aqui, dizendo que o amava.

"Mais perto", pensou Katie. "Só mais um pouco". Ela deu mais um passo à frente, empurrando as crianças para trás de si.

— Pode me levar para casa? — sua voz quase implorava a ele, suplicando como Erin costumava fazer, mas seu cabelo estava curto e castanho e ela estava se aproximando. Ele não sabia por que ela não estava amedrontada. Queria puxar o gatilho, mas a amava. Se conseguisse apenas fazer com que sua cabeça parasse de latejar...

Repentinamente, Katie se precipitou para frente, empurrando o cano da arma para outra direção. A pistola disparou, com o som de um tapa violento, mas ela continuou forçando o movimento, indo em frente, agarrada ao pulso de Kevin, sem soltar. Kristen começou a gritar.

— Corram! — gritou Katie por cima dos ombros. — Josh, tire Kristen daqui, corra! Ele tem uma arma! Vão para longe e se escondam!

O pânico na voz de Katie fez com que Josh se desse conta do perigo. Ele agarrou a mão de Kristen e disparou para longe. Foram em direção à estrada, correndo para a casa de Katie. Fugindo para salvar suas vidas.

— Vadia! — gritou Kevin, tentando livrar o braço. Katie baixou a cabeça e mordeu com toda a força que tinha e Kevin soltou um grito feroz. Tentando desvencilhar o braço, golpeou a cabeça dela com o outro punho. Instantaneamente, ela viu lampejos de luz branca se aproximando. Mordeu novamente, os dentes encontrando o polegar de Kevin desta vez, e ele gritou, largando a arma. A arma caiu no chão com um ruído e ele voltou a socar Katie, atingindo-a em uma das maçãs rosto, lançando-a ao chão.

Kevin lhe deu um chute nas costas e o corpo de Katie se arqueou com a dor. Mas ela continuou se movendo, em pânico agora, impulsionada pela certeza de que ele queria matar a todos, ela e as crianças.

Tinha que lhes dar tempo para fugir. Ficou de quatro e começou a engatinhar, movendo-se rapidamente, ganhando velocidade. Finalmente conseguiu ficar em pé e disparou como uma corredora olímpica.

Correu o mais rápido que podia, forçando-se a avançar para longe, mas sentiu quando o corpo de Kevin se chocou contra o seu por trás e novamente estava deitada no chão, sem fôlego. Ele agarrou-a pelos cabelos e lhe bateu no rosto novamente. Agarrou um dos braços de Katie e tentou torcê-lo para trás das costas dela, mas estava desequilibrado e ela conseguiu se virar. Levantando uma das mãos, ela arranhou o rosto dele, alcançando um dos olhos e cravando-lhe as unhas com força.

Lutando por sua vida, a adrenalina lhe enchia os braços e as pernas. Lutando por todas as vezes em que não conseguira fazer aquilo. Lutando para dar às crianças tempo de correr e se esconder. Gritando, xingando-o, odiando-o, recusando-se a deixar que ele a agredisse novamente.

Kevin tentou agarrar os dedos de Katie, cambaleando sem equilíbrio, e ela usou a oportunidade para se desvencilhar dele. Sentiu-o tentando agarrar suas pernas, mas não conseguiu pegá-la com força o bastante e Katie conseguiu soltar uma das pernas. Levantando o joelho até a altura do queixo, ela o chutou com toda sua força, deixando-o atordoado quando seu pé atingiu-lhe o queixo. Ela chutou mais uma vez, observando desta vez enquanto ele desabava sobre o chão, de lado, os braços tentando agarrar alguma coisa inutilmente.

Katie conseguiu se levantar e começou a correr mais uma vez, mas Kevin não demorou a se levantar. A alguns metros de distância ela enxergou a pistola. E correu em direção a ela.

Alex dirigia a uma velocidade perigosamente alta, rezando pela segurança de Kristen, Josh e Katie, sussurrando seus nomes em meio ao pânico que sentia.

Passou pela via de cascalhos e contornou a curva. Seu estômago se revirou conforme sua premonição se tornou realidade. À sua frente, a área até o rio apareceu inteira, como se fosse um retrato do inferno.

Ele percebeu que havia movimento ao lado da estrada, à sua frente. Duas pessoas pequenas, vestindo pijamas brancos. Josh e Kristen. Pisou nos freios com força.

Mesmo antes de o jipe parar completamente, ele já havia saído do carro e estava correndo em direção a eles. Seus filhos gritavam seu nome enquanto corriam e ele se abaixou para pegá-los nos braços.

— Vocês estão bem agora — murmurou ele, várias vezes, segurando-os firmemente contra seu corpo. — Vocês estão bem, está tudo bem agora.

No começo, Kristen e Josh estavam chorando e soluçando e Alex não entendeu o que eles diziam, pois não estavam falando sobre o incêndio. Estavam chorando por causa de um homem com uma arma, dizendo que a senhorita Katie estava lutando com ele. E, repentinamente, Alex percebeu, sem qualquer sombra de dúvida, o que havia acontecido. Ele os colocou dentro do jipe e deu a volta, correndo em direção à casa de Katie enquanto seus dedos procuravam pelos números armazenados em seu telefone celular. Uma Joyce assustada atendeu à sua ligação ao segundo toque e Alex lhe disse para pedir à filha que a trouxesse até a casa de Katie imediatamente, que era uma emergência, e que ela deveria ligar para a polícia. Em seguida, desligou.

O cascalho voou quando ele parou o carro em frente à casa de Katie. Ele deixou as crianças ali e disse-lhes que corressem para dentro, que ele estaria de volta assim que pudesse. Contou os segundos enquanto dava meia-volta e acelerou em direção à loja, rezando para que não fosse tarde demais.

Rezando para que Katie ainda estivesse viva.

Kevin viu a arma no mesmo instante em que Katie e saltou em direção à pistola, conseguindo alcançá-la. Pegou a arma e apontou-a para Katie, enfurecido. Agarrou-a pelos cabelos e encostou o cano da arma em sua cabeça enquanto a arrastava pelo estacionamento.

— Me abandonou, não é? Você não pode me abandonar!

Atrás da loja, debaixo de uma árvore, ela viu seu carro, com as placas do estado de Massachusetts. O calor do fogo castigava o rosto de Katie, chamuscando os pelos em seus braços. Kevin vociferava com ela, sua voz confusa e rouca.

— Você é minha mulher!

Ao longe, ela ouviu o som de sirenes, mas pareciam estar longe demais.

Quando chegaram até o carro, ela tentou lutar novamente. Kevin segurou sua cabeça e bateu-a contra o capô. Ela quase desmaiou com o impacto. Ele abriu o porta-malas e tentou empurrá-la para dentro. De algum modo, ela se virou e conseguiu desferir uma forte joelhada em sua virilha. Ela o ouviu arfar e sentiu que suas mãos se enfraqueceram por um momento.

Katie o empurrou às cegas, livrando-se do aperto das mãos dele e começou a correr para salvar sua vida. Sabia que a bala viria. Sabia que estava prestes a morrer.

* * *

Ele não conseguia entender por que ela estava lutando. Mal conseguia respirar por causa da dor que sentia. Ela nunca havia revidado antes, nunca arranhou seus olhos, chutou ou mordeu. Ela não estava agindo como sua esposa e seu cabelo estava castanho. Mas a voz era a mesma de Erin... Ele começou a cambalear, tentando persegui-la, levantando a arma, apontando, mas havia duas Erins e as duas estavam correndo.

Ele puxou o gatilho.

* * *

Katie respirou fundo quando ouviu o disparo, esperando pela dor lancinante, mas não sentiu nada. Continuou a correr e, repentinamente, constatou que ele havia errado. Ela correu em ziguezague, pela esquerda e pela direita, ainda no estacionamento, procurando desesperadamente por algum tipo de abrigo. Mas não havia nada.

•◆•

Kevin cambaleava, tentando persegui-la, suas mãos escorregadias pelo sangue, seu dedo escorregando no gatilho. Sentia que ia vomitar novamente. Ela estava se distanciando, indo de um lado para o outro e ele não conseguia mantê-la à vista. Ela estava tentando fugir, mas não faria isso. Ela era sua esposa. Ele a levaria para casa porque a amava e depois iria baleá-la até que ela morresse porque a odiava.

•◆•

Katie viu os faróis de um carro na estrada, em disparada, como se fosse um carro de corridas. Ela queria chegar até lá, fazer sinal para o carro parar, mas sabia que não conseguiria chegar à estrada a tempo. Para sua surpresa, o carro começou a diminuir a velocidade e ela reconheceu o jipe quando ele virou para entrar no estacionamento. Percebeu que Alex estava ao volante.

Passando por ela, acelerando em direção a Kevin.

As sirenes estavam se aproximando agora. Havia pessoas a caminho e ela sentiu uma pontada de esperança.

•◆•

Kevin viu o jipe se aproximando e levantou a arma. Começou a disparar, mas o jipe insistia em vir em sua direção. Ele pulou para se desviar quando o jipe passou a toda velocidade, mas o veículo atingiu sua mão, quebrando todos os ossos e lançando a pistola para algum lugar na escuridão.

Kevin gritou em agonia, instintivamente protegendo sua mão conforme o jipe se afastava, passando pelos restos do incêndio da loja, derrapando sobre o cascalho e batendo de frente contra o depósito de ferramentas.

Ele ouviu sirenes ao longe. Queria ir atrás de Erin, mas seria preso se ficasse ali. O medo tomou conta dele e Kevin começou a mancar em direção ao seu carro, sabendo que tinha que sair dali e pensando em como tudo havia dado tão errado.

•◆•

Katie observou Kevin sair em disparada do estacionamento em direção à estrada, fazendo pedregulhos voarem. Virando-se, viu que o jipe de Alex estava com a frente enterrada no depósito de ferramentas, o motor ainda funcionando, e ela correu até lá. O fogo jogava sua luz sobre a traseira do carro e Katie sentiu o pânico começando a lhe consumir, rezando para que Alex aparecesse.

Estava se aproximando do carro quando seu pé atingiu uma coisa dura, fazendo com que tropeçasse. Percebendo que quase havia pisado na pistola, ela a pegou e voltou a andar em direção ao carro.

Adiante, a porta do carro se abriu um pouco, mas estava bloqueada por destroços dos dois lados. Ela sentiu uma onda de alívio ao perceber que Alex estava vivo, mas, ao mesmo tempo, lembrou-se de que Josh e Kristen haviam desaparecido.

— Alex! — gritou ela ao chegar à traseira do jipe e começou a socar a lataria. — Você tem que sair daí! As crianças estão na estrada, precisamos encontrá-las!

A porta ainda estava presa, mas ele conseguiu abrir a janela. Quando se inclinou para fora, viu que sua testa sangrava e que ele falava com uma voz fraca.

— Eles estão bem... eu os levei para sua casa...

Ela sentiu seu corpo gelar. — Oh, meu Deus... — conseguiu dizer, numa voz embargada, pensando "Não, não, não..."

— Saia logo daí! — disse ela, socando a traseira do carro. — Saia daí! Kevin fugiu!

Katie ouviu o som cruel do medo em sua própria voz. — Ele está indo na direção da minha casa!

•◆•

A DOR EM SUA MÃO era algo muito mais forte do que qualquer coisa que ele já havia sentido e a perda de sangue também lhe causava uma forte tontura. Nada mais parecia valer a pena e sua mão estava inútil agora. Ouvia sirenes se aproximando, mas esperaria por Erin em sua casa. Sabia que ela voltaria para casa hoje ou amanhã.

Ele estacionou o carro atrás da outra cabana, a que parecia abandonada. Estranhamente, viu Amber em pé atrás de uma árvore. Ela perguntava a Kevin se ele gostaria de lhe pagar uma bebida, mas sua imagem logo desapareceu. Ele se lembrava de que havia limpado a casa e cortado a grama, mas nunca soubera lavar roupas. E agora Erin dizia que seu nome era Katie.

Não havia nada para beber e ele estava ficando muito cansado. O sangue manchava suas calças e ele percebeu que seus dedos e o braço também estavam sangrando, mas não conseguia se lembrar como aquilo havia acontecido. Queria muito poder dormir. Precisava descansar por alguns momentos, porque a polícia iria começar a procurar por ele. Precisava estar alerta quando eles se aproximassem.

O mundo ao seu redor estava ficando distante e enevoado, como se o visse com um telescópio virado ao contrário. Ouviu as árvores balançando para frente e para trás, mas, em vez de uma brisa, só conseguia sentir o ar quente do verão. Começou a tremer, mas estava suando também. Sangue demais, escorrendo pelas suas mãos e pelo braço, sem parar. Ele precisava descansar. Não conseguia mais ficar acordado. Seus olhos começaram a se fechar.

•◆•

Alex engatou a marcha à ré e pisou no acelerador, ouvindo os pneus girarem no cascalho, mas o jipe não saiu do lugar. Sua mente trabalhava a toda velocidade, sabendo que Josh e Kristen estavam em perigo.

Ele tirou o pé do acelerador, acionou a tração nas quatro rodas e tentou mais uma vez. Desta vez o jipe começou a se mover. Os espelhos retrovisores foram arrancados, os destroços do depósito arranharam e amassaram a lataria. O jipe se desprendeu com um último impulso. Katie puxou inutilmente a porta do lado do passageiro até que Alex virou-se e deu um chute, abrindo-a. Katie pulou para dentro.

Alex deu meia-volta com o jipe e acelerou com força, chegando à estrada enquanto os caminhões dos bombeiros se aproximavam. Nenhum deles disse qualquer palavra enquanto ele forçava o acelerador. Alex nunca esteve tão amedrontado em toda a sua vida.

Depois da curva, a rua de cascalhos. Entrou na viela com uma forte guinada, quase derrapando. A trascira do jipe dançou sobre os cascalhos e ele acelerou novamente. Adiante, viu as cabanas, com as luzes acesas nas janelas da casa de Katie. Nenhum sinal do carro de Kevin e ele exalou o ar, antes de perceber que estava prendendo a respiração.

•◆•

Kevin ouviu o som de um motor se aproximando pela rua de cascalhos e acordou sobressaltado.

"A polícia", pensou ele, e automaticamente levou a mão destroçada em direção à arma. Gritou com a dor e a confusão, constatando que a pistola não estava lá. Ele a havia deixado no banco do passageiro, mas não estava lá agora e nada daquilo fazia sentido.

Desceu do carro e olhou na direção de onde vinha o barulho. O jipe se aproximou, aquele que estava no estacionamento da loja, aquele que quase o matou. O carro parou e Erin saiu de dentro dele. No início, não conseguiu acreditar em sua sorte, mas logo depois se lembrou de que ela morava ali e que era por aquele motivo que também estava ali.

Sua outra mão, a que ainda estava boa, estava tremendo bastante quando ele abriu o porta-malas e retirou o pé de cabra de dentro. Ele viu Erin e seu amante correrem em direção à varanda. Cambaleando e mancando, foi em direção à casa, sem querer e sem conseguir parar. Erin era sua esposa, ele a amava e o homem grisalho tinha que morrer.

•◆•

Alex parou em frente à casa, derrapando sobre os cascalhos, e os dois saltaram do carro simultaneamente, correndo em direção à porta e chamando os nomes das crianças. Katie ainda estava com a arma na mão. Chegaram à porta assim que Josh a abriu e, assim que viu o filho, Alex o tomou nos braços. Kristen saiu de trás do sofá e correu em direção a eles. Alex abriu seus braços para abraçá-la também, agarrando-a com facilidade quando ela saltou.

Katie havia parado poucos passos depois de passar pela porta, observando a cena com lágrimas de alívio nos olhos. Kristen estendeu-lhe os braços também e Katie se aproximou, aceitando o abraço da menina com um sentimento cego de felicidade.

Perdidos em meio à emoção do encontro, nenhum deles percebeu quando Kevin apareceu sob o batente da porta, com o pé de cabra nas mãos, segurando-o acima da cabeça. Ele golpeou com força, fazendo com que Alex desabasse no chão e as crianças caíssem de costas, tomadas pelo horror e pelo choque.

•◆•

Kevin ouviu com satisfação o baque do pé de cabra, sentiu a vibração lhe correr pelo braço. O homem grisalho estava deitado no chão e Erin gritava.

•◆•

Naquele instante, Alex e as crianças eram tudo o que importava para ela. Katie instintivamente correu em direção a Kevin, empurrando-o para fora da casa. Havia apenas dois degraus, mas aquilo era o bastante. Kevin caiu de costas e desabou sobre o chão de terra.

Katie se virou. — Tranquem a porta! — gritou ela e desta vez Kristen foi a primeira a agir, enquanto Katie ainda gritava.

O pé de cabra havia caído da mão de Kevin e ele tentava rolar pelo chão e se levantar. Katie levantou a arma, apontando-a, quando Kevin finalmente conseguiu se pôr em pé. Ele cambaleou, quase perdendo o equilíbrio, seu rosto pálido como o de um esqueleto. Não conseguia enxergar direito e Katie sentia que seus olhos estavam se enchendo de lágrimas.

— Eu te amava — disse ela. — Eu me casei com você porque te amava.

Ele pensou que era Erin, mas seu cabelo estava curto e escuro e Erin era loira. Conseguiu colocar um pé adiante e quase caiu novamente. Por que ela estava lhe dizendo isso?

Por que você começou a me bater? — gritou ela, chorando. — Eu nunca soube por que você não conseguia parar, mesmo quando prometia.

Sua mão tremia e a arma parecia pesar muito, quase como um bloco de chumbo. — Você me bateu na nossa lua de mel porque eu deixei meus óculos escuros na piscina...

Aquela era a voz de Erin e ele imaginou que poderia estar sonhando.

— Eu amo você — balbuciou ele. — Eu sempre te amei. Não sei por que você me abandonou.

Ela sentia os soluços crescendo em seu peito, sufocando-a. As palavras saíram aos borbotões, irrefreáveis e sem sentido, anos de sofrimento. — Você não permitia que eu dirigisse ou que tivesse amigos, escondia o dinheiro e me fazia implorar por ele. Eu quero saber por que você pensou que podia fazer isso comigo. Eu era sua esposa e eu te amava!

Kevin nem sequer conseguia ficar em pé. O sangue escorria pelos seus dedos e braços e pingava no chão, deixando tudo escorregadio. Queria conversar com Erin, queria encontrá-la, mas aquilo não era real. Ele estava dormindo, Erin estava ao seu lado na cama, e eles estavam em Dorchester. Seus pensamentos ficaram confusos e ele estava em um apartamento sujo e havia uma mulher chorando.

— Havia molho de tomate na testa do garoto — murmurou ele, cambaleando para frente. — No garoto que foi baleado, mas a mãe caiu pelas escadas e nós prendemos o grego.

Katie não conseguiu entender nada do que ele dizia, não entendia o que ele queria. Ela o odiava com uma fúria que estava sufocada há anos. — Eu cozinhei para você, limpei a casa para você e nada disso importou! Tudo o que você fazia era beber e me bater!

O corpo de Kevin balançava, como se estivesse a ponto de tombar. Suas palavras estavam confusas, atropelando-se, ininteligíveis. — Não havia pegadas na neve. Mas os vasos de flores estão quebrados.

— Você deveria ter me deixado partir! Você não devia ter me seguido até aqui. Por que você não conseguiu simplesmente me deixar partir? Você nunca me amou!

Kevin se lançou em direção a ela, tentando acertar a arma, tirá-la das mãos de Katie. Mas estava sem forças e ela conseguiu manter o pulso firme. Ele tentou agarrá-la, mas gritou em agonia quando sua mão ferida a acertou no braço. Agindo por instinto, tentou atingi-la com o ombro, empurrando-a contra a parede da casa. Precisava tirar a arma dela e segurar a pistola contra a cabeça de Erin. Ele a olhava com olhos arregalados e cheios de ódio, puxando-a para si, tentando pegar a arma com a mão que ainda estava boa, usando seu peso contra ela.

Sentiu o cano da arma tocar nas pontas dos seus dedos e instintivamente dedilhou o metal à procura do gatilho. Tentou empurrar a arma em direção a ela, mas a pistola se moveu na direção errada e agora estava apontando para baixo.

— Eu te amava! — soluçou ela, lutando contra cada pedaço de si, cada grama de força que ainda tinha. Kevin sentiu que algo se afastava e sentiu um momento de clareza.

— Então você nunca devia ter me abandonado — sussurrou ele, o hálito quente com o cheiro do álcool. Ele puxou o gatilho e a arma disparou com um alto estampido, e foi quando percebeu que tudo estava quase terminado. Erin iria morrer, porque ele lhe disse que a encontraria e a mataria se ela fugisse novamente. Ele mataria qualquer homem que a amasse.

Mas, estranhamente, Erin não caiu, nem mesmo gemeu. Em vez disso, ela simplesmente olhou para ele com seus olhos castanho-esverdeados, ferozes, sem piscar.

Nesse momento, Kevin sentiu algo. Algo que queimava seu abdômen, fogo. Sua perna esquerda fraquejou e ele tentou se manter em pé, mas seu corpo não respondia mais às suas intenções. Ele desabou na varanda, cobrindo a barriga com a mão.

— Volte para casa comigo — sussurrou ele. — Por favor.

O sangue jorrava pelo ferimento, passando por entre seus dedos. Acima dele, seus olhos não conseguiam focar direito na imagem de Erin. Seu cabelo ficava loiro e depois voltava a ficar castanho. Ele a viu na lua de mel, usando um biquíni, antes de esquecer seus óculos escuros na piscina. E era tão bonita que Kevin não conseguia entender por que ela quis se casar com ele.

"Linda. Ela sempre foi linda", pensou ele. E se sentiu cansado novamente. Sua respiração ficou arrastada e ele começou a sentir frio. Muito frio. Começou a tremer. Exalou mais uma vez, com um som parecido com aquele que sai de um pneu furado. Seu peito parou de se mover. Seus olhos estavam abertos e arregalados, sem entender.

Katie estava em pé ao lado dele, tremendo enquanto o olhava fixamente. “Não”, pensou ela. “Nunca irei com você. Eu nunca quis voltar.”

Mas Kevin não sabia o que ela estava pensando, porque estava morto. E ela se deu conta de que tudo, finalmente tudo, havia terminado.

41

O HOSPITAL MANTEVE KATIE em observação quase a noite inteira antes de lhe dar alta. Depois, ela permaneceu na sala de espera do hospital. Não estava disposta a sair dali até ter certeza de que Alex estava bem.

A pancada de Kevin quase rachou o crânio de Alex e ele ainda estava inconsciente. A luz da manhã iluminou as janelas estreitas e retangulares da sala de espera. Enfermeiras e médicos trocavam de turno e a sala começou a se encher de gente: uma criança com febre, um homem com dificuldade para respirar. Uma mulher grávida e o seu marido, ambos em pânico, entraram correndo pela porta. Sempre que ouvia a voz de um dos médicos ela levantava os olhos, esperando que seria chamada para ver Alex.

Seu rosto e braços estavam manchados pelos hematomas e seu joelho estava inchado, quase com o dobro do tamanho normal. Entretanto, após os exames necessários e o raio X, o médico de plantão havia simplesmente lhe dado bolsas de gelo para os hematomas e Tylenol para a dor. Era o mesmo médico que estava cuidando de Alex, mas ele disse à Katie que não podia prever com certeza quando Alex acordaria, acrescentando que os exames de tomografia computadorizada eram inconclusivos.

— Ferimentos na cabeça podem ser sérios — disse o médico. — Com sorte, saberemos mais em algumas horas.

Ela não conseguia pensar, não conseguia comer, não conseguia dormir, não conseguia parar de se preocupar. Joyce havia levado as crianças do hospital para sua casa e Katie esperava que eles não tivessem pesadelos. Esperava que os eventos da noite passada não lhes trouxessem pesadelos para sempre. Esperava que Alex se recuperasse completamente. Rezava para que aquilo acontecesse.

Tinha medo de fechar os olhos. Toda vez que fazia isso, Kevin reaparecia. Katie via as manchas de sangue em seu rosto e sua camisa, seus olhos ensandecidos. De algum modo ele a havia encontrado. Veio a Southport para arrastá-la de volta para casa ou para matá-la e quase conseguiu. Em uma única noite, ele destruiu a frágil ilusão de segurança que Katie conseguira construir desde que havia chegado à cidade.

As visões horríveis de Kevin voltavam a cada momento, repetindo-se infinitamente, com variações, e às vezes mudando inteiramente. Houve momentos em que ela se viu sangrando e morrendo na varanda, olhando para cima, olhando nos olhos do homem que odiava. Quando aquilo aconteceu, instintivamente apalpou a barriga, procurando por ferimentos que não existiam. Mas ela logo estava de volta ao hospital, sentada e esperando sob as lâmpadas fluorescentes.

Preocupava-se com Kristen e Josh. Eles logo chegariam ao hospital; Joyce os traria para visitar seu pai. Ela se perguntava se as crianças a odiariam por tudo o que havia acontecido e aquele pensamento fez com que as lágrimas ardessem em seus olhos. Cobriu o rosto com as mãos, desejando que pudesse se enterrar em um buraco profundo, tão profundo que ninguém a encontraria. Tão profundo que Kevin nunca conseguisse encontrá-la, pensou Katie, para em seguida se lembrar de que ela o vira morrer na varanda. As palavras "ele está morto" ecoavam como um mantra, uma cantilena da qual ela não podia escapar.

— Katie?

Ela levantou o rosto e viu o médico que estava cuidando de Alex.

— Posso levá-la até ele agora — disse o médico. — Ele acordou há dez minutos. Ainda está na UTI, então você não poderá ficar lá por muito tempo. Ele quer vê-la.

— Ele está bem?

— Neste momento ele está bem, apesar da situação. Levou um golpe muito forte.

Mancando um pouco, ela seguiu o médico, andando por entre os corredores até o quarto de Alex. Ela respirou fundo e endireitou a postura antes de entrar, dizendo a si mesma que não iria chorar.

A UTI estava cheia de máquinas e luzes piscantes. Alex estava em uma cama no canto, com a cabeça envolta em bandagens. Ele se virou quando ela entrou no quarto, com os olhos semicerrados. Um monitor soltava *bips* regularmente ao seu lado. Ela caminhou até o lado da cama e pegou em sua mão.

— Como estão as crianças? — sussurrou ele. As palavras saíram lentamente, com um certo esforço.

— Estão bem. Estão com Joyce agora. Ela os levou para a casa dela.

Um sorriso suave e quase imperceptível surgiu nos lábios de Alex.

— E você?

— Estou bem — disse ela, assentindo.

— Amo você — disse ele.

Ela se esforçou ao máximo para não se desfazer em lágrimas novamente. — Amo você também, Alex.

Ele lutava para não fechar os olhos, sem conseguir focar o olhar. — O que aconteceu?

•◆•

Ela fez um relato abreviado das últimas doze horas, mas, no meio da história, viu que os olhos dele se fecharam. Quando acordou novamente mais tarde, ele havia se esquecido de algumas partes do que ela havia lhe contado. Assim, Katie repetiu a história, tentando soar tranquila e casual.

Joyce trouxe Josh e Kristen e, embora não fosse permitido que crianças entrassem na UTI, o médico deixou que visitassem seu pai por alguns minutos. Kristen havia lhe trazido um desenho de um homem em uma cama de hospital, com as palavras "Melhore, papai" escritas no alto da página. Josh lhe deu uma revista especializada em pesca.

Conforme o dia avançou, Alex ficou mais coerente. À tarde, ele não mais adormecia e acordava em intervalos irregulares. Embora reclamasse de uma dor de cabeça monstruosa, sua memória, de forma geral, havia retornado. Sua voz já estava mais forte e, quando disse à enfermeira que sentia fome, Katie abriu um sorriso aliviado, finalmente, com a certeza de que ele ficaria bem.

ALEX RECEBEU ALTA no dia seguinte e o xerife veio até a casa de Joyce para recolher seus depoimentos formais. Disse que o nível de álcool na corrente sanguínea de Kevin estava tão alto que ele havia praticamente envenenado a si mesmo. Combinado com a perda de sangue que sofrera, era incrível que ainda houvesse se mantido consciente e com um certo grau de coerência durante a noite. Embora tivesse relatado os eventos daquela noite ao xerife, Katie não lhe contou tudo. Também não contou tudo a Alex — como poderia, quando as coisas nem sequer faziam sentido para ela? Não contou a eles que, nos momentos seguintes à morte de Kevin, quando correu para perto de Alex, ela havia chorado por ambos os homens. Parecia impossível que, mesmo enquanto revivia o terror daquelas últimas horas com Kevin, ela também se lembrasse dos raros momentos felizes que tiveram juntos; como eles riam das situações que haviam compartilhado ou como se deitavam juntos tranquilamente no sofá.

Ela não sabia como reconciliar aquelas partes conflitantes do seu passado e o horror que havia vivido durante a noite. Mas havia algo mais também. Algo que ela não entendia. Katie ficou na casa de Joyce porque tinha medo de voltar para sua casa.

•◆•

Mais tarde, naquele mesmo dia, Alex e Katie estavam no estacionamento, olhando para os escombros chamuscados que restavam da loja. Aqui e ali, ela conseguia reconhecer alguns objetos: o sofá, queimado pela metade, inclinado sobre cascalho; uma prateleira usada para guardar comida; uma banheira enegrecida pelo fogo.

Alguns bombeiros estavam revistando os escombros. Alex pediu a eles que procurassem pelo cofre que ele havia instalado dentro do armário. Ele tinha retirado as bandagens da cabeça e Katie conseguia ver o lugar onde os médicos haviam raspado seus cabelos para aplicar os pontos. O local estava inchado e tingido de preto e roxo.

— Eu lamento — disse Katie. — Por tudo.

Alex balançou a cabeça. — Você não tem culpa de nada. Não foi você que fez isso.

— Mas Kevin veio atrás de mim.

— Eu sei — disse Alex, ficando em silêncio por um momento. — Kristen e Josh me contaram sobre como você os ajudou a sair da casa. Josh disse que, depois que você agarrou o braço de Kevin, você disse a eles para correr. Disse que você o distraiu. Eu queria agradecê-la por isso.

Katie fechou os olhos. — Você não pode me agradecer por isso. Se alguma coisa acontecesse com eles, eu não suportaria viver com isso dentro de mim.

Ele fez que sim com a cabeça, mas não conseguia olhar para ela. Katie chutou uma pequena pilha de cinzas que havia se espalhado pelo estacionamento. — O que você vai fazer agora? Em relação à loja?

— Acho que vou reconstruir.

— E onde você vai morar?

— Ainda não sei. Vamos ficar na casa de Joyce por algum tempo, mas vou tentar encontrar um lugar tranquilo, um lugar com uma vista agradável. Como não posso trabalhar, vou tentar aproveitar meu tempo livre.

Katie sentia-se enjoada. — Não consigo nem imaginar como você está se sentindo agora.

— Anestesiado. Triste pelas crianças. Chocado.

— Sente raiva também?

— Não. Não sinto raiva.

— Mas você perdeu tudo.

— Não perdi tudo — disse ele. — Não perdi as coisas importantes. Meus filhos estão em segurança. Você está segura. É isso que me importa. Isso tudo — disse ele, apontando para os restos da loja — é apenas prejuízo material. A maior parte pode ser readquirida. Vai apenas levar algum tempo.

Ao terminar de falar, ele apertou os olhos, olhando em direção a alguma coisa em meio aos destroços. — Espere aqui um momento.

Alex andou em direção a uma pilha de escombros chamuscados e retirou uma vara de pescar que estava enfiada entre tábuas de madeira enegrecidas. Estava coberta de fuligem, mas não parecia estar danificada. Pela primeira vez desde que chegaram, Alex sorriu.

— Josh vai ficar feliz com isso — disse ele. — Eu gostaria de poder encontrar uma das bonecas de Kristen.

Katie cruzou os braços em frente ao corpo, sentindo as lágrimas lhe encherem os olhos. — Eu vou comprar uma boneca nova para ela.

— Você não precisa fazer isso. Eu tenho uma boa apólice de seguros.

— Mas eu quero. Nada disso teria acontecido se eu não tivesse entrado na sua vida.

Alex olhou para ela. — Eu sabia no que estava me envolvendo quando a convidei para sair.

— Mas você não poderia esperar que algo assim acontecesse.

— Não — admitiu ele. — Nada como o que aconteceu. Mas vai ficar tudo bem.

— Como pode dizer uma coisa dessas?

— Porque é verdade. Nós sobrevivemos e é isso que importa.

Ele estendeu a mão, buscando a mão de Katie, e ela sentiu seus dedos se entrelaçarem com os dele. — Ainda não tive a oportunidade de dizer que lamento.

— Lamenta pelo quê?

— Por sua perda.

Ela sabia que ele estava falando sobre Kevin e não tinha certeza do que dizer em resposta. Ele parecia entender que ela, ao mesmo tempo, amava e odiava seu marido.

— Nunca quis que ele morresse — começou ela. — Eu só queria ser deixada em paz.

— Eu sei.

Ela se virou para ele, com expectativa. — Será que vamos ficar bem? Depois de tudo isso?

— Acho que isso depende de você.

— De mim?

— Meus sentimentos não mudaram. Eu ainda te amo, mas você precisa descobrir se os seus sentimentos ainda são os mesmos.

— Eles não mudaram em nada.

— Então vamos encontrar uma maneira de superar tudo isso juntos, porque eu sei que quero passar o resto da minha vida com você.

Antes que ela pudesse responder, um dos bombeiros os chamou e eles se viraram na direção do homem. Ele estava fazendo força para retirar um objeto dos escombros e, quando se levantou, tinha um pequeno cofre nas mãos.

— Você acha que ele foi danificado?

— Provavelmente não. É à prova de fogo. Foi por isso que o comprei.

— E o que há nele?

— Alguns registros e documentos, mas vou precisar deles. Alguns discos com fotos e negativos. Coisas que eu queria proteger.

— Fico feliz por terem encontrado.

— Eu também fico — disse Alex. — Porque há algo dentro do cofre que preciso entregar a você.

42

Depois de deixar Alex na casa de Joyce, Katie finalmente dirigiu o jipe de volta à sua casa. Não queria realmente voltar até ali, mas sabia que não podia adiar o inevitável para sempre. Mesmo que não pretendesse ficar ali por muito tempo, ela precisava pegar alguns de seus pertences.

A poeira se levantou do cascalho e ela sentiu as ondulações da rua até estacionar em frente à casa. Ficou sentada no jipe — amassado e riscado, mas ainda funcionando bem — e olhou para a porta, lembrando-se de como Kevin havia sangrado até a morte em sua varanda, com o olhar fixo no rosto dela.

Katie não queria ver as manchas de sangue. Tinha medo de se lembrar, ao abrir a porta, da expressão de dor de Alex quando Kevin o atingira com o pé de cabra. Ela praticamente podia ouvir o choro histérico de Kristen e Josh enquanto se agarravam ao seu pai. Não se sentia preparada para reviver tudo aquilo.

Em vez disso, ela andou em direção à casa de Jo. Em suas mãos, ela tinha a carta que Alex havia lhe entregado. Quando lhe perguntou por que ele havia escrito uma carta, ele balançou a cabeça.

— Não fui eu que a escrevi — disse ele. Katie o olhou, confusa. — Você vai entender quando ler o que está escrito.

Quando se aproximou da casa de Jo, sentiu os resquícios de uma memória ganharem vida. Algo havia acontecido na noite do incêndio.

Algo que ela havia visto, mas que não conseguia se lembrar realmente. Quando sentia que estava quase identificando a sensação, a lembrança parecia escapar novamente. Diminuiu o passo conforme se aproximou da casa de sua vizinha, com uma expressão confusa marcando-lhe o rosto.

Havia teias de aranha na janela e uma das venezianas havia caído sobre a grama, despedaçando-se com o impacto. O corrimão da varanda estava quebrado e era possível ver algumas ervas daninhas brotando por entre as tábuas. Seus olhos buscavam todos os detalhes, mas ela não conseguiu processar a cena que tinha diante de si: uma maçaneta enferrujada, pendendo do seu encaixe na porta; uma grossa camada de sujeira nas janelas, como se elas não fossem limpas há anos.

Não havia cortinas...

Não havia capacho em frente à porta...

Não havia mensageiro dos ventos pendurado na varanda...

Ela hesitou, tentando entender o que estava vendo. Sentiu-se estranha e curiosamente sem qualquer peso, como se estivesse sonhando acordada. Quanto mais ela se aproximava, mais a casa parecia envelhecer e apodrecer perante seus olhos.

Katie piscou e percebeu que a porta tinha uma rachadura no meio, com uma ripa de madeira pregada no sentido transversal, fixando-a ao batente da porta que já se esfarelava.

Piscou novamente e viu que uma parte da parede, em um dos cantos superiores, havia apodrecido, deixando um buraco com bordas irregulares.

Piscou pela terceira vez e percebeu que a parte inferior da janela estava rachada e o vidro, quebrado. O chão estava coberto de cacos de vidro.

Katie subiu os degraus da varanda, sem conseguir se conter. Espiou pelas janelas, observando o interior da cabana escura.

Poeira, sujeira, móveis quebrados, pilhas de lixo. Nada estava pintado, nada estava limpo. Com um sobressalto, Katie deu um passo atrás, voltando à varanda, quase tropeçando no degrau quebrado.

"Não."

Não era possível. Simplesmente não era possível. O que havia acontecido com a Jo e com todas as melhorias que ela fizera na pequena cabana? Katie viu Jo pendurar o mensageiro dos ventos. Jo veio até a casa de Katie, queixando-se sobre ter que pintar e limpar. Tomaram café, beberam vinho e comeram queijo; Jo fez comentários maliciosos sobre a bicicleta. Jo a encontrou depois do trabalho e elas foram a um bar. A garçonete as viu juntas. Katie pediu vinho para as duas...

"Mas Jo não tocou em seu copo de vinho", lembrou-se.

Katie massageou suas têmporas. Sua mente estava funcionando em uma velocidade alucinada, buscando por respostas. Ela se lembrou de que Jo estava sentada nos degraus quando Alex a trouxera para casa. Até mesmo Alex a vira ali...

"Será que ele realmente a vira?"

Katie se afastou da casa envelhecida. Jo era real. Não era possível ser apenas um produto de sua imaginação. Ela não a havia criado.

"Mas Jo gostava de tudo que você fazia; bebia exatamente o mesmo café que você preparava, gostava das roupas que você comprava e as opiniões dela sobre os funcionários do Ivan's eram um reflexo das suas".

Dúzias de pequenos detalhes rapidamente começaram a encher a mente de Katie e as vozes duelavam em sua cabeça.

Ela morava aqui!

"Por que, então, o lugar está tão abandonado?"

Nós olhamos para as estrelas, estávamos juntas!

"Você ficou olhando as estrelas sozinha. É por isso que ainda não sabe os nomes delas."

Bebemos vinho na minha casa!

"Você bebeu a garrafa inteira sozinha. Foi por isso que ficou tão desorientada."

Foi ela que me falou sobre Alex! Ela queria que ficássemos juntos!

"Ela nunca mencionou o nome dele até que você o soubesse. E você estava interessada nele desde o início."

Ela foi a psicóloga que ajudou as crianças!

"Essa foi a desculpa que você usou para nunca falar sobre ela a Alex."

Mas...

Mas...

Mas...

Uma a uma, as respostas vieram tão rápido quanto Katie conseguia pensar nelas. O motivo pelo qual ela nunca soubera o sobrenome de Jo, ou por que nunca a vira dirigindo um carro... a razão pela qual Jo nunca a convidara para entrar ou aceitara sua ajuda para pintar a casa... como Jo conseguira aparecer inesperadamente ao lado de Katie usando roupas de corrida...

Katie sentiu algo ceder dentro de si quando todas as peças do quebra-cabeça se encaixaram.

Repentinamente, ela percebeu a realidade. Jo nunca chegara a existir.

43

Sentindo-se como se ainda estivesse sonhando, Katie voltou à sua casa com passos hesitantes. Ela se sentou na cadeira de balanço e olhou longamente para a casa de Jo, considerando a possibilidade de que teria enlouquecido completamente.

Ela sabia que a criação de amigos imaginários era comum entre crianças, mas ela não era uma criança. Sim, ela estava sob um forte estresse quando chegou a Southport. Sozinha e sem amigos, fugindo, sempre olhando por cima do ombro, aterrorizada pela possibilidade de que Kevin a encontrasse. Quem não sentiria a pressão dessa ansiedade? Mas será que aquilo fora o bastante para ter provocado a criação de um *alter ego*? Talvez alguns psiquiatras dissessem que sim, mas ela não tinha tanta certeza.

O problema era que Katie não queria acreditar naquilo. Não podia acreditar, porque lhe pareceu tão... *real*. Ela se lembrava daquelas conversas, ainda se recordava das expressões de Jo, ainda ouvia o som de sua risada. As memórias que tinha de Jo eram tão reais como suas memórias de Alex. Claro, provavelmente ele também não era real. Provavelmente sua mente o havia criado também. Assim como Kristen e Josh. Ela provavelmente estava amarrada a alguma cama em um manicômio, perdida em um mundo inteiro que sua mente havia criado. Balançou a cabeça, frustrada, confusa e mesmo assim...

Havia outra coisa que a perturbava. Algo que não conseguia realmente identificar. Estava se esquecendo de alguma coisa. Algo que era importante.

Por mais que tentasse, não era capaz de discernir aquilo. Os eventos dos últimos dias a deixaram exausta e abalada. Ela olhou para o céu. O crepúsculo estava começando a se espalhar e a temperatura estava caindo. Perto das árvores, uma névoa começava a se formar.

Desviando os olhos da casa de Jo — era assim que ela sempre viria a se referir àquele lugar, independente do estado de espírito que aquilo implicasse — Katie examinou a carta. Não havia nenhuma palavra ou nome escrito do lado de fora do envelope.

Havia algo de assustador naquela carta lacrada, embora ela não soubesse o que era. Talvez fosse a expressão de Alex quando ele lhe entregara o envelope. De alguma forma, ela sabia que aquilo não era apenas sério, mas também importante para ele. E Katie se perguntou por que ele não havia lhe dito nada a respeito.

Ela não sabia, mas em breve escureceria e estava certa de que seu tempo estava acabando. Girando o envelope nos dedos, abriu o lacre. Na luz esmaecida, deslizou seu dedo por cima do papel amarelo antes de desdobrar as páginas. Finalmente, começou a ler.

À mulher que meu marido ama.

Se você acha que é estranho ler estas palavras, por favor, acredite em mim quando digo que a sensação que eu tenho ao escrevê-las é tão estranha quanto a que você sente ao lê-las. Por outro lado, nenhum aspecto desta carta me parece normal. Há tantas coisas que quero dizer, tantas coisas que eu quero lhe contar e, quando decidi escrever esta carta, tudo parecia estar claro na minha mente. Agora, entretanto, percebo que estou confusa e não sei por onde devo começar.

Acho que posso começar dizendo isto: eu passei a acreditar que, na vida de cada um, há um momento inegável de mudança; um conjunto de circunstâncias que, repentinamente, faz com que tudo se transforme. Para mim, este momento ocorreu quando conheci Alex. Embora eu não saiba quando ou onde você está lendo esta carta, eu sei que isso significa que ele a ama. Também significa que ele quer compartilhar sua vida com você e, se não houver nada mais, pelo menos nós teremos isto em comum.

Meu nome, como você provavelmente sabe, é Carly. Entretanto, durante a maior parte da minha vida, meus amigos me chamavam de Jo...

Katie parou de ler e olhou para a carta em suas mãos, incapaz de absorver aquelas palavras. Respirando fundo, ela releu aquela frase: *durante a maior parte da minha vida, meus amigos me chamavam de Jo...*

Ela segurou as páginas com força, finalmente desvelando a memória que vinha lutando para recobrar. Repentinamente, ela se viu novamente no quarto de Alex na noite do incêndio. Sentiu a dor nos braços e nas costas quando jogou a cadeira de balanço pela janela, sentiu a onda de pânico quando envolveu Josh e Kristen com o edredom, logo antes de ouvir o som das rachaduras atrás de si. Com uma clareza absoluta, lembrou-se de girar sobre os calcanhares e ver o retrato que estava pendurado na parede, o retrato da esposa de Alex. Na noite do incêndio, ela estava confusa, com os nervos à flor da pele em meio ao inferno de fumaça e medo.

Mas ela havia visto aquele rosto. Sim, havia até mesmo dado um passo em direção ao retrato para olhar melhor.

"Ela se parece muito com Jo", lembrou-se de pensar na ocasião, mesmo que sua mente não tivesse condições de processar a informação. Mas agora, sentada na varanda sob um céu que escurecia aos poucos, ela teve a certeza de que estava errada. Errada a respeito de tudo. Levantou os olhos para olhar em direção à casa de Jo novamente.

Katie repentinamente percebeu que a esposa de Alex se parecia com Jo porque *realmente* era Jo. Espontaneamente, ela se recordou de outro momento, na primeira manhã em que Jo viera até sua casa.

Meus amigos me chamam de Jo, disse ela, ao se apresentar.

Oh, meu Deus.

Katie empalideceu.

...Jo...

Percebeu, de repente, que não havia imaginado Jo. Não fora sua imaginação que a criara.

Jo *esteve* aqui; e Katie sentiu sua garganta se apertar. Não porque não acreditava nela, mas porque ela finalmente compreendera que sua amiga Jo — sua única amiga verdadeira, sua sábia conselheira, a pessoa que a apoiava e a quem confiava seus segredos — nunca mais voltaria.

Elas nunca voltariam a tomar café, nunca mais dividiriam outra garrafa de vinho, nunca mais conversariam na varanda. Ela nunca voltaria a ouvir o som do riso de Jo ou observaria a maneira que ela tinha de arquear a sobrancelha. Ela nunca mais ouviria Jo se queixar de ter que fazer trabalhos braçais... então começou a chorar, lamentando a perda da maravilhosa amiga que nunca tivera a oportunidade de conhecer em vida.

•◆•

Katie não sabia ao certo quanto tempo se passara antes que ela fosse capaz de voltar a ler. Estava escurecendo e, com um suspiro, ela se levantou e abriu a porta da frente. Dentro da casa, sentou-se à mesa da cozinha. Ela se lembrava de que, certa vez, Jo havia se sentado na cadeira em frente à sua e, por algum motivo que não conseguia explicar, sentiu que começava a relaxar.

"Tudo bem", pensou ela consigo mesma. "Estou pronta para ouvir o que você tem a dizer."

... Durante a maior parte da minha vida, meus amigos me chamavam de Jo. Por favor, fique à vontade para me chamar por qualquer um dos nomes. E, para que você se sinta melhor, saiba que eu já a considero uma amiga. Espero que, ao final desta carta, você sinta o mesmo em relação a mim.

Morrer é uma coisa estranha e não vou aborrecê-la com os detalhes. Posso ainda ter algumas semanas, ou talvez meses de vida. Embora eu saiba que isso é um clichê, a verdade é que muitas das coisas nas quais eu acreditei serem importantes não o são mais. Eu não leio mais o jornal, não me importo com o mercado de ações nem me preocupo se vai chover durante minhas férias. Em vez disso, eu me apanho refletindo sobre os momentos essenciais da minha vida. Eu penso em Alex e no quanto ele estava bonito no dia em que nos casamos. Eu me lembro do orgulho e da exaustão que senti quando segurei Josh e Kristen em meus braços. Eles eram bebês lindos. Eu costumava deitá-los sobre meu colo e olhar para eles enquanto dormiam. Eu podia ficar horas assim, simplesmente olhando para eles, tentando descobrir se eles haviam herdado meu nariz ou o de Alex, os olhos dele ou os meus. Às vezes, enquanto estavam sonhando, as mãozinhas deles se fechavam ao redor do meu dedo, e eu me lembro de pensar que nunca sentira uma forma de alegria tão pura.

Foi apenas quando tive filhos que eu realmente compreendi o significado do amor. Não me entenda mal. Eu amo Alex com todo o meu coração, mas é diferente do amor que eu sinto por Josh e Kristen. Não sei como explicar e não sei se preciso. Tudo o que sei é que, apesar da minha doença, me sinto abençoada, porque fui capaz de vivenciar ambos. Vivi uma vida plena e feliz e senti o tipo de amor que muitas pessoas nunca conhecerão.

Mas a minha situação me assusta. Eu tento demonstrar coragem quando Alex está por perto e as crianças ainda são muito novas para entender o que realmente está acontecendo. Nos momentos tranquilos em que estou sozinha, as lágrimas me vêm rapidamente e eu, às vezes, me pergunto se elas vão parar algum dia. Embora eu saiba que não deveria, me apanho pensando no fato de que nunca vou acompanhar meus filhos até a escola, ou que nunca vou ter outra chance de observar a alegria deles na manhã de natal. Nunca terei a oportunidade de ajudar Kristen a escolher um vestido para o baile de formatura, nunca vou assistir aos jogos de beisebol de que Josh vai participar. Há muitas coisas que nunca verei ou farei com eles e, às vezes, eu me desespero, pensando que nunca serei nada além de uma memória distante quando chegar a época em que eles decidirem se casar.

Como vou poder dizer que os amo, se não estarei mais aqui?

Alex. Ele é o meu sonho e meu companheiro, meu amante e meu amigo. Ele é um pai dedicado. Porém, mais do que isso, ele é meu marido ideal. Não posso descrever o conforto que sinto quando ele me toma em seus braços, ou o quanto anseio por poder me deitar ao seu lado, à noite. Há um senso inabalável de humanidade nele, uma fé na bondade da vida e eu sinto meu coração se partir quando imagino que ele ficará sozinho. É por isso que eu pedi a ele que entregasse essa carta a você; penso que isso é uma maneira de fazê-lo manter a promessa que me fez quando disse que iria voltar a encontrar alguém especial – alguém que o ame e alguém que ele possa amar. Ele precisa disso.

Sou abençoada por passar cinco anos casada com ele. Agora, minha vida está quase terminada e você vai assumir meu lugar. Você se tornará a esposa que vai envelhecer ao lado de Alex e você se tornará a única mãe que meus filhos irão conhecer. Você não pode imaginar o quanto é terrível estar deitada em uma cama, olhar para minha família, saber dessas coisas e perceber que não posso fazer nada para mudar essa situação.

É aqui que você entra. Eu quero que você faça uma coisa por mim.

Se você ama Alex agora, então o ame para sempre. Faça-o rir novamente e valorize os momentos que passarem juntos. Saiam para caminhar juntos, saiam para pedalar suas bicicletas, aconcheguem-se juntos no sofá e assistam a filmes sob um cobertor. Prepare o café da manhã para ele, mas não o mime. Deixe que ele lhe prepare o café da manhã também, para que ele demonstre que você é especial para ele. Beije-o e faça amor com ele, e considere-se uma pessoa de sorte por tê-lo encontrado. Ele é o tipo de homem que vai provar que você está certa.

Eu também quero que você ame meus filhos da mesma forma que eu os amo. Ajude-os a fazer sua lição de casa. Beije seus joelhos e cotovelos machucados quando eles caírem. Passe a mão pelos cabelos deles e garanta-lhes que conseguirão fazer qualquer coisa e que basta se esforçarem para tal. Coloque-os na cama à noite e ajude-os com suas orações. Faça o lanche que eles levarão para a escola e apoie-os com suas amizades. Adore-os, ria com eles, ajude-os a crescer e a se transformarem em adultos gentis e independentes. O amor que você lhes der será retribuído e multiplicado por dez com o tempo. Eles aprenderão a fazer isso com Alex.

Por favor, eu lhe imploro. Faça essas coisas por mim. Afinal, agora eles são sua família, não mais a minha.

Não sinto ciúme ou raiva por você me substituir; como já mencionei, considero-a uma amiga. Você trouxe a felicidade ao meu marido e aos meus filhos e eu gostaria de poder estar por perto para agradecê-la pessoalmente. Em vez disso, a única coisa que posso fazer é assegurar que você terá minha gratidão eterna.

Se Alex escolheu você, então eu quero acreditar que eu também a escolhi.

Da sua amiga,

Carly Jo

Quando Katie terminou de ler a carta, ela enxugou as lágrimas e deslizou o dedo pelas páginas antes de voltar a guardá-las no envelope. Ela se sentou em silêncio, pensando nas palavras que Jo havia escrito, já sabendo que faria exatamente o que ela pedia.

"Não por causa da carta", pensou ela, mas porque sabia que, de alguma maneira inexplicável, fora Jo quem a estimulara gentilmente a dar uma chance a Alex.

Ela sorriu. — Obrigada por confiar em mim — sussurrou ela, e soube que Jo sempre estivera certa, o tempo todo. Ela havia se apaixonado por Alex e pelas crianças e já sabia que não era capaz de imaginar seu futuro sem a presença deles. "Hora de ir para casa", pensou ela. Hora de ir ver sua família.

Fora da cabana, a lua era um disco branco e brilhante que a guiava enquanto ela se dirigia para o jipe. Antes de entrar, entretanto, ela deu uma última olhada sobre o ombro em direção à casa de Jo.

As luzes estavam acesas e as janelas da cabana brilhavam com uma luminosidade amarela. Na cozinha pintada, ela viu Jo em pé ao lado da janela. Embora estivesse longe demais para perceber qualquer coisa além daquilo, Katie teve a impressão de que ela lhe sorria. Jo levantou a mão em um aceno amistoso e Katie se lembrou mais uma vez de que o amor é capaz de alcançar o impossível.

Entretanto, quando Katie piscou, a cabana estava novamente às escuras. Não havia nenhuma luz acesa e Jo desaparecera, mas achou que podia ouvir as palavras da carta sendo levadas pela brisa suave que soprava.

Se Alex escolheu você, então eu quero acreditar que eu também a escolhi.

Katie sorriu e se virou, sabendo que aquilo não era uma ilusão ou algo criado pela sua imaginação. Ela sabia o que havia visto.

Ela sabia no que acreditava.